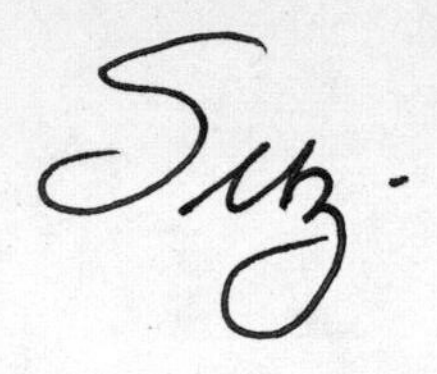

Crains le pire

Linwood Barclay

Crains le pire

Traduit de l'anglais (Canada)
par Marieke Merand-Surtel

ÉDITIONS
FRANCE
LOISIRS

Titre original : *Fear the worst*
Publié par Orion Books, an imprint of The Orion.
Publishing Group Ltd, Londres

Pour Neetha

Tous les personnages de ce livre sont fictifs. Toute ressemblance avec des personnes vivantes ou mortes relève de la simple coïncidence.

Édition du Club France Loisirs,
avec l'autorisation des Éditions Belfond.

Éditions France Loisirs,
123, boulevard de Grenelle, Paris
www.franceloisirs.com

ISBN : version reliée : 978-2-298-03921-4
Version brochée : 978-2-298-03922-1

PROLOGUE

Le matin du jour où j'ai perdu ma fille, elle m'a demandé de lui faire des œufs brouillés.

— Tu veux du bacon avec ? ai-je crié en direction de l'étage, où Sydney se préparait pour aller travailler.

— Non, a-t-elle répondu de la salle de bains.

— Des toasts ?

— Non plus.

J'ai entendu le claquement du fer à lisser. Ce bruit indiquait généralement la fin de son rituel matinal.

— Du fromage dans tes œufs ?

— Non. Ou alors un peu, pourquoi pas ?

Je suis retourné dans la cuisine, j'ai ouvert le frigo, en ai sorti des œufs, un morceau de cheddar, du jus d'orange, et j'ai mis la cafetière électrique en route.

Susanne, mon ex-femme, qui venait d'emménager chez Bob, son nouveau compagnon, à Stratford, de l'autre côté du fleuve, aurait sans doute dit que je gâtais trop notre fille, qu'à dix-sept ans elle était assez grande pour se préparer son petit déjeuner. Mais l'avoir avec moi pour l'été était un tel plaisir que ça ne me dérangeait pas de la dorloter. L'an passé, je lui avais trouvé un job à la concession Honda de Milford où je suis vendeur, de ce côté-ci du fleuve. Mis à part quelques échanges virulents, partager notre quotidien avait été dans l'ensemble une expérience plutôt agréable. Cette année, toutefois, Sydney avait choisi de ne pas retourner chez Honda. Cohabiter avec moi lui suffisait. Que je garde un œil sur elle pendant qu'elle travaillait était une autre histoire.

— Tu as remarqué, avait-elle observé l'été précédent, que tu critiques chaque garçon à qui je parle, même une minute ?

— Une femme avertie en vaut deux, avais-je répliqué.

— Dwayne, par exemple, à l'atelier ?

— Il a mauvais caractère.

— Et Andy ?

— Tu plaisantes. Beaucoup trop vieux pour toi. Il a bien vingt-cinq ans.

Alors cette année, elle avait trouvé un autre emploi, toujours à Milford, afin de pouvoir vivre avec moi de juin au jour de la fête du Travail, début septembre. Elle s'était fait embaucher au Just Inn Time, un hôtel pour représentants de commerce ne restant qu'une nuit ou deux. Milford est une jolie ville, sans être une destination touristique. Dans une existence antérieure, l'hôtel avait été un Days Inn ou un Holiday Inn ou encore un Comfort Inn, mais la chaîne propriétaire, quelle qu'elle fût, avait repris ses billes et un indépendant l'avait remplacée.

Je n'avais guère été étonné quand Sydney m'avait appris qu'on lui avait donné un poste à la réception.

— Tu es intelligente, charmante, bien élevée...

— Je suis surtout une des rares à parler anglais, avait-elle riposté, coupant court à ma fierté paternelle.

Il fallait lui tirer les vers du nez pour la faire parler de son nouveau travail. « C'est juste un boulot », disait-elle. Au bout de trois jours, je l'ai surprise en pleine dispute au téléphone avec sa copine Patty Swain, elle voulait trouver autre chose, même si son salaire était correct puisqu'elle ne paierait pas d'impôts.

— Ce n'est pas déclaré ? lui ai-je demandé lorsqu'elle a raccroché. Tu es payée au noir ?

— Tu écoutes mes coups de fil ou quoi ?

J'ai préféré la laisser tranquille. Qu'elle règle ses problèmes elle-même.

J'ai attendu que Sydney descende l'escalier pour verser les deux œufs battus avec du cheddar râpé dans la poêle beurrée. L'idée m'est alors venue de lui faire le même genre de surprise que lorsqu'elle était petite. J'ai pris une moitié de coquille d'œuf vide et, à l'aide d'un crayon à mine tendre, j'ai dessiné un visage dessus. Un sourire tout en dents, une demi-lune pour le nez, et deux yeux menaçants. Après avoir tiré un trait de la bouche jusque derrière la coquille, j'ai écrit : SOURIS, BON SANG !

Elle est entrée dans la cuisine d'un pas traînant, comme un prisonnier en route pour l'échafaud, puis elle s'est affalée sur sa chaise, le regard baissé, les cheveux sur les yeux, les bras inertes le long du corps. Une énorme paire de lunettes de soleil, que je ne lui connaissais pas, était perchée au sommet de son crâne.

J'ai fait glisser les œufs, devenus fermes en quelques secondes, sur une assiette que j'ai déposée devant elle.

— Votre Altesse, ai-je déclaré par-dessus le son de l'émission *Today* qui s'échappait du petit téléviseur de la cuisine.

Levant lentement la tête, Sydney a d'abord regardé l'assiette, avant de s'arrêter sur le petit bonhomme qui la fixait.

— Oh, mon Dieu, a-t-elle soufflé.

Puis elle a tourné la salière coiffée de la demi-coquille pour lire ce qui se trouvait à l'arrière.

— Souris toi-même, a-t-elle riposté avec une inflexion espiègle dans la voix.

— Tu as de nouvelles lunettes de soleil ?

D'un air absent, comme si elle avait oublié qu'elle venait de les poser là, elle a touché une des branches, les a vaguement ajustées sur sa tête.

— Oui.

J'ai remarqué la griffe Versace inscrite en lettres minuscules dessus.

— Très chouette, ai-je commenté.

Syd a hoché la tête avec lassitude.

— Tu es rentrée tard ? ai-je poursuivi.

— Pas tellement.

— Minuit, ça l'est.

Elle savait que nier l'heure de son retour ne servirait à rien. Je ne fermais jamais l'œil avant de l'entendre franchir le seuil de notre maison de

Hill Street et verrouiller la porte derrière elle. Je supposais qu'elle était sortie avec Patty Swain, qui, bien qu'également âgée de dix-sept ans, donnait l'impression d'avoir un peu plus d'expérience que Syd dans les domaines qui empêchent les pères de dormir la nuit. J'aurais été naïf de croire Patty Swain encore novice en matière d'alcool, de sexe ou de drogue.

Cela dit, Syd n'était pas un ange non plus. Je l'avais surprise une fois avec un joint, sans compter ce jour où, alors qu'elle avait quinze ans, elle était rentrée de la boutique Abercrombie & Fitch de Stamford avec un nouveau T-shirt, incapable d'expliquer à sa mère l'absence de ticket de caisse. Ç'avait bardé.

Voilà peut-être pourquoi ces lunettes de soleil me titillaient.

— Elles t'ont coûté cher ? ai-je demandé.

— Pas tant que ça.

— Et comment va Patty ?

En fait, je voulais surtout m'assurer que Syd était bien sortie avec elle. Même si leur amitié ne remontait qu'à un an, elles passaient tellement de temps ensemble qu'on aurait dit qu'elles se connaissaient depuis le jardin d'enfants. J'aimais bien Patty, elle avait un franc-parler rafraîchissant, mais j'aurais parfois préféré que Syd traîne un peu moins avec elle.

— Nickel, répondit-elle.

À la télévision, Matt Lauer[1] nous mettait en garde contre la radioactivité potentielle des plans de travail en granit. Chaque jour apportait son nouveau sujet d'inquiétude.

Sydney a pioché dans ses œufs.

— Mmm, a-t-elle fait avant de relever les yeux vers le poste. Tiens, c'est Bob.

J'ai suivi son regard. Il s'agissait d'un spot publicitaire de la chaîne locale. Un grand type avec un début de calvitie et un sourire éclatant se tenait devant un océan de voitures, les bras étendus, tel Moïse fendant les eaux de la mer Rouge.

« Venez dare-dare chez Bob Motors ! Vous n'avez pas de reprise ? Aucun problème ! Vous n'avez pas d'acompte ? Aucune importance ! Vous n'avez pas de permis de conduire ? Bon, ça, c'est un peu embarrassant ! Mais si vous recherchez une voiture, et si vous voulez une bonne affaire, venez vous éclater dans l'une de nos trois... »

J'ai coupé le son.

— Il est crétin sur les bords, a dit Sydney de l'homme avec lequel vivait sa mère, mon ex-femme. Mais dans ces pubs il fait carrément Supercrétin. Qu'est-ce qu'on mange ce soir ?

Le petit déjeuner ne se terminait jamais sans que nous discutions du dîner.

— Si on se faisait livrer un truc ?

Avant que je puisse répondre, elle a ajouté :

— Une pizza ?

---

1. Journaliste présentateur de l'émission *Today* sur NBC. *(Toutes les notes sont de la traductrice)*.

— Je crois que je vais préparer quelque chose, ai-je objecté.

Syd n'a pas cherché à cacher sa déception.

La pub de Bob passée, j'ai remis le son du téléviseur. Al Roker[1] se mêlait à la foule habituelle du Rockefeller Center, où la plupart des gens agitaient des panneaux souhaitant un bon anniversaire à des parents postés devant l'émission.

J'ai observé ma fille manger son petit déjeuner. Être père, du moins pour moi, c'est aussi être constamment fier. Sydney devenait vraiment ravissante. Cheveux blonds aux épaules, long cou gracile, teint de porcelaine, traits affirmés. Sa mère a des racines norvégiennes, d'où ce côté scandinave.

Comme si elle sentait mon regard sur elle, Syd a demandé :

— Tu crois que je pourrais être mannequin ?

— Mannequin ?

— Inutile de prendre cet air choqué.

— Je ne suis pas choqué, ai-je riposté, sur la défensive. Simplement, c'est la première fois que tu m'en parles.

— Ça ne m'avait jamais traversé l'esprit. C'est une idée de Bob.

J'ai senti la colère enflammer mon visage. Bob encourageait Syd à devenir mannequin ? Il abordait la quarantaine, comme moi. Maintenant que ma femme et – trop souvent à mon goût – ma fille habitaient dans sa belle baraque de cinq pièces avec piscine et garage à trois places, voilà

1. Présentateur météo et animateur sur NBC.

qu'il la poussait à être mannequin ? Et pour quoi ? Des calendriers ? Des vidéos porno ? Il proposait de prendre les photos lui-même ?

— Une idée de Bob ? ai-je répété.

— Il trouve que je suis faite pour ça. Que je devrais jouer dans un de ses spots publicitaires.

Difficile de décider ce qui serait le plus dégradant : figurer dans *Penthouse* ou fourguer les voitures d'occasion de Bob.

— Ben quoi ? a lâché Syd. Tu trouves qu'il a tort ?

— Il y va un peu fort.

— Ce n'est pas un pervers ni rien, tu sais. Un crétin, oui, mais pas un pervers. Même maman et Evan étaient plus ou moins d'accord avec lui.

— Evan ?

À présent, je fulminais. Evan, dix-neuf ans, était le fils de Bob. La plupart du temps il vivait chez sa mère, l'une des deux ex-femmes de Bob. Mais celle-ci étant partie trois mois en Europe, Evan avait emménagé chez son père. Ce qui signifiait qu'il dormait dans une chambre donnant sur le même couloir que celle de Syd.

L'idée d'un ado excité vivant sous le même toit que Sydney m'avait hérissé dès le départ. J'étais surpris que Susanne ait accepté cette situation, mais que pouvait-elle faire ? Obliger Bob à mettre son fils à la porte ?

— Ouais, Evan, a répliqué Sydney. Il donnait son avis, c'est tout.

— Il ne devrait même pas habiter là.

— Bon sang, papa, on ne va pas recommencer, si ?

— Un garçon de dix-neuf ans, à moins d'être ton véritable frère, ne devrait pas vivre sous le même toit que toi.

Il m'a semblé la voir rougir.

— Pas de quoi en faire un plat, a-t-elle rétorqué.

— Et ta mère, ça lui plaît ? Que Bob et son fils t'encouragent à être la prochaine Cindy Crawford ?

— Cindy qui ?

— Crawford. C'était... laisse tomber. Ça ne dérange pas ta mère ?

— Elle ne pique pas de crise comme toi, en tout cas, a souligné Syd en me lançant un regard noir. Et d'ailleurs, Evan l'aide beaucoup, depuis le truc.

Le *truc*. L'accident de Susanne en parachute ascensionnel dans le détroit de Long Island. Elle était descendue trop vite, s'était massacrée la hanche et salement luxé le genou. Bob, au volant de son bateau, l'avait traînée sur cent mètres avant de se rendre compte que quelque chose clochait, l'abruti. Quand elle était avec moi, Susanne ne risquait aucun accident de parachute ascensionnel : je ne possédais pas de bateau.

— Tu ne m'as pas dit combien tu as payé ces lunettes de soleil, ai-je observé.

Sydney a soupiré.

— Pas si cher que ça.

Elle contemplait plusieurs enveloppes non décachetées près du téléphone.

— Tu devrais vraiment ouvrir tes factures, papa, a-t-elle repris. Ça fait trois jours qu'elles sont là.

— Ne t'inquiète pas pour mes factures. Je peux les payer.

— Maman dit que ce n'est pas un problème d'argent, juste que tu n'es pas très organisé, alors après tu es en retard...

— Les lunettes, l'ai-je interrompue. Où tu les as eues ?

— Quoi, tout ce foin pour une paire de lunettes ?

— Je suis curieux, c'est tout. Tu les as achetées au centre commercial ?

— Oui. Avec cinquante pour cent de réduction.

— Tu as gardé le ticket de caisse ? Au cas où tu les casserais, par exemple ?

Sydney a plongé ses yeux dans les miens.

— Pourquoi tu me demandes pas simplement de te montrer le ticket ?

— Et pourquoi je le ferais ?

— Parce que tu penses que je les ai volées.

— Je n'ai pas dit ça.

— C'était il y a deux ans, papa. Je ne te crois pas.

Elle a repoussé son assiette inachevée.

— Tu débarques avec des lunettes Versace, et tu imagines que je ne vais pas poser de questions ?

Sans répondre, elle s'est levée pour remonter bruyamment à l'étage.

— Merde, ai-je grommelé entre mes dents.

Bravo, bien joué.

Je devais moi aussi finir de me préparer pour aller travailler. Pendant que j'étais dans ma chambre, j'ai entendu Syd dévaler l'escalier, et je suis descendu lui dire au revoir. Je l'ai rattrapée alors qu'elle sortait de la cuisine avec une bouteille d'eau, sur le point de quitter la maison.

— Ça va craindre de passer l'été avec toi si tu es comme ça tout le temps, m'a-t-elle lancé. Et ce n'est pas ma faute si je vis avec Evan. En plus, c'est pas comme s'il me violait toutes les cinq minutes.

J'ai tiqué.

— Je sais. C'est simplement que…

— Faut que j'y aille, m'a-t-elle coupé.

Elle a tourné les talons pour monter dans sa Civic et a démarré, les yeux fixés sur la route, sans voir mon signe d'adieu.

Dans la cuisine, le ticket de caisse des lunettes était posé juste à côté du personnage en coquille d'œuf qu'elle avait écrasé d'un coup de poing.

Je suis parti pour Riverside Honda. La concession était située tout près du pont qui mène à Stratford, à l'endroit où le fleuve Housatonic se déverse dans le détroit. La matinée s'est écoulée au ralenti, sans suffisamment de passage pour qu'arrive mon tour de recevoir les clients ; mais peu après midi, un couple de retraités sexagénaires est entré, afin de regarder une Accord modèle de base.

Ils hésitaient à propos du prix – eux et moi étions à sept cents dollars d'écart. Je leur ai annoncé que j'allais soumettre leur dernière offre au directeur commercial. Au lieu de quoi, j'ai filé à l'atelier et j'ai englouti un beignet au chocolat raflé sur le meuble à côté de la machine à café ; ensuite je suis revenu et leur ai dit que je n'étais pas en mesure de leur accorder un rabais supérieur à cent dollars, mais que nous aurions un peintre de *pinstriping* sur place durant les jours suivants, et que, s'ils signaient, je pourrais faire customiser l'Accord gratuitement. L'œil du type s'est allumé, et ils ont craqué. Plus tard, j'ai pris un kit de stickers à dix dollars au rayon pièces détachées et l'ai attaché au bon de commande.

Dans l'après-midi, un homme qui envisageait de changer son van Odyssey vieux de dix ans pour un neuf m'a demandé combien je reprendrais l'ancien. Question à laquelle on ne répond jamais sans en poser soi-même quelques-unes au préalable.

— Vous êtes le propriétaire d'origine ?

Il l'était.

— Vous avez bien entretenu le véhicule ?

Il a assuré avoir effectué la plupart des révisions.

— Vous avez déjà subi un accident avec ?

— Oh oui, a-t-il spontanément répondu. Il y a trois ans, j'ai embouti la bagnole d'un gars, il a fallu remplacer tout l'avant.

Je lui ai expliqué qu'un accident baissait considérablement la valeur à la reprise. Il a rétorqué que puisque toutes les pièces à l'avant étaient neuves, au contraire, la voiture devait valoir plus. Comme le prix que je lui ai proposé ne lui a pas plu, il est parti.

Deux fois, j'ai appelé mon ex-femme Susanne à son lieu de travail, l'un des centres de véhicules d'occasion que possédait Bob à Stratford, et deux fois j'ai laissé le même message, l'enjoignant de m'expliquer si le projet de Bob d'immortaliser notre fille sur un calendrier porno destiné au concessionnaire Goodyear du coin l'emballait réellement.

Après mon second appel, mon esprit s'est quelque peu éclairci. En fait, Sydney n'était pas la seule à me tracasser, il y avait aussi Susanne, Bob, la vie beaucoup plus agréable qu'elle menait avec lui, et la façon dont j'avais tout fichu en l'air.

Je vendais des voitures depuis l'âge de vingt ans, et je m'en sortais bien, mais, selon Susanne, j'étais capable de plus. « Tu devrais cesser de travailler pour quelqu'un, disait-elle. Tu devrais être ton propre patron. Avoir ta concession automobile. On pourrait changer nos vies. Envoyer Syd dans les meilleures écoles. Se construire un plus bel avenir. »

Mon père était décédé lorsque j'avais dix-neuf ans, laissant ma mère à l'abri du besoin. Quelques années plus tard, quand elle est morte à son tour d'une crise cardiaque, j'ai utilisé mon héritage pour montrer à Susanne que je pouvais être l'homme qu'elle voulait que je sois.

Et j'ai tout raté.

Je n'ai jamais eu une vision globale des choses. La vente, le contact humain, ça c'est mon truc. Alors, je continuais à négocier en douce avec les clients dans le showroom. J'ai laissé d'autres personnes prendre les décisions à ma place et ça ne s'est pas bien passé du tout. Je les ai laissées me voler.

En fin de compte, j'ai tout perdu.

Pas seulement mon entreprise, pas seulement notre grande maison donnant sur le détroit, mais ma famille aussi.

Susanne m'a reproché d'avoir relâché mon attention. Moi, je lui ai reproché de m'avoir poussé vers quelque chose pour laquelle je n'avais aucun goût.

Sydney, d'une certaine manière, s'en est voulu. Elle s'imaginait que si nous l'avions aimée suffisamment, nous serions restés ensemble envers et contre tout. Elle refusait de croire que notre séparation n'avait aucun rapport avec l'amour que nous lui portions.

Chez Bob, Susanne a trouvé ce qui me manquait. Bob visait toujours l'échelon supérieur. Bob pensait que s'il était capable de vendre des voitures, il serait capable d'ouvrir une concession, et que, s'il était capable d'en ouvrir une, pourquoi pas deux, ou même trois ?

Jamais je n'ai offert de Corvette à Susanne quand je sortais avec elle, comme l'a fait Bob. Au moins ai-je connu une certaine satisfaction quand un piston a explosé. Susanne a fini par s'en débarrasser parce qu'elle détestait conduire avec un levier de vitesse.

Ce jour-là, j'ai quitté mon travail, un peu à contrecœur, vers six heures du soir. Quand on travaille à la commission, on n'aime pas abandonner un hall d'exposition encore ouvert. On sait qu'à l'instant où on partira, quelqu'un va entrer, chéquier à la main, et demander à vous voir. On ne peut tout de même pas vivre sur place.

Il faut bien retourner à la maison de temps en temps.

J'avais prévu de préparer des spaghettis, puis je me suis dit que je pourrais tout aussi bien commander une pizza, pour faire la paix avec Sydney. Une sorte de cadeau de réconciliation, une façon de me faire pardonner l'histoire des lunettes de soleil.

À sept heures, elle n'avait toujours pas pointé son nez, ni appelé pour me prévenir qu'elle serait en retard.

Peut-être qu'un employé de l'hôtel était tombé malade, et qu'elle faisait des heures sup à la réception. D'habitude, quand elle risquait de ne pas rentrer pour dîner, elle téléphonait. Mais je la voyais bien se dispenser d'une telle attention aujourd'hui, après ce qui s'était passé au petit déjeuner.

Néanmoins, à huit heures, n'ayant aucune nouvelle de sa part, j'ai commencé à m'inquiéter.

Planté dans la cuisine, je regardais, sans y prêter réellement attention, un reportage de CNN sur un tremblement de terre en Asie, me demandant où pouvait bien être ma fille.

Parfois, elle retrouvait Patty ou une autre amie après le travail, et elles allaient manger un morceau au centre commercial.

Je l'ai appelée sur son portable. Après plusieurs sonneries, la messagerie s'est activée.

« Rappelle-moi, ma puce. Finalement, j'ai pensé qu'on pourrait commander une pizza. Dis-moi à quoi tu la veux. »

J'ai attendu encore dix minutes avant de me décider à chercher le numéro de l'hôtel. Je m'apprêtais à le composer lorsque le téléphone a sonné. J'ai décroché sans vérifier l'identité du correspondant.

— Hé, tu es partante pour une pizza ou quoi ?

— Si tu évites les anchois.

Ce n'était pas Syd, mais Susanne.

— Oh, ai-je fait. Salut.

— Tu t'énerves pour des broutilles.

J'ai respiré un grand coup.

— Ce qui m'échappe, c'est pourquoi tu te fiches que Bob et Evan reluquent Syd ? Qu'ils pensent qu'elle devrait être mannequin ?

— Tu te trompes complètement, Tim. Ils le disaient par simple gentillesse.

— Tu savais en déménageant là-bas avec Sydney que Bob hébergerait son fils ? Ça ne te pose aucun problème ?

— Ils s'entendent comme frère et sœur, a rétorqué Susanne.

— Arrête ! Je me souviens de mes dix-neuf ans…

Un bip m'a signalé un double appel.

— Écoute, je dois te laisser. À plus, d'accord ?

Susanne a juste eu le temps d'articuler « O.K. » avant que je prenne l'autre ligne.

— Allô ?

— Monsieur Blake ? a émis une voix féminine qui n'était pas celle de ma fille.

— Oui ?

— Timothy Blake ?

— Oui ?

— Je travaille chez Fairfield portes et fenêtres et nous serons dans votre secteur cette…

J'ai coupé. Puis, j'ai composé le numéro du Just Inn Time. Après vingt sonneries, j'ai abandonné.

J'ai attrapé ma veste et mes clés, traversé la ville jusqu'à l'hôtel. C'était la première fois que j'y mettais les pieds depuis que Syd avait commencé à y travailler, deux semaines auparavant. Avant d'entrer, j'ai cherché des yeux sa Civic dans le parking. Il m'était arrivé de l'apercevoir en passant à l'occasion, mais pas ce soir. Peut-être Syd l'avait-elle garée derrière.

Les portes vitrées se sont ouvertes et je me suis engouffré dans le hall. En m'approchant de la réception, j'espérais voir Syd, mais un jeune type d'une trentaine d'années, aux cheveux blond filasse, le visage ravagé par les vestiges de son acné juvénile, occupait sa place. D'après son badge il s'appelait Owen.

— Je peux vous aider ? a-t-il demandé.

— Oui. Je cherche Syd.

— Excusez-moi. Quel est son nom de famille ?

— Sydney. C'est ma fille.

— Vous connaissez le numéro de sa chambre ?

— Non, il ne s'agit pas de ça. Elle travaille ici. Ici même, à la réception, en fait. Je l'attendais pour dîner, et comme elle n'arrivait pas, j'ai pensé faire un saut pour vérifier si elle devait enchaîner deux services, par exemple.

— Je vois.

— Elle s'appelle Sydney Blake. Vous devez la connaître.

Owen a fait signe que non.

— Je ne crois pas.

— Vous êtes nouveau ici ?

— Non. Enfin, oui, a-t-il corrigé avec un large sourire. Ça fait six mois. J'imagine que cela signifie nouveau.

— Sydney Blake, ai-je répété. Elle travaille ici depuis deux semaines. Dix-sept ans, blonde.

Owen a de nouveau secoué la tête.

— Peut-être qu'elle travaille à un autre poste cette semaine, ai-je avancé. Vous avez un tableau du personnel, ou un planning, quelque chose qui vous indiquerait où la trouver ?

— Vous pouvez attendre un instant ? a répliqué Owen. Je vais aller chercher le responsable de service.

Il est sorti par une porte derrière la réception, pour revenir un moment plus tard accompagné d'un homme brun et svelte d'environ quarante ans, plutôt beau gosse. Il portait un badge sur lequel était écrit Carter, et à juger par son accent, il devait être originaire du sud, même si je n'aurais su préciser de quel État.

— Que puis-je pour vous ? a-t-il demandé à son tour.

— Je cherche ma fille. Elle travaille ici.

— Comment s'appelle-t-elle ?

— Sydney Blake. Syd.

— Sydney Blake ? Ce nom ne me dit rien du tout.

— Elle ne travaille ici que depuis deux semaines, ai-je expliqué. Uniquement pour l'été.

— Non, a fait Carter. Désolé.

J'ai senti mon cœur battre plus vite.

— Vérifiez votre liste d'employés, ai-je insisté.

— C'est inutile. Je sais qui travaille ici ou pas.

— Attendez une seconde.

J'ai sorti de mon portefeuille une photo de lycée de Sydney, datant de trois ans, que j'ai tendue par-dessus le comptoir.

— Elle n'est pas très récente. Mais son visage n'a pas beaucoup changé.

Ils ont étudié la photo à tour de rôle. Owen, impressionné, je suppose, par la beauté de ma fille, a brièvement haussé les sourcils. Carter m'a rendu le cliché.

— Je suis vraiment navré, monsieur...

— Blake. Tim Blake.

— Elle travaille peut-être au Howard Johnson, un peu plus loin, a-t-il suggéré en désignant la route du menton.

— Non. Elle m'a dit qu'elle travaillait ici.

Je réfléchissais à toute vitesse.

— Il y a bien un responsable de jour ? ai-je poursuivi.

— Oui, Veronica.

— Alors appelez-la. Appelez Veronica.

De très mauvaise grâce, Carter s'est exécuté, avant de me tendre l'appareil. J'ai de nouveau expliqué ma situation.

— Peut-être vous a-t-elle indiqué le mauvais hôtel, a insinué Veronica.

— Non, ai-je rétorqué d'un ton ferme.

Avant de raccrocher, Veronica m'a demandé mon numéro et promis de me téléphoner si elle apprenait quoi que ce soit.

Sur le chemin du retour, j'ai grillé deux feux rouges et failli entrer dans un type en Toyota Yaris. Je conduisais le portable à la main, appelant celui de Syd, puis la maison, puis Syd à nouveau.

À mon arrivée, j'ai trouvé la maison vide.

Syd n'est pas rentrée cette nuit-là.

Ni la suivante.

Ni celle d'après.

1

— On a aussi regardé la Mazda, a précisé la femme. Et on a essayé une… Dell, c'était quoi, l'autre voiture qu'on a essayée ?

— Une Subaru, a répondu son mari.

— C'est ça, une Subaru.

La femme s'appelait Lorna, et son mari, Dell. Ils étaient assis de l'autre côté de mon bureau au showroom de Riverside Honda. C'était la troisième fois qu'ils passaient depuis que j'avais recommencé à travailler. Même lorsqu'on est confronté à la pire crise de sa vie, il arrive un moment où l'on ne sait plus quoi faire d'autre que reprendre son train-train.

Devant elle, outre la brochure de l'Accord, sujet de notre discussion, Lorna avait empilé celles de la Toyota Camry, de la Mazda 6, de la Subaru Legacy, de la Chevrolet Malibu, de la Ford Taurus, du Dodge Avenger, et d'une demi-douzaine d'autres dont je ne discernais pas les noms.

— Je remarque que la Taurus fait deux cent soixante-trois chevaux en motorisation standard, alors que l'Accord n'en fait que cent soixante-dix-sept, a poursuivi Lorna.

— Oui mais le moteur de la Taurus est un V6, ai-je répliqué, luttant pour rester concentré. Tandis que l'Accord est une quatre cylindres. Vous la trouverez tout de même très nerveuse, alors qu'elle consomme nettement moins.

— Oh, a opiné Lorna. C'est quoi déjà, les cylindres ? Vous me l'avez expliqué la dernière fois, mais j'ai oublié.

Dell a lentement secoué la tête, ce qui constituait à peu près sa seule contribution durant ces visites. Il s'asseyait et laissait Lorna poser toutes les questions, faire tous les frais de la conversation, sauf si on lui demandait quelque chose de particulier, et même là, il se contentait généralement de grogner. Il donnait l'impression de ne plus avoir envie de vivre. À mon avis, il s'était assis devant les bureaux d'au moins une douzaine de mes collègues entre Bridgeport et New Haven au cours des dernières semaines. Je devinais à son visage qu'il n'en avait rien à faire du type de voiture que Lorna et lui prendraient, pourvu qu'ils finissent par en acheter une.

Lorna, elle, estimait qu'ils devaient se comporter en acheteurs responsables, donc passer en revue chaque modèle dans la catégorie qu'ils recherchaient, comparer les caractéristiques techniques, étudier les garanties. Une bonne chose, jusqu'à un certain point, car Lorna avait réuni tant d'informations qu'elle ne savait pas quoi en faire. Loin de les aider à choisir en toute connaissance de cause, cette prospection exhaustive les empêchait de prendre une décision.

Âgés tous les deux d'une bonne quarantaine d'années, le mari vendait des chaussures au Post Mall, le centre commercial, la femme était institutrice. Elle en adoptait d'ailleurs le comportement typique. Documentez-vous sur votre sujet, examinez toutes les options, puis rentrez chez vous et faites un tableau, noms des voitures alignés en haut, caractéristiques en colonnes sur le côté, cochez les petites cases.

Lorna a demandé si l'espace pour les jambes à l'arrière de l'Accord était comparable à celui de la Malibu, ce qui aurait pu constituer un élément crucial s'ils avaient eu des enfants, ou si elle avait laissé entendre qu'ils avaient des amis. Puis elle a voulu confronter le volume du coffre de l'Accord et celui de la Mazda 6. Je n'écoutais pas vraiment. Pour finir, je l'ai interrompue en levant une main.

— Quelle voiture vous plaît, Lorna ?

— Me plaît ? a-t-elle répété.

Mon écran d'ordinateur se trouvait entre nous, et pendant que Lorna parlait, je déplaçais la souris, tapais sur le clavier. Lorna présumait que j'étais sur le site Honda, à la recherche de données permettant de répondre à ses questions.

Pas du tout. J'étais sur retrouversydneyblake.com pour voir s'il y avait eu des connexions récentes sur le site, ou si quelqu'un m'avait envoyé un mail. Un ami de Sydney, un as de l'informatique – à vrai dire, comparé à moi, n'importe quel ami de Syd en était un – nommé Jeff Bluestein, m'avait aidé à monter ce site comportant toutes les informations essentielles.

Y figurait un signalement complet de Syd :
Âge : 17 ans.
Date de naissance : 15 avril 1992.
Yeux : bleus.
Cheveux : blonds.
Taille : 1,60 m.
Poids : environ 57 kilos.
Date de la disparition : 29 juin 2009.
Vue la dernière fois : lors de son départ pour aller travailler, à notre domicile de Hill Street. Pourrait avoir été aperçue aux alentours de l'hôtel Just Inn Time, à Milford, Connecticut.

Il y avait également un descriptif de sa Civic gris métallisé, ainsi que son numéro d'immatriculation.

Les visiteurs du site, que Jeff avait placé en lien sur d'autres sites d'ados fugueurs ou disparus, étaient invités à appeler la police ou à me contacter moi, Tim Blake, directement. J'avais trié autant de photos de Syd que j'avais pu en trouver, en avait réclamé aussi à ses amis, y compris celles affichées sur divers sites comme Facebook, et je les avais toutes mises sur retrouversydneyblake.com. Je possédais des centaines de clichés de Syd, couvrant l'ensemble de ses dix-sept années, mais tous ceux que j'avais affichés dataient de moins de six mois.

Où que Syd puisse être, ce n'était pas chez un membre de la famille. Les parents de Susanne comme les miens étaient décédés, ni l'un ni l'autre n'avions de frère et sœur, et les rares membres de notre famille éloignée, une tante ici, un oncle là, avaient été alertés.

— Bien sûr, a repris Lorna, nous sommes tout à fait conscients de l'excellente fiabilité mécanique des Honda, et de leur bonne cote à la revente.

J'avais reçu deux mails la veille, mais qui ne concernaient pas Sydney. Ils avaient été envoyés par des parents. Dans le premier, un père de Providence me racontait que son fils Kenneth avait disparu depuis maintenant un an, et qu'il ne se passait pas une minute sans qu'il pense à lui, sans qu'il se demande où il se trouvait, s'il était mort ou vivant, si c'était lui, en tant que père, qui était responsable de la fugue de Kenneth, ou bien si son fils avait croisé de mauvaises personnes, qui avaient peut-être…

Pas très utile.

Le second provenait d'une femme de la banlieue d'Albany qui était tombée sur le site et m'assurait qu'elle priait pour ma fille et pour moi, que je devais mettre ma foi en Dieu si je voulais que Sydney rentre saine et sauve à la maison, que c'était grâce à Lui que je trouverais la force de supporter cette épreuve.

J'ai supprimé les deux mails sans y répondre.

— Les Toyota ont aussi une bonne cote à la revente, a continué Lorna. J'ai consulté les *Bulletins du consommateur*, vous savez. Et leurs petits tableaux avec tous les points rouges, vous les avez déjà vus ? Il y a plein de points rouges pour indiquer que les voitures sont très fiables au point de vue mécanique, sinon ils mettent des points noirs. Donc en regardant le nombre de points noirs ou rouges sur le tableau, vous pouvez voir en un clin d'œil si c'est une bonne voiture ou pas. Vous connaissez ces tableaux ?

J'ai vérifié ma messagerie. En fait, je l'avais déjà fait trois fois depuis que Lorna et Dell s'étaient assis en face de moi. Lorsque je me trouvais derrière mon bureau, je vérifiais toutes les trois minutes. Je téléphonais au moins une fois par jour à l'inspecteur Kip Jennings de la police de Milford – je n'avais jamais rencontré de Kip auparavant, et ne m'étais pas attendu à ce qu'il s'agisse d'une femme – afin de savoir si elle progressait. Elle était en charge du dossier de Sydney, même si je commençais à penser que « en charge » signifiait « avoir déposé le dossier au fond de son tiroir ».

Pendant que Lorna déblatérait sur les recommandations des *Bulletins du consommateur*, un message était tombé dans ma boîte. En cliquant dessus, j'ai appris qu'il y avait un problème avec mon compte Citibank et que si je ne confirmais pas immédiatement toutes mes données financières personnelles, il serait suspendu, ce qui était plutôt surprenant vu que je n'avais pas, et n'avais jamais eu, de compte Citibank.

— Oh, la vache, ai-je lâché à voix haute.

Le site n'existait que depuis trois semaines – Jeff l'avait élaboré et mis en ligne dans les jours qui avaient suivi la disparition de Syd – et il était déjà envahi par des spams.

— Pardon ? a fait Lorna.

Je lui ai lancé un coup d'œil.

— Excusez-moi. Juste un truc sur mon écran. Vous disiez quoi à propos des points rouges ?

— Vous m'écoutiez, au moins ? a-t-elle demandé.

— Absolument.

— Vous regardiez un site cochon pendant tout ce temps ?

Dell haussa les sourcils. S'il y avait du porno sur mon écran, il voulait en profiter.

— C'est interdit quand on est avec des clients, ai-je rétorqué.

— J'aimerais simplement ne pas me tromper, a enchaîné Lorna. En général on garde nos voitures sept ou dix ans, et c'est long si la voiture est une poubelle.

— Honda ne fabrique pas de poubelles, lui ai-je assuré.

J'avais besoin de vendre une voiture. Je n'avais réalisé aucune vente depuis la disparition de Syd. La première semaine, je n'étais pas venu travailler. Non que je sois resté à la maison, malade d'inquiétude. J'étais dehors dix-huit heures par jour, sillonnant les rues en voiture, visitant chaque centre commercial, chaque foyer d'accueil, à Milford et à Stratford. Très vite, j'avais étendu mes recherches à Bridgeport et à New Haven. Je montrais la photo de Syd à qui voulait bien la regarder. J'avais contacté tous les amis que je me souvenais l'avoir entendue mentionner.

J'étais retourné au Just Inn Time, essayant de comprendre où Syd pouvait bien se rendre tous les jours, quand je la croyais partie pour l'hôtel.

Depuis la dernière fois que je l'avais vue, vingt-quatre jours plus tôt, j'avais très peu dormi.

— Vous savez ce qu'on va faire ? a décrété Lorna en ramassant les brochures sur le bureau avant de les fourrer dans son gigantesque sac. Je pense qu'on devrait revoir la Nissan.

— Pourquoi pas ? ai-je dit. C'est une très bonne voiture.

J'ai sauté sur mes pieds en même temps que Lorna et Dell se levaient. À ce moment-là, mon téléphone a sonné. En reconnaissant le numéro qui s'affichait, j'ai laissé la boîte vocale se mettre en route sans décrocher, même si la personne en question choisirait probablement de ne pas enregistrer un énième message.

— Oh, a repris Lorna, avant de poser sur mon bureau quelque chose qu'elle avait tenu dans sa main. Quand on était dans la Civic là-bas – elle a pointé le fond du hall –, j'ai remarqué que quelqu'un avait oublié ça dans le porte-gobelet.

Des clés de voiture. Elle faisait le coup chaque fois qu'elle venait. Elle entrait dans une voiture, découvrait les clés, les ramassait et me les rendait. J'avais renoncé à lui expliquer qu'il s'agissait d'une sécurité en cas d'incendie, que nous les laissions exprès dans les véhicules pour pouvoir les sortir du showroom en catastrophe si un feu se déclenchait, à condition d'en avoir le temps.

— Comme c'est gentil. Je vais les mettre à l'abri.

— Vous ne voudriez tout de même pas que quelqu'un vous embarque une voiture, quand même ? a-t-elle pouffé.

Dell donnait l'impression de rêver que l'énorme van Odyssey trônant au milieu du hall roule sur sa femme.

— Bon, il est possible qu'on revienne, a conclu Lorna.

— Je n'en doute pas.

Et comme je n'étais pas pressé d'avoir à nouveau affaire à elle, j'ai ajouté :

— Par acquit de conscience, vous pourriez aller jeter un œil chez Mitsubishi. Vous avez vu leur nouveau Saturn ?

— Non, a répondu Lorna, soudain alarmée à l'idée d'avoir négligé quelque chose. Chez qui m'avez-vous suggéré d'aller, déjà ?

— Mitsubishi.

Dell me fusillait du regard. Je m'en fichais. Que Lorna aille martyriser un autre vendeur, ça ne me dérangeait pas. En temps normal, j'aurais supporté son indécision. Mais je n'étais plus moi-même depuis la disparition de Syd.

Peu après leur départ, mon téléphone de bureau a bourdonné. Aucune raison de s'exciter. C'était un appel interne.

— Tim à l'appareil, ai-je annoncé en décrochant.

— Vous avez une minute ?

— Bien sûr.

J'ai traversé tout le hall d'exposition, zigzaguant entre une Civic, l'Odyssey, un Pilot et une Element cubique verte équipée de ces portes arrière suicidaires.

J'étais convoqué dans le bureau de Laura Cantrell, directrice commerciale. Environ quarante-cinq ans, le corps d'une femme de vingt-cinq, mariée deux fois, célibataire depuis quatre ans, chevelure brune, dents très blanches, lèvres très rouges. Elle conduisait une S2000 gris métallisé, le petit cabriolet de sport biplace en série limitée dont nous vendions peut-être une douzaine d'exemplaires par an.

— Salut, Tim. Asseyez-vous, m'a-t-elle dit, sans daigner se lever de derrière son bureau.

Puisque Laura Cantrell disposait d'une vraie pièce, et non d'un box comme le vulgaire personnel de vente dont je faisais partie, j'ai pu fermer la porte comme elle me le demandait.

J'ai pris un siège tout en gardant le silence. Je n'étais pas trop porté sur le papotage ces temps-ci.

— Alors, comment ça va ? a-t-elle attaqué.

— Bien.

Elle a incliné la tête en direction du parking, où Lorna et Dell étaient en train de monter dans leur vieille Buick de huit ans d'âge.

— Toujours pas décidés ?

— Non. Vous connaissez l'histoire de l'âne planté entre deux bottes de foin et qui crève de faim parce qu'il ne sait pas laquelle manger en premier ?

Les fables n'intéressaient pas Laura.

— Nous avons un bon produit. Pourquoi n'arrivez-vous pas à conclure cette vente ?

— Ils vont revenir, ai-je répliqué d'un ton résigné.

Laura a reculé dans son fauteuil pivotant, croisé les bras sous ses seins.

— Bon, des nouvelles, Tim ?

Je savais qu'elle parlait de Sydney.

— Non.

Elle a secoué la tête d'un air compatissant.

— Bon Dieu, ça doit être dur.

— Pas facile, en effet.

— Je vous ai déjà raconté que j'avais moi-même fugué, une fois ? a-t-elle poursuivi.

— Oui.

— J'avais seize ans, et mes parents me prenaient le chou pour un rien. L'école, mes petits amis, l'heure à laquelle je rentrais le soir, la totale. Alors je suis partie avec un gars appelé Martin, on a parcouru le pays en stop, visité l'Amérique, vous voyez le genre ?

— Vos parents ont dû se faire un sang d'encre.

Laura a haussé les épaules avec indifférence.

— Ce que je veux dire, c'est que j'allais bien. J'avais simplement besoin de découvrir qui j'étais. Me dégager de leur emprise. Être moi-même. Voler de mes propres ailes, vous comprenez ? Au final, c'est ce qui compte le plus : l'indépendance.

Je n'ai rien répondu. Elle s'est penchée en avant, a posé les coudes sur le bureau, dégageant des effluves d'un parfum qui devait coûter cher.

— Écoutez, Tim. Tout le monde ici vous soutient. À fond. On ne peut pas imaginer ce que ça doit être de traverser ce que vous êtes en train de traverser. Inimaginable. On souhaite tous que Cindy rentre à la maison aujourd'hui même.

— Sydney, ai-je corrigé.

— Sauf qu'il faut quand même continuer, hein ? Craindre ce qu'on ignore ne sert à rien. Il y a de grandes chances que votre fille aille bien. Qu'elle soit saine et sauve. Avec un peu de chance, elle a emmené un petit ami avec elle, comme moi à l'époque. Je comprends que ce n'est peut-être pas ce que vous avez envie d'entendre, mais le fait est que, si elle se trouve avec un jeune homme, elle est nettement plus en sécurité que toute seule. Et ne vous faites pas de souci question sexe. Les filles d'aujourd'hui sont bien plus futées là-dessus. Elles savent de quoi il retourne, comment ne pas tomber enceintes. Sacrément plus que nous à l'époque. Pour ma part, j'étais plutôt dégourdie, mais la plupart n'y connaissaient rien.

Si j'avais pensé que ce discours méritait un commentaire, je serais sans doute intervenu.

— Bref, a poursuivi Laura, là où je veux en venir, c'est que ce mois-ci, Tim, vous allez arriver en bas du tableau de performances. Enfin, à moins d'un miracle la dernière semaine. On est déjà le…

Elle a décoché un coup d'œil au calendrier mural, qui représentait un Pilot Honda escaladant une montagne de boue.

— … le 23 juillet. Donc trop tard pour sortir un lapin du chapeau. Vous n'avez pas vendu une voiture depuis le début du mois. Vous savez comment ça fonctionne ici. Au final, il s'agit de vendre des voitures. Deux mois en bas du tableau et vous êtes éliminé.

— Je sais comment ça fonctionne.

Elle n'avait dit « au final » qu'à deux reprises ce coup-là. La plupart du temps, quelle que soit la durée de la conversation, elle réussissait à le placer trois fois.

— Et croyez-moi, on tient compte de votre situation. Je pense, honnêtement, qu'on attendra trois mois avant de vous virer. Je tiens à me montrer compréhensive.

— Bien sûr.

— L'embêtant, Tim, c'est que vous occupez un bureau. Et que ce bureau, je vais devoir y mettre quelqu'un qui est capable de vendre des voitures. À ma place, vous feriez la même chose.

— Ça fait cinq ans que je suis ici, ai-je plaidé, pensant sans le formuler : depuis ma faillite. J'ai été l'un des meilleurs – si ce n'est le meilleur – de tous les vendeurs.

— Et on ne l'oublie pas, a rétorqué Laura. Bon, je suis contente de cette petite discussion, prenez soin de vous, bonne chance avec votre fille. Pourquoi ne pas passer un coup de fil à ce couple, dites-leur qu'on peut leur filer un jeu de garde-boue ou je ne sais quoi ? du *pinstriping*. Enfin, vous savez comment ça marche, hein. Au final, s'ils croient qu'ils obtiennent un truc gratuit, ils sont contents.

Et de trois. Bingo.

2

Sur le chemin du retour, je n'ai pas bifurqué dans Bridgeport Avenue. D'ordinaire, je quittais la nationale 1 par cette route, la suivais sur huit cents mètres avant de prendre Clark à gauche et de passer le pont étroit qui enjambe la voie ferrée, puis je tournais encore une fois à gauche dans Hill Street, où je vivais depuis cinq ans, après que Susanne et moi avions vendu notre belle demeure, remboursé toutes les dettes que nous pouvions avec le produit de la vente, et acheté chacun notre propre maison, bien plus petite.

Cette fois, j'ai continué jusqu'au Just Inn Time, et je me suis garé sur le parking de l'hôtel. Je suis resté un moment dans la voiture, hésitant à sortir, tout en sachant que je le ferai. Pourquoi aujourd'hui serait différent des autres jours depuis la disparition de Syd ?

J'ai fini par quitter mon CR-V. On me laissait conduire ce petit *crossover* gratuitement, mais si Laura me virait, je devrais m'acheter une voiture. Bien qu'il fût plus de six heures du soir, il faisait encore assez chaud. Des volutes d'humidité s'élevaient de la chaussée juste avant que la nationale 1 passe sous l'autoroute 95, un peu plus à l'est.

Planté là sur le parking, j'ai promené mon regard aussi loin que possible, dans toutes les directions. Il y avait le Howard Johnson plus haut sur la route, et juste après, la bretelle qui descend de l'autoroute. À un jet de pierre à l'ouest, un vieux multiplexe. N'avions-nous pas emmené Sydney y voir *Toy Story 2*, quand elle avait sept ou huit ans pour son anniversaire ? Je me revoyais essayant de rassembler une bande de mômes sur une seule rangée, une entreprise aussi aisée que fourrer une portée de chatons dans un panier. L'hôtel était situé juste avant le carrefour où la route se divise, la nationale 1 continuant vers le nord, Cherry Street partant en diagonale vers le sud-ouest. De l'autre côté de Cherry, on devinait le cimetière de Kings Highway.

Le coin comportait une vingtaine d'autres commerces dont, à défaut de les voir du parking, j'apercevais les enseignes. Un magasin vidéo, un atelier d'horlogerie, un *fish and chips*, un fleuriste, une librairie chrétienne, un boucher, un salon de coiffure, un magasin de vêtements d'enfants, une boutique de livres et de DVD pour adultes.

Tous se trouvaient à quelques minutes de marche de l'hôtel. Si Syd avait laissé sa voiture garée sur ce parking chaque jour, elle aurait pu se rendre dans n'importe lequel de ces commerces à pied.

Depuis sa disparition, je les avais presque tous visités à un moment donné, pour montrer sa photo et demander si quelqu'un l'avait vue. Mais certains magasins avaient des équipes d'employés aux horaires décalés, alors plusieurs tournées étaient nécessaires.

Bien entendu, Sydney ne travaillait pas forcément dans l'un de ces établissements. Une autre personne motorisée pouvait très bien la retrouver chaque matin sur le parking, et l'emmener Dieu sait où entre neuf heures du matin et cinq heures du soir.

Pourtant, si elle travaillait dans un de ces commerces proches de l'hôtel, pourquoi ne voulait-elle pas que sa mère ou moi le sachions ? Qu'est-ce que ça pouvait nous faire qu'elle travaille dans un atelier d'horlogerie, une boucherie, ou un...

... un magasin de bouquins et de films pour adultes.

Lors de ma première expédition, c'est le seul magasin où je n'étais pas entré. Inutile, avais-je pensé. Quoi que Syd ait pu faire, quoi qu'elle ait pu nous cacher, il était inconcevable qu'elle ait travaillé là.

Impossible.

Appuyé contre ma voiture, j'étais précisément en train de secouer la tête en marmonnant le mot inconcevable lorsqu'une voix m'a hélé.

— Monsieur Blake ?

Une femme se tenait sur ma gauche, en tailleur bleu et souliers confortables, un badge Just Inn Time épinglé à son revers. Elle était à peine plus âgée que moi. Quarante-cinq ans, peut-être. Brune aux yeux noirs. Malgré son manque d'élégance, son uniforme ne parvenait pas à cacher une silhouette encore impressionnante.

C'était Veronica Harp, la responsable à qui j'avais parlé au téléphone le soir où Sydney avait disparu, et que j'avais rencontrée de nombreuses fois depuis.

— Comment allez-vous, Veronica ?

— Bien, monsieur Blake.

Elle a pris un moment avant de me retourner la question par politesse, connaissant la réponse.

— Et vous ?

J'ai haussé les épaules.

— Vous devez en avoir assez de me voir dans le coin.

Elle a éludé avec un sourire embarrassé.

— Je comprends.

— Il va falloir que je retourne dans toutes ces boutiques, ai-je poursuivi, pensant tout haut.

Veronica n'a fait aucun commentaire.

— Je persiste à penser qu'elle devait aller dans un endroit visible d'ici.

— C'est possible, a répliqué Veronica.

Puis elle a gardé le silence, et je devinais à son attitude qu'elle hésitait entre ajouter quelque chose, ou regagner l'hôtel et me laisser tranquille.

— Vous aimeriez prendre un café ? a-t-elle fini par proposer.

— C'est bon, merci.

— Vraiment. Pourquoi ne pas entrer ? Il fait plus frais à l'intérieur.

Alors j'ai traversé le parking avec elle en direction de l'hôtel. Question aménagement paysager, c'était assez limité. L'herbe était grillée, une fourmilière surgissait comme un volcan entre deux blocs en béton du passage pour piétons, les arbustes fleuris avaient besoin d'être taillés. En levant les yeux, j'ai vu les caméras de sécurité fixées à intervalles réguliers, et lâché un grognement désapprobateur. Les portes vitrées automatiques se sont ouvertes à notre arrivée.

Veronica m'a guidé vers la salle à manger située juste à côté du hall. Ce n'était pas un restaurant, plutôt un buffet en self-service sur lequel le personnel de l'hôtel disposait de quoi se composer un petit déjeuner. Céréales, fruits, muffins et beignets, café et jus de fruits. Tel était le principe ici. On vous loge pour la nuit mais le matin, vous devez vous débrouiller tout seul. Si vous arrivez à bourrer vos poches de muffins, vous avez de quoi déjeuner en prime.

Une petite femme en pantalon noir et en blouse blanche était en train d'essuyer le comptoir et de regarnir un panier de berlingots de crème. Son origine précise m'échappait, elle semblait thaïlandaise ou vietnamienne. D'Asie du Sud-Est, en tout cas. Elle devait approcher des trente ans.

Je l'ai saluée avec un sourire tout en saisissant un gobelet. Elle s'est écartée poliment de mon passage.

— Bonjour, Cantana, lui a lancé Veronica.

La jeune femme a répondu d'un signe de tête.

— Je pense qu'il faudra remettre des céréales, a poursuivi Veronica.

Cantana a entrepris de remplir les paniers de portions individuelles de céréales, prises sous le comptoir, lequel abritait des centaines de barquettes scellées.

J'ai rempli mon gobelet de café, en ai tendu un à Veronica, qui s'est servie à son tour. Puis elle s'est assise à une table et m'a indiqué la chaise en face.

— Arrêtez-moi si je vous ai déjà posé la question, est-ce que vous êtes allé au Howard Johnson ?

— Pas seulement à la réception, j'ai aussi montré la photo de Syd au personnel de ménage.

— Bon. Et la police ne fait rien ?

— Pour eux, ce n'est qu'une fugueuse de plus. Il n'existe aucune preuve concrète que… Rien ne laisse supposer qu'il lui soit effectivement arrivé quelque chose.

Veronica a froncé les sourcils.

— D'accord, mais s'ils ignorent où elle est, comment peuvent-ils affirmer que… ?

— Je sais.

Veronica a siroté son café avant de demander :

— Vous n'avez personne pour vous aider à chercher, de la famille ? Je vous vois toujours seul ici.

— Ma femme – mon ex-femme – fait fonctionner le téléphone. Elle a eu un accident récemment, et ne peut pas se déplacer sans béquilles.

— Quel genre d'accident ?

— Elle pratiquait ce truc où vous êtes accroché à une voile derrière un bateau, vous savez ?

— Oh, jamais je ne me lancerais dans ce genre d'activité.

— Eh bien, ça prouve que vous avez de la jugeote. Elle fait ce qu'elle peut quand même. Elle passe des coups de fil, elle surfe sur le Net. Cette histoire la démolit autant que moi.

Ce qui était la stricte vérité.

— Vous êtes divorcés depuis combien de temps ?

— Cinq ans. Syd en avait douze.

— Et votre ex est remariée ?

— Elle a un jules.

Après un temps d'arrêt, j'ai ajouté :

— Vous connaissez ces pubs pour Bob Motors ? Ce type qui braille à la caméra ?

— Mon Dieu, c'est lui ? C'est son petit ami ?

J'ai acquiescé.

— J'éteins toujours le son de la télé à ce moment-là, a souligné Veronica.

Sa remarque m'a fait sourire. Pour la première fois depuis longtemps.

— Vous ne l'aimez pas beaucoup, a-t-elle repris.

— J'aimerais le faire taire en personne.

Elle a hésité un instant avant de continuer.

— Donc vous n'êtes pas remarié ni rien.

— Non.

— Je vois mal quelqu'un comme vous rester éternellement célibataire.

Avant la disparition de Syd, je fréquentais de temps à autre une femme. Cette relation n'aurait pas duré même si ma vie n'avait pas été bouleversée ces derniers temps. Des talents spectaculaires au lit peuvent l'emporter sur la soif d'affection et la folie durant une semaine ou deux ; après, la tête reprend le dessus et décide que lorsque ça suffit, ça suffit.

— Vous croyez que ma fille retrouvait quelqu'un ici ? ai-je demandé. Et que, sans travailler officiellement dans cet hôtel, elle faisait, je ne sais pas, quelque chose au noir ? Parce que, à mon avis, elle était payée en liquide.

J'ai sorti de ma poche une de mes nombreuses photos de Sydney et l'ai déposée sur la table.

— Je vais être honnête avec vous, a annoncé Veronica.

— Oui ?

Elle a légèrement baissé la voix.

— Parfois, on ne fait pas tout de manière réglo ici.

Je me suis penché en avant.

— C'est-à-dire ?

— Qu'on paie souvent le personnel sous la table. Pas tout, bien sûr. Des heures par-ci, par-là. Ça permet d'économiser un peu de charges, vous comprenez ?

— Bien sûr.

— Mais je vous assure que, si votre fille avait travaillé ici au noir, je vous le dirais, même si ça nous revenait dans la gueule. Parce que aucun parent ne devrait vivre une chose pareille, ignorer ce qui est arrivé à son enfant.

J'ai acquiescé, puis posé les yeux sur la photo de Syd.

— Elle est très belle, a observé Veronica.

— Merci.

— Elle a des cheveux magnifiques. Elle fait un peu… norvégienne ?

— Du côté de sa mère, oui.

Mon esprit vagabondait.

— Dommage que vos caméras ne fonctionnent pas, ai-je remarqué. Si Syd avait retrouvé quelqu'un dans votre parking…

Mal à l'aise, Veronica a baissé la tête.

— Je sais. Que voulez-vous que je vous dise ? On place les caméras pour que les gens pensent qu'ils sont surveillés, mais elles ne sont reliées à rien. Peut-être que si on appartenait à une chaîne plus importante…

Après un signe d'approbation, j'ai remis la photo de Sydney dans la poche intérieure de ma veste.

— Je peux vous en montrer une aussi ? a enchaîné Veronica.

— Bien sûr.

Elle a fouillé dans son sac et en a sorti un tirage imprimante d'un petit garçon, âgé d'à peine six mois, vêtu d'un T-shirt orné d'une locomotive souriante.

— Comment s'appelle-t-il ?

— Lars.

— C'est original. Qu'est-ce qui vous a incité à choisir ce prénom ?

— Ce n'est pas moi, a-t-elle expliqué, c'est ma fille. C'est le prénom du père de son mari.

Elle m'a accordé une seconde pour assimiler avant d'ajouter :

— C'est mon petit-fils.

Je suis resté un instant sans voix.

— Désolé. Je croyais que…

— Vous êtes adorable. Je n'avais que dix-sept ans quand j'ai eu Gwen. Je ne suis pas trop mal conservée pour une grand-mère, non ?

— Absolument.

Enceinte à dix-sept ans…

— Merci pour le café, ai-je ensuite déclaré.

— Je suis sûre que vous la retrouverez, que tout ira bien, a répliqué Veronica Harp en rangeant la photo du bébé.

Nous louons une maison à Cape Cod, sur la plage. Sydney a cinq ans. Elle est déjà allée à la plage à Milford, on ne peut pas la comparer avec celle-ci, qui s'étire à l'infini. Elle est hypnotisée en la découvrant puis, surmontant son émerveillement, elle court jusqu'au bord de l'eau, se trempe les pieds, revient à toutes jambes vers Susanne et moi avec des rires et des cris.

Après un moment, nous estimons qu'elle a eu assez de soleil, et nous suggérons de retourner à notre petite maison – un cabanon, à vrai dire – pour manger des sandwiches. Nous marchons péniblement dans le sable où s'enfoncent nos pieds, essayant de rester à la hauteur de Syd, montrant du doigt ses minuscules empreintes de pied sur le sable.

Quelques gamins s'approchent dans l'herbe haute. L'un d'eux tient un chien en laisse. Sydney passe devant l'animal au moment où son museau émerge de l'herbe. Il n'a pas l'air méchant, c'est une sorte d'énorme caniche au pelage noir taillé. Quand il voit Sydney, il montre soudain les dents et gronde.

Sydney hurle, lâche son seau et sa pelle en plastique, et se met à courir. Le chien s'élance derrière elle, mais le gamin, Dieu merci, tient fermement la laisse. Sydney se précipite vers la maison, ouvre la porte-moustiquaire et disparaît, tandis que le battant claque derrière elle.

Susanne et moi la suivons au pas de charge, ralentis par le sable. Arrivé le premier, je crie : « Sydney ! Sydney ! »

Elle ne répond pas.

Nous fouillons frénétiquement la maison, et finissons par la trouver dans un placard rudimentaire – seul un rideau masque ce qui y est rangé. Elle est accroupie, le visage entre les genoux afin de ne pas voir ce qui se passe autour d'elle.

Je la soulève dans mes bras pour la rassurer. Susanne se glisse dans le placard et nous enlace tous les deux, explique à Sydney que le chien est parti, qu'elle ne risque rien.

Plus tard, Susanne lui demande pourquoi elle a couru vers la maison, au lieu de revenir vers nous.

— J'ai pensé qu'il aurait pu vous attraper aussi, répond-elle.

J'étais assis dans la voiture, garée devant le magasin pour adultes, Plaisirs XXX, flanqué d'un côté par un fleuriste et de l'autre par l'atelier d'horlogerie. Si la vitrine opaque dérobait l'intérieur aux regards des passants, les mots qui y étaient peints en lettres de trente centimètres ne laissaient aucun doute sur l'offre proposée. XXX, ADULTES, EROTICA, FILMS et TOYS – *a priori*, aucun d'eux venant de chez Fisher-Price…

Je regardais des hommes entrer et sortir. Serrant contre eux des articles enveloppés de papier brun tandis qu'ils pressaient le pas vers leurs voitures. Était-ce vraiment nécessaire de nos jours ? Tout cela ne pouvait-il pas s'acheter en ligne ? Ces types devaient-ils se déplacer furtivement, le col remonté, la casquette enfoncée sur la tête, les yeux masqués par des lunettes de soleil bon marché ? Pour l'amour du ciel, rentrez chez vous et débrouillez-vous avec vos ordinateurs !

Au moment où j'allais m'y engouffrer à mon tour, un homme trapu et dégarni a dépassé à grands pas le fleuriste avant de franchir la porte de Plaisirs xxx.

— Merde.

C'était Bert, qui travaillait à l'atelier de Riverside Honda. Marié, pour autant que je sache, et deux enfants d'une vingtaine d'années maintenant. Pas question d'entrer là-dedans tant qu'il s'y trouvait. Je n'avais pas envie de devoir expliquer les raisons de ma présence, ni qu'il se sente obligé d'en faire autant.

Cinq minutes plus tard, il est ressorti avec ses achats, est monté dans une vieille Accord puis a démarré.

En fait, ce petit délai m'arrangeait. J'avais besoin de m'armer de courage pour pénétrer dans cet endroit, non à cause du type de commerce dont il s'agissait, mais parce que je n'imaginais pas Sydney avoir un lien avec ça.

— C'est une perte de temps, ai-je marmonné en traversant le parking pour entrer dans la boutique.

De nombreux néons au plafond éclairaient violemment les jaquettes de centaines de DVD exposées sur des présentoirs occupant tout l'espace. Un rapide coup d'œil permettait de constater qu'aucun créneau particulier, aucun obscur penchant isolé, n'était négligé. Outre les films et les revues, le magasin proposait un vaste attirail, qui allait des menottes doublées de fourrure à des poupées grandeur nature – à défaut d'être naturelles. Même si elles avaient l'air plus réelles que les modèles gonflables, il aurait été difficile d'en présenter une à ses parents. À quelques pas de l'entrée, surveillant cet empire du haut d'une estrade comme un pharmacien au fond de son officine, la propriétaire, une grosse femme aux cheveux filasse, lisait une édition de poche abîmée de *La Révolte d'Atlas*[1].

M'arrêtant devant elle, je me suis éclairci la gorge avant de lancer :

— Excusez-moi.

Elle a reposé son livre, sans le fermer.

— Ouais ?

— Je me demande si vous pourriez m'aider.

— C'est très possible.

Puisque je ne parlais pas sur-le-champ, elle a ajouté :

— Allez-y, dites-moi ce que vous cherchez, j'ai tout entendu, et je m'en fous.

Je lui ai tendu la photo de Sydney.

— Vous avez déjà vu cette fille ?

Elle l'a prise, y a jeté un coup d'œil, me l'a rendue.

— Si vous connaissez son nom, je peux regarder dans l'ordinateur quels films elle a tournés.

— Non, pas dans un film. Est-ce que vous l'avez déjà vue ici, dans ce magasin, ou même dans le coin ? Il y a à peu près trois semaines de ça ?

— Les clientes sont rares, a-t-elle argué, impassible.

---

1. Roman d'Ayn Rand, publié en 1957.

— Je sais. Je perds sans doute mon temps…

— Et le mien, a-t-elle ajouté, la main sur son livre.

— … mais si vous vouliez bien regarder encore une fois.

La femme a soupiré, lâché le livre et repris la photo.

— Alors qui est-ce ?

— Sydney Blake. Ma fille.

— Et vous pensez qu'elle aurait pu traîner par ici ?

— Non. Mais si je cherche uniquement dans les endroits où je pense qu'elle pourrait être allée, je risque de ne jamais la retrouver.

Elle a étudié la photo deux secondes puis me l'a rendue.

— Désolée.

— Vous êtes sûre ?

Elle a pris un air exaspéré.

— Vous aviez besoin d'autre chose ?

— Non. Merci quand même.

Et je l'ai laissée en compagnie d'Ayn Rand.

Une fois dehors, j'ai remarqué une femme maigre aux cheveux blancs en train de fermer le magasin de fleurs voisin. Un jeune homme d'environ vingt-cinq ans se tenait docilement à côté d'elle, tel un chien qui attend les ordres. La femme m'a jeté un bref coup d'œil, détournant la tête avant que nos regards se croisent. Autant éviter le regard des hommes qui sortaient de Plaisirs XXX.

— Bon, on se voit demain matin, a-t-elle dit au jeune homme.

— Ouais.

J'avais déjà parlé, montré le portrait de Syd à cette femme, peut-être une semaine plus tôt. Elle avait d'ailleurs pris le temps de l'étudier, et paru sincèrement navrée de ne pouvoir m'aider.

— Bonsoir, ai-je lancé.

Elle ne s'est pas retournée, bien que je fusse certain qu'elle m'avait entendu.

— Bonsoir, ai-je répété. Nous avons discuté la semaine dernière, vous vous souvenez ? Madame Shaw ?

Je n'avais pas eu de mal à trouver le nom. L'enseigne dans la vitrine indiquait : SHAW FLEURS.

Comme je m'approchais, elle a pivoté avec méfiance sur ses talons. À peine eut-elle remarqué dans ma main la photo que venait de me rendre la femme de la boutique porno, qu'elle s'est détendue.

— Oh, je me souviens de vous.

— Je continue à chercher partout, ai-je expliqué en indiquant Plaisirs xxx du menton.

— Seigneur. Vous n'avez pas trouvé votre fille là-dedans, n'est-ce pas ?

— Non.

— Tant mieux, a soufflé Mme Shaw.

Comme si y retrouver Sydney serait pire que de ne jamais la revoir.

— Salut, ai-je dit au jeune garçon près d'elle.

Au début, je lui avais donné dans les vingt-cinq ans, mais à présent je n'en étais pas sûr. Il avait quelque chose d'enfantin, avec sa peau lisse, d'une blancheur laiteuse, ses cheveux bruns parfaitement coupés, à croire qu'il quittait à l'instant le siège du coiffeur. Il possédait le genre de beauté qui incitait les gens à penser, même s'il avait la quarantaine passée, qu'il terminait tout juste l'école. Grand et mince, il dépassait Mme Shaw d'une bonne tête. Ses yeux semblaient sans cesse en mouvement.

— Ian, dis bonjour, a-t-elle ordonné comme si elle s'adressait à un gamin de six ans.

— Salut.

— Tu travailles ici ? lui ai-je demandé. Parce que je ne me souviens pas de toi quand je suis venu la dernière fois.

Il a fait signe que oui.

Mme Shaw a pointé du doigt une fourgonnette Toyota Sienna rangée près de mon *crossover*, avec SHAW FLEURS inscrit sur la vitre du hayon.

— Ian est en livraison toute la journée. Tu te rappelles que je t'en ai parlé ? a-t-elle poursuivi à l'intention d'Ian. Du monsieur qui était passé parce qu'il cherchait sa fille ?

Il a secoué la tête.

— Non, je me rappelle pas. Tu m'as rien dit.

— Bien sûr que si. Oh, tu n'écoutes jamais.

Elle m'a souri d'un air entendu avant d'ajouter :

— Il est toujours ailleurs même quand il est là. Ou bien il a ces petits machins à fil dans les oreilles.

Ian a baissé les yeux, le regard fuyant.

— Vous devriez lui montrer la photo, a repris Mme Shaw. Ian vit ici même. Il occupe l'appartement derrière le magasin.

Un homme est entré dans le magasin porno et Mme Shaw s'est renfrognée.

— Nous étions là longtemps avant eux, m'a-t-elle confié à voix basse. Mais je veux bien être pendue si je déménage ma boutique. Nous avons déjà essayé de nous en débarrasser avec une pétition, et on dirait qu'il va falloir recommencer.

J'ai tendu la photo à Ian.

— Elle s'appelle Sydney.

Il l'a saisie, y a à peine jeté un coup d'œil, et me l'a rendue en secouant la tête.

— Je ne la connais pas.

— Mais tu l'as déjà vue par ici ?

— Non.

Brusquement, il a donné une vague accolade à Mme Shaw, lui a lancé : « À demain », puis a disparu au coin de l'immeuble.

Quand j'ai garé la voiture dans l'allée, Susanne et Bob m'attendaient dans le Hummer noir de celui-ci.

Les deux portières avant se sont ouvertes à mon arrivée. Susanne s'est approchée tandis que je débouclais ma ceinture. La dernière fois que je l'avais vue, elle marchait avec des béquilles. À présent elle se servait d'une canne, qu'elle tenait fermement dans la main droite. Elle ne se déplaçait pas beaucoup plus vite, mais elle a réussi à se planter près de ma portière au moment où je sortais.

Je me suis demandé si je devais me préparer à me défendre. Lorsque Susanne et Bob étaient venus de Stratford juste après la disparition de

Syd, elle s'était ruée sur moi avec ses béquilles avant de se maintenir suffisamment en équilibre pour me gifler en pleine figure en hurlant : « C'est ta faute ! Tu étais censé prendre soin d'elle ! »

Et j'avais encaissé, parce que je partageais son opinion.

Pas grand-chose n'avait changé depuis, du moins de mon point de vue. Je me sentais toujours responsable. Toujours fautif que Syd m'ait échappé, ait échappé à ma vigilance. Il y avait forcément eu des signes, que j'avais été incapable de remarquer. Si j'avais été plus attentif, les choses n'en seraient sûrement jamais arrivées là.

Toutefois, même si j'éprouvais toujours les mêmes sentiments, je n'étais pas d'humeur à me faire agresser aujourd'hui. Alors en descendant de voiture, je me suis tenu prêt.

Mais Susanne n'a pas levé la main vers moi. Elle a écarté les bras, canne ballante, et des larmes coulaient sur ses joues. Elle s'est jetée contre moi, m'a enlacé sous le regard de Bob.

— Qu'est-ce qu'il y a, Suze ?

— Il s'est passé quelque chose.

3

— Quoi ? me suis-je exclamé. Qu'est-ce qui s'est passé ?

Bob Janigan s'est avancé pour attirer mon attention.

— C'est vraiment rien. Je lui ai dit de ne…

Je l'ai arrêté d'un geste. Les commentaires de Bob ne m'intéressaient pas, du moins pour le moment.

— Qu'est-ce qui est arrivé ? ai-je répété. Tu as des nouvelles de Syd ? Elle t'a contactée ? Elle va bien ?

Susanne s'est écartée de moi, a secoué la tête. « Voilà, ai-je songé. Susanne a appris quelque chose. Quelque chose de grave. »

— Non, je n'ai aucune nouvelle, a-t-elle répliqué.

— Qu'est-ce qu'il y a, alors ?

— On nous surveille.

J'ai lancé un regard à Bob, qui a confirmé à petits coups de menton.

— Qui vous surveille ? Où ça ? Ça s'est passé quand ?

— Plusieurs fois. Quelqu'un dans un van. Qui observe la maison.

Me tournant vers Bob, j'ai demandé :

— Ta maison, ou celle de Susanne ?

Il s'est éclairci la voix.

— La mienne.

La maison de Susanne était inoccupée, et je savais qu'elle était sur le point de la mettre en vente, maintenant qu'elle savait où elle en était avec Bob. Tous trois y passions régulièrement, au cas où Syd se cacherait là-bas, mais rien n'indiquait qu'elle y ait seulement mis un pied.

— Suze pense qu'un type l'espionne, a ajouté Bob.

Malgré la crise dans laquelle nous étions plongés, entendre Bob appeler Susanne par le diminutif que je lui donnais depuis toujours me resta en travers de la gorge. Il ne pouvait pas l'appeler Sue, ou Susie, nom d'un chien ? J'ai malgré tout essayé de rester calme.

— Quel type ?

— Je ne sais pas, a répondu Susanne. Je n'ai pas réussi à le voir. Il faisait nuit, et les vitres étaient teintées. Pourquoi est-ce que quelqu'un nous surveillerait ?

— Et toi, Bob, tu l'as vu ?

Il a poussé un long soupir. C'est un grand gars, mieux en réalité que dans ses pubs, où il cherche à se donner l'allure de M. Tout-le-monde, pantalon en toile et manches courtes, cheveux gominés lissés en arrière, toute la panoplie. Dans la vie, il ne porte que des vêtements griffés. Petit joueur de polo brodé sur ses chemises, pantalons aux plis impeccables, pieds nus dans des mocassins coûteux. S'il avait fait un peu plus frais, il aurait eu un chandail noué autour du cou, genre yuppie.

— J'ai vu un van, a-t-il admis. Deux, peut-être trois fois, au cours des quinze derniers jours. Il était garé à un demi-pâté de maisons. Je pense qu'il y avait quelqu'un à l'intérieur, mais c'est difficile d'en être sûr.

— Quelle marque ?

— Chrysler, probablement. Un vieux modèle.

Je me demandais s'il pouvait s'agir de flics. D'ordinaire, on s'attend à les trouver dans une

Crown Vic ou une Impala, mais ils pouvaient très bien utiliser un van pour un travail en sous-marin.

— Et tu crois vraiment qu'il était là pour observer la maison ?

La présence d'un van à un demi-pâté de maisons ne signifiait pas forcément quelque chose.

— Il faut que tu comprennes, mon vieux, on est tous terriblement stressés ces temps-ci, a répliqué Bob. Ce pépin avec Sydney, ça nous sape les nerfs.

Ce pépin avec Sydney. Il donnait l'impression que nous subissions une période de mauvais temps. *Pourvu que ce pépin avec Sydney se termine vite, qu'on puisse rabattre la capote de la voiture.*

— Je suis sûr que c'est très éprouvant pour toi, ai-je grincé.

Il m'a regardé de travers.

— Ne commence pas, Tim. J'essaie d'aider. Tout ce que je dis, c'est qu'on est sur le qui-vive. Chaque fois qu'une fille passe, on regarde si c'est Sydney. Si on entend une voiture dans l'allée, on se précipite pour voir si c'est la police qui la ramène. Alors Suze et moi on regarde le monde autrement, tu saisis ? Donc ce van garé dans la rue, on se demande ce qu'il fait là.

— L'occupant fumait, a précisé Susanne, d'une voix qui semblait très lasse. Ça faisait un petit point orange derrière le volant, quand il tirait sur sa cigarette.

— Tu as appelé la police ?

— Pour dire quoi ? a rétorqué Bob, bien que ma question ne s'adressât pas à lui. « Monsieur l'agent, il y a un van garé en toute légalité dans la rue. Vous pourriez venir jeter un œil ? »

— Je me demande si ça a un rapport avec Sydney, a poursuivi Susanne, tout en pressant sur ses yeux un Kleenex tiré de sa manche.

— D'abord, rien ne permet de penser que cela ait un rapport avec Sydney, ou toi, ou n'importe qui. Bob risque d'avoir raison sur ce point. Nos nerfs sont complètement à vif. On dirait que tu n'as pas dormi depuis des semaines…

— Merci beaucoup, m'a-t-elle coupé.

J'ai tenté de faire machine arrière.

— On manque tous de sommeil. À force d'être fatigué, on ne prend pas la distance nécessaire, on se met à tout interpréter de travers.

— C'est vrai, a renchéri Bob à l'intention de Susanne.

— Je veux simplement que tu me prennes au sérieux à ce sujet, a riposté Susanne.

— C'est ce que je fais. Je ne sous-estime pas tes inquiétudes. Si tu penses que quelqu'un surveille la maison, je te crois.

— Ce n'est pas tout, a-t-elle continué. Des objets ont disparu. Bob m'a offert une montre Longines, et je ne sais pas ce qu'elle est devenue. Je suis certaine de…

Bob l'a interrompue.

— Chérie, tu as dû mal la ranger, j'en suis sûr.

— Et l'argent ? s'est-elle insurgée. Le liquide ? Il y avait près de cent dollars. Dans mon sac, m'a-t-elle précisé.

— Vous avez été cambriolés ?

— Aucune idée. En tout cas, il se passe quelque chose.

La portière arrière du Hummer s'est ouverte. Je ne m'étais pas rendu compte que quelqu'un d'autre se trouvait à l'intérieur. Evan a dégringolé de la banquette comme un pantin désarticulé. Si j'avais su un jour avec laquelle de ses femmes Bob avait fabriqué ce gosse, je l'avais oublié.

— Tu pourrais mettre le contact, que je puisse allumer la clim ? a-t-il balancé à son père. On cuit là-dedans.

— Une seconde, a répliqué Bob.

Dans une main, Evan tenait une poignée de billets de loterie, déjà grattés, dans l'autre, une pièce de monnaie. Je ne l'avais rencontré que trois ou quatre fois, dont une seule depuis la disparition de Syd, et je doute qu'il m'ait m'adressé plus de dix mots en tout. À dix-neuf ans, il venait de terminer le lycée – j'ignorais s'il avait décroché un diplôme ou non – et, pour autant que je sache, n'envisageait d'aller nulle part à la rentrée. Depuis que Bob l'avait repris chez lui, il n'avait fait que traînasser et exécuter quelques petits boulots dans l'une des succursales de son père. Il avait la même taille que lui, et des boucles noires qui lui tombaient sur les yeux, à la manière des poils d'un chien de berger.

— On achètera un truc à manger sur le chemin du retour ? a-t-il poursuivi, sans m'accorder un regard.

— Attends, merde ! a lâché Bob, les yeux au ciel.

L'espace d'un instant, on aurait pu croire qu'il aurait préféré que ce soit ce gosse-là qui ait disparu.

— Il faut que j'entre une minute, a annoncé Susanne.

Elle a clopiné vers la maison, en s'appuyant lourdement sur sa canne.

— Ça va ? lui ai-je lancé.

— Je... J'ai simplement besoin de m'asseoir un moment. Ma hanche me fait vraiment mal aujourd'hui.

— La porte est fermée, ai-je averti Susanne, avant de lui tendre mon trousseau de clés.

Peut-être possédait-elle toujours la sienne, mais je n'en étais pas certain. Je n'avais pas changé les serrures depuis notre séparation. Ce n'était pas comme si je m'attendais à ce qu'elle vienne en douce piquer des meubles. De toute façon, tout ce qu'il nous restait de correct après le divorce était parti chez elle. En définitive, ça finirait apparemment chez Bob.

— Tu as dit qu'on s'arrêterait pour prendre un truc à manger, a repris Evan, tout en secouant les billets de loterie afin de faire tomber les résidus du grattage.

— Remonte dans la voiture, a ordonné Bob. Ouvre les portières si tu as trop chaud.

— Comment elle va ? lui ai-je demandé, une fois Susanne à l'intérieur.

Il a fixé le sol.

— Bien, elle va bien. De mieux en mieux chaque jour.

— Qu'est-ce que tu foutais, au juste ? Tu matais les gamines en bikini sur la plage pendant que Suze se faisait traîner derrière le bateau ?

Il m'a jeté un regard furieux.

— Certaines ressemblaient à de futurs mannequins ? Je sais que tu es toujours à l'affût de candidates.

Sur son visage, la colère a laissé place à l'exaspération.

— Putain, Tim, laisse tomber. Je te l'ai expliqué il y a des semaines, c'était une remarque anodine. Déplacée, je le pige maintenant. Mais bordel, on peut tourner la page ? Tu crois pas qu'on a d'autres soucis en ce moment ?

— Bien sûr, ai-je répliqué d'un ton égal.

— Susanne passe ses jours et ses nuits au téléphone, à appeler tous les foyers d'accueil de l'État et les commissariats. À faxer des photos. Elle ne peut pas faire ça toute seule, Tim, a-t-il conclu en secouant la tête avec désapprobation. Elle a besoin d'aide.

— Pardon ?

— Tu dois prendre un peu le relais. Syd est ta fille aussi, après tout.

— Tu te fous de ma gueule ?

— Je sais que tu as tendance à laisser couler les choses, Tim, c'est à cause de ça que tu as perdu ta boîte et le reste, mais cette fois, il faut que tu entres dans le jeu, tu comprends ?

Une envie subite de lui écraser la tête contre le Hummer m'a envahi.

— Suze ne peut pas tout faire, a poursuivi Bob. L'autre jour, elle voulait que je la dépose au centre commercial de Stamford, parce qu'il est fréquenté par beaucoup de mômes qui auraient pu voir ou connaître Syd. Tu vois la taille de cet endroit, avec cette espèce de fosse à gradins au milieu ? Et elle avec sa canne, risquant de se casser la figure la moitié du temps, à la moindre inattention ?

Je me suis détourné un moment, me forçant à ravaler ma rancœur, comme lorsque j'essayais d'avaler mes choux de Bruxelles, gamin, avant de reprendre :

— Ce van dans ta rue.

— Eh bien ?

— Tu crois que c'est pour observer ta maison ?

— Je ne sais pas. Ça me semble plutôt dingue.

— Quelqu'un aurait une raison de te surveiller ?

— Tu veux dire, « nous » ?

— Non, toi. Si quelqu'un surveille réellement ta maison, c'est peut-être toi qu'on tient à l'œil, peut-être que ça n'a rien à voir avec Suze, ou Syd.

— Ça sous-entend quoi ?

— Tu as vendu une autre « Katrina » à quelqu'un, Bob ? Le type pourrait bien chercher à se faire rembourser.

— Oh, pour l'amour du ciel, Tim, tu ne lâches jamais le morceau, hein ? J'ai vendu *une* voiture, une voiture que j'avais achetée en toute bonne foi il y a trois ans à un grossiste qui jurait qu'elle était impec et, d'accord, elle avait passé un moment sous l'eau à La Nouvelle-Orléans, et on en a parlé aux infos. Je vais pas m'en vanter, mais dans ce métier, il arrive qu'on vous arnaque. Peut-être que si tu t'étais accroché pour faire tourner une boîte au lieu de te contenter de travailler pour les autres, tu comprendrais mieux ce que je te dis.

Ma nuque me donnait l'impression d'être en feu.

— Je dirige une affaire honnête, Tim, a-t-il ajouté.

Je n'ai pas pris la peine de mentionner la S2000 Sport qu'il avait essayé de me refiler un jour, au prétexte qu'elle se vendrait mieux dans une concession Honda officielle que dans l'une des siennes. Il prétendait me rendre service, que la voiture était nickel, petit kilométrage, encore largement sous garantie. Il a failli m'avoir aussi. Je l'ai inspectée de haut en bas, et c'est seulement en regardant les joints sous les boulons qui fixaient les ailes que j'ai remarqué qu'ils n'étaient pas d'origine.

Bob n'était pas arrivé là où il était aujourd'hui sans prendre quelques raccourcis.

« Trouve un autre pigeon », lui avais-je balancé à l'époque.

À présent, il m'affirmait :

— Je suis clean, Tim. Je n'ai rien à cacher. Si tu veux venir mettre le nez dans mes comptes, contrôler les antécédents de mon parc automobile, ne te gêne pas.

Ma nuque me piquait toujours autant.

— Un mari jaloux, alors, ai-je suggéré.

Bob est resté un instant sans voix.

— Comment peux-tu seulement insinuer que je vois une autre femme ? a-t-il sifflé ensuite.

À vrai dire, je n'avais aucune raison de suspecter Bob du moindre écart. Les mots étaient sortis de ma bouche sans que je réfléchisse.

— Pardon, ai-je lâché.

— J'aime Susanne. Et j'aime Syd aussi. Cette histoire me rend malade. C'est une gosse extra. Je ferai tout ce que je peux pour aider à la retrouver.

Qu'il soit sincère ou pas, je n'avais pas envie de l'entendre parler de l'amour qu'il portait à ma fille.

— C'est quoi cette affaire de montre disparue et d'argent volé ? ai-je demandé.

Bob a secoué tristement la tête.

— Encore une fois, je pense que c'est le stress. Susanne devient distraite. Elle a pu perdre cette montre n'importe où. Quant au liquide... j'en sais rien. Elle l'aura dépensé et ça lui est sorti de l'esprit.

Ce n'était pas impossible.

— À propos de Syd, a continué Bob.

— Vas-y.

— Je connais un gars.

— Un gars ?

— Je veux dire, la police ne se démène pas beaucoup, d'accord ? Pour eux, Syd n'est qu'une fugueuse. Ils ne bougeront pas, à moins qu'on découvre un corps, pas vrai ?

La remarque m'a fait l'effet d'un coup de poignard. L'espace d'un instant, les maisons de Hill Street devinrent floues devant mes yeux.

— Bon, j'ai mal choisi mes mots, a reconnu Bob. N'empêche, si les flics ne s'activent pas plus, on devrait peut-être faire intervenir quelqu'un de plus efficace.

— J'y travaille tous les jours, ai-je riposté. Je vais sur le site, je passe des coups de téléphone, je sillonne le coin, je me rends à l'hôtel, je…

— Oui, je sais, je sais. Mais ce gars, c'est un bon. En fait, il me doit un service, alors j'ai pensé le laisser me rembourser en se renseignant à droite à gauche, en vérifiant des trucs, en fouillant un peu partout.

Mon premier réflexe, guidé par l'amour-propre, a été d'enjoindre Bob de laisser tomber. À un certain niveau, je tenais à être celui qui retrouverait Syd. Mais plus que tout, je voulais qu'elle revienne. Si ça devait être grâce à quelqu'un d'autre, je pourrais sûrement vivre avec.

— Et c'est qui, ce type ? Un détective privé ? Un ancien flic ?

— Arnold Chilton. Il bosse dans la sécurité.

J'ai réfléchi un moment. Je n'aimais pas Bob, et l'idée d'accepter son aide me déplaisait, cependant, s'il connaissait un professionnel compétent capable de retrouver Syd, je n'allais pas refuser.

Il m'a fallu réunir toutes mes forces pour lui tendre la main. Il l'a prise, même si j'ai bien senti que le geste le prenait au dépourvu.

— Merci, ai-je dit. Je te suis reconnaissant.

Je suis allé encore plus loin.

— Et merci de prendre soin de Susanne durant cette épreuve. Elle a vraiment besoin de ton soutien.

— Ouais, c'est sûr, a-t-il marmonné, toujours décontenancé.

Nous avons marché vers la maison. Ne la voyant pas devant la porte, je supposais que Susanne se trouvait encore à l'intérieur. Evan, appuyé contre le Hummer, plongé dans son monde à lui, chantonnait à voix basse, jouant de la guitare dans le vide. Il se prenait pour le nouveau Kurt Cobain.

Il a fait une pause pour s'adresser à son père.

— On y va ? Faut que je rentre. J'ai des trucs à faire sur l'ordi.

— Je suppose que oui, a répondu Bob, avant de me demander : Tu veux bien prévenir Susanne qu'on est prêts à partir ?

J'ai acquiescé et je suis entré dans la maison. Je pensais qu'elle se reposerait dans le salon. Ce n'était pas le cas.

— Susanne ?

J'ai entendu des reniflements provenant de la chambre de Sydney. La porte était entrebâillée, et, après l'avoir poussée doucement, j'ai trouvé mon ex-femme debout devant la commode de notre fille. La tête penchée, elle me tournait le dos. Ses épaules tremblaient.

J'ai franchi la distance qui nous séparait pour l'enlacer et l'attirer contre moi. Elle se tamponnait les yeux d'une main, touchait des objets sur le meuble de l'autre. Syd avait beau avoir sûrement moins d'affaires ici que dans sa chambre chez Bob, à Stratford, ça faisait quand même un sacré fouillis. Cotons-tiges dans un mug Happy Face, pots de crème et flacons de lait hydratant, bombes de laque, relevés bancaires présentant des soldes inférieurs à cent dollars, photos d'elle en compagnie d'amis tels que Patty Swain et Jeff Bluestein, un iPod shuffle, pas plus gros qu'une boîte d'allumettes, et la paire d'écouteurs qui allait avec.

— Elle ne s'en séparait jamais, a observé Susanne en l'effleurant comme s'il s'agissait d'un bien précieux.

— Elle l'emportait rarement au travail, mais à part ça, c'est vrai.

— Donc si elle devait partir quelque part, si elle avait prévu de s'en aller, elle l'aurait pris, a-t-elle conclu à mi-voix.

— Je n'en sais rien.

Cela me semblait pourtant logique. Syd n'avait préparé aucun bagage. Le sac qu'elle trimballait habituellement de chez Bob était là. Tous ses vêtements se trouvaient dans le placard, ou, comme souvent avec elle, éparpillés sur son lit et par terre.

L'iPod se rechargeait sur l'ordinateur portable de Sydney, posé un peu plus loin sur son bureau. Nous l'avions déjà examiné avec la police, explorant ses mails, sa page Facebook, l'historique des sites qu'elle avait visités les jours qui avaient précédé sa disparition. Nous n'avions rien trouvé d'intéressant.

Susanne s'est tournée vers moi.

— Elle est vivante, Tim ? Est-ce que notre fille est toujours vivante ?

J'ai pris le lecteur et l'ai branché sur le chargeur déjà relié au portable.

— Je veux qu'il soit en état de fonctionner quand elle reviendra, ai-je expliqué.

4

Le lendemain matin, sur le chemin du travail, j'ai emporté le lecteur MP3 de Syd, que j'ai branché sur la prise auxiliaire de la voiture. Lorsque j'étais petit, durant les voyages d'affaires de mon père, comme son périple annuel à Detroit pour découvrir les nouveaux modèles avant tout le monde, j'allais au lit enveloppé dans un de ses manteaux.

Aujourd'hui, j'allais m'envelopper dans la musique de ma fille.

L'appareil était programmé pour diffuser les titres en ordre aléatoire, alors j'ai d'abord entendu Amy Winehouse, puis les Beatles (« The Long and Winding Road », l'une de mes préférées ; qui aurait pu se douter que Syd l'aimait également ?), suivis d'une chanson par l'un des deux David qui s'étaient affrontés en finale d'une saison récente de *La Nouvelle Star.* Je n'étais pas tout à fait parvenu au bout lorsque je me suis arrêté devant la boutique de beignets.

Je suis arrivé à la concession muni de deux boîtes contenant chacune douze donuts, et me suis rendu à l'atelier, où les mécaniciens étaient déjà à l'ouvrage sur divers modèles de Honda. Ça faisait un moment que je n'avais pas apporté de beignets aux gars – et aux deux filles du service pièces détachées – et il était grand temps que je le fasse. Dans une concession automobile, à moins d'être un imbécile, on n'agit pas dans son coin.

S'occuper des ventes ne signifie pas ignorer les employés des autres services. Par exemple, quand un vendredi soir à la fermeture, vous ne parvenez pas à enlever les plaques d'une reprise pour les transférer sur la nouvelle voiture qu'un client va emmener, et que vous avez besoin que quelqu'un de l'atelier vous apporte une plus grosse clé à pipe, si vous ne vous y êtes fait aucun ami, autant vous asseoir sur votre clé trop petite et la tournicoter un bon moment.

En général, lorsque mon esprit n'était pas préoccupé par des questions plus importantes, j'adorais venir traîner là. Les sons conjugués du vrombissement et du cliquetis des outils des techniciens, ainsi qu'ils préféraient être nommés, formaient une espèce de symphonie mécanique. Les véhicules, suspendus à mi-hauteur sur des plates-formes élévatrices, paraissaient un peu vulnérables, leurs dessous crasseux ainsi exposés. Depuis mon enfance, quand j'allais à la concession où travaillait mon père, j'aimais regarder les voitures sous un angle que peu de gens voyaient. C'était comme être initié à un rite secret.

— Des donuts ! a crié quelqu'un lorsque j'ai posé les boîtes.

Le premier à s'avancer a été Bert, tout sourire.

— T'es le meilleur, a-t-il affirmé.

S'il avait le moindre soupçon que je l'ai vu entrer dans la boutique porno, il n'en a rien montré.

Après s'être essuyé les mains au chiffon qui dépassait de sa poche ventrale, il a saisi un beignet à la cerise. Puis, se ravisant, il me l'a offert.

— La cerise, c'est ton préféré, pas vrai ?
— Non. Il est à toi.
— Sûr ? a-t-il insisté, tandis que la garniture du beignet lui coulait sur les doigts.
— Certain.

Pour le convaincre, j'ai choisi un double chocolat.

— Comment ça va ? m'a-t-il demandé alors.
— Bien, ai-je répondu avec un sourire.

Je supposais qu'il parlait de Syd, un sujet que pas grand monde dans le bâtiment n'osait aborder directement. J'étais le type dont la fille avait disparu. Une sorte de maladie. Les gens avaient tendance à rester à l'écart ; ils ne savaient pas quoi dire.

Lorsque Syd avait travaillé ici l'été précédent, elle avait passé beaucoup de temps avec Bert et tous les autres, et chacun avait fini par l'adorer. Elle faisait le coursier, exécutait n'importe quelle tâche qu'on lui réclamait. Nettoyer et astiquer les voitures, changer les plaques d'immatriculation, apporter des cafés, regarnir les casiers de pièces détachées. Elle venait à peine d'obtenir son permis, et n'était pas assurée pour conduire l'une des voitures du stock sur la route, mais elle les déplaçait sur le parking comme personne. Elle savait pratiquement rouler en marche arrière avec un van Odyssey les yeux fermés, maîtrisait le levier de vitesse de la S2000. Syd avait ça de spécial. Il suffisait de lui montrer une seule fois comment s'y prendre pour qu'elle y arrive.

D'autres mécanos se sont approchés pour choisir un beignet, marmonner un vague merci, ou me donner un coup de poing amical dans le bras, avant de retourner travailler. Barbara, des pièces détachées, la cinquantaine, mariée quatre fois, supposée avoir folâtré avec la moitié du personnel masculin, est sortie de son bureau.

— Vaudrait mieux qu'il en reste un au chocolat, a-t-elle lancé.

Je le lui ai tendu.

— Et pas de café ? a-t-elle poursuivi.

— Va te faire foutre.

— Tout de suite ? a-t-elle riposté, une lueur dansante dans les yeux.

Ensuite j'ai gagné le hall d'exposition et me suis laissé tomber sur le siège derrière mon bureau. Le voyant de la messagerie clignotait. Mais ma boîte vocale ne contenait que l'appel d'une personne voulant savoir combien vaudrait son Accord 2001 (« V6, spoiler, jantes en alliage, peinture métallique, état vraiment neuf, vous savez, sauf que j'ai un chien et qu'il y a quelques taches d'urine sur le revêtement des sièges »).

Et un autre : « Salut, Tim, j'ai appelé hier, sans laisser de message, parce que je pensais réessayer aujourd'hui. Écoute, je sais que tu traverses une sale période en ce moment, avec la fugue de Sydney et tout ça, mais je voudrais être là pour toi, tu comprends ? J'ai fait quelque chose de mal ? Parce que je trouvais qu'on vivait un truc sympa. Si j'ai dit ou fait quelque chose qui t'a mis en colère, j'aimerais que tu m'expliques, qu'on en parle, et je ne le ferais plus. On s'éclatait bien, non ? J'aimerais vraiment te revoir. Je pourrais te préparer à dîner, peut-être t'apporter un plat pris en route. Et tu sais quoi ? Il y avait des soldes l'autre jour, chez Victoria's Secret. J'ai acheté deux, trois bricoles, tu vois ? Alors passe-moi un coup de fil à l'occasion. Ou j'essaierai chez toi ce soir. Bon, je dois y aller. »

Kate.

J'ai allumé mon ordinateur et ouvert le site pour Sydney. Aucun mail, et à en juger par le compteur qui enregistrait le nombre de visites, personne ne s'était connecté récemment. À mon avis, la dernière personne à être allée sur le site, c'était moi, peu après m'être levé ce matin.

Il était peut-être temps de téléphoner à Kip Jennings.

— Salut, Tim, a lancé une voix de l'autre côté de la cloison de mon box.

C'était Andy Hertz, notre vendeur prodige. À tout juste vingt-trois ans, il se trouvait parmi nous depuis un an. C'est ça, le truc dans la vente de voitures. Vous n'avez pas forcément besoin de beaucoup de formation, il suffit de savoir vendre. Et ce que vous vendez, ce n'est pas uniquement des voitures. Andy, joli garçon avec sa coupe en brosse et ses costumes élégants, possédait un charme indéniable, surtout auprès des vieilles dames, qui le regardaient comme leur propre fils.

À l'instar de beaucoup de novices, Andy avait commencé très fort. Frôlé le haut du tableau à maintes reprises. Mais, là encore, comme beaucoup de nouveaux, il semblait piétiner depuis plusieurs mois. Le magnétisme avait fait long feu. Moi au moins, j'avais une excuse pour n'avoir vendu aucune voiture en juillet, même si Laura

Cantrell ne la trouvait pas si bonne que ça. Andy traversait un passage à vide, et ce sont des choses qui arrivent.

Aucune trace de sa bonne humeur habituelle lorsque j'ai fait rouler ma chaise vers lui.

— Laura veut me voir dans cinq minutes, a-t-il annoncé.

— Tu as un dernier message à transmettre à ta famille ?

— Tim, sans rire, je crois qu'elle va encore me tailler un costard.

— On passe tous par ce genre de phase.

— Ça fait deux semaines que je ne vends rien. Il y avait bien ce type, j'étais sûr qu'il allait prendre la Civic, mais il a acheté une Chevrolet Cobalt. Enfin, faut pas rigoler, quand même. Une Cobalt ?

— Ça arrive…

— Elle va me virer, a repris Andy. J'ai essayé tous mes contacts, même ma famille. J'ai déjà vendu une bagnole à ma mère, mais mon père refuse d'acheter japonais. Il prétend que si le pays se casse la gueule, c'est parce qu'on n'achète plus ce qui sort de Detroit. Et quand je lui réponds que si Detroit avait cessé de faire l'autruche et avait décidé de fabriquer autre chose que ses gros SUV, on n'en serait pas là, il se fiche en rogne et me réplique que si j'aime autant les Japonais je n'ai qu'à aller vivre là-bas et me nourrir de sushis. Je ne suis même pas sûr de pouvoir payer mon loyer ce mois-ci. Plutôt crever que retourner chez mes parents. Si ça continue, je vais devoir vendre mon sperme pour me faire du pognon.

— Je suis passé par là, ai-je confessé, me souvenant de périodes désespérées durant mes études. Attention, tu risques de te choper une tendinite chronique au poignet.

Malgré tout, Andy a réussi à sourire.

— Relève les annonces de voitures d'occasion, lui ai-je conseillé.

— Hein ?

— Dans les journaux, sur Internet, n'importe. Regarde les particuliers du coin qui vendent leurs voitures.

Il m'a dévisagé un moment, le temps de bien saisir.

— Tu les appelles pour leur dire que tu as lu leur annonce. S'ils ont pris la décision de remplacer leur voiture, tu leur expliques qu'en ce moment, on fait des taux de crédit et de financement formidables, et que s'ils veulent passer, tu serais ravi de leur proposer une nouvelle Honda et de reprendre leur véhicule actuel.

— C'est une idée géniale, a répliqué Andy avec un sourire enthousiaste. Et j'informe Cantrell que je suis sur un tas de nouvelles pistes.

— Attends-toi à ce qu'elle arrache une page d'annuaire et te la tende.

— Pourquoi elle ferait ça ?

— Elle va te dire : « Des pistes ? Il te faut des putains de pistes ? En voilà une page pleine. » Elle a un annuaire dans son bureau qui lui sert à ça.

— Hé, c'est à toi de te lever en premier, non ?

Andy regardait par-dessus mon épaule. En me retournant j'ai vu un type trapu, à forte carrure, la cinquantaine, qui s'était visiblement coupé plusieurs fois en se rasant, comme s'il le faisait rarement mais que, voulant faire bonne impression ce jour-là, il avait obtenu l'effet inverse. Il portait une chemise d'ouvrier impeccable, mais son jean élimé et ses godillots de travail éraflés le trahissaient. On aurait dit qu'il pensait que s'il était soigné au-dessus de la taille, personne ne remarquerait le reste.

Il admirait un pick-up exposé dans le hall.

Je me suis levé. Tout en me dirigeant vers lui, j'ai surpris du coin de l'œil Laura qui faisait signe à ce pauvre bougre d'Andy.

— Bonjour, ai-je lancé au type.

Il m'a salué à son tour d'une voix basse et bourrue.

— Le Ridgeline, ai-je enchaîné en désignant le camion bleu du menton. « Coup de cœur » des *Bulletins du consommateur.*

— Joli bahut, a commenté le type, avant de tourner lentement autour.

— Vous conduisez quoi en ce moment ?

— Un Ford 150.

Un bon camion, également recommandé par les mêmes *Bulletins*, mais je ne voyais pas l'intérêt de le souligner. Je l'ai cherché sur le parking en jetant un regard par la vitre du hall. À la place, une simple Chevrolet banalisée a attiré mon attention. Kip Jennings en sortait.

— Ce serait possible d'en essayer un ? a demandé le type.

— Bien sûr. Il me faut juste votre permis de conduire, pour une photocopie.

Il a fouillé son portefeuille et m'a remis son permis, que j'ai parcouru des yeux. Il se nommait Richard Fletcher. Je lui ai tendu la main.

— Monsieur Fletcher, ravi de vous rencontrer. Je suis Tim Blake.

Sur ce, je lui ai donné une de mes cartes de visite, où figuraient, outre mon numéro professionnel, ceux de mon domicile et de mon portable. Il l'a glissée dans sa poche.

J'ai apporté le permis à la fille de la réception afin qu'elle en fasse une copie, sans cesser d'observer Jennings sur le parking. C'était une petite femme – elle devait plafonner à un mètre cinquante-cinq – aux traits vigoureux. Une femme que ma mère aurait qualifiée de belle plutôt que jolie, quoique ce dernier terme convienne aussi. J'aurais bien confié M. Fletcher à Andy, sauf que Laura était en train de lui passer un savon, mais comme Jennings téléphonait sur son portable, j'ai pris le temps d'organiser un essai de conduite à ce type.

J'ai ordonné à un des petits jeunes du bureau de poser des plaques commerciales sur un Ridgeline et de l'amener aussi vite que possible.

— Il sera prêt dans quelques minutes, ai-je annoncé à Fletcher. Normalement, je devrais vous accompagner...

Fletcher a affiché un air consterné.

— Chez le dernier concessionnaire où je suis allé, on m'a laissé le conduire seul. Ça met moins la pression, vous comprenez ?

— J'allais justement vous proposer de l'essayer sans moi, parce que je dois parler un moment à cette personne...

— C'est parfait.

— Un de nos gars va vous amener un modèle de démonstration dans deux secondes. On en discute après ?

Bien que Jennings fût encore au téléphone, je me suis rué dehors, et j'ai traversé d'un pas vif le parking dans sa direction. Elle m'a vu arriver, a levé un index pour m'indiquer qu'elle en avait encore pour un instant. J'ai patienté comme un gosse le temps que la maîtresse termine sa conversation.

Ce n'était manifestement pas une discussion professionnelle.

— Eh bien, qu'est-ce que tu t'imagines, disait Jennings. Si tu ne travailles pas, tu ne réussiras pas. Si tu ne fais pas tes devoirs, tu auras zéro. C'est pourtant pas sorcier, Cassie. Pas de travail, pas de notes... Ouais, d'accord... Je ne sais pas encore. Peut-être des hot-dogs. Bon, je dois te laisser, ma puce.

Elle a refermé son portable d'un coup sec avant de le glisser dans son sac à bandoulière.

— Désolé, je n'avais pas l'intention d'écouter.

— Pas grave. C'était ma fille. Elle trouve injuste qu'on ait un zéro quand on n'a pas rendu de copie.

— Elle a quel âge ?

— Douze ans.

Du coin de l'œil, j'ai vu Richard Fletcher monter dans un camion flambant neuf et quitter le parking. Mais j'étais concentré sur Kip Jennings, sur ce qu'elle s'apprêtait à m'annoncer.

Elle a dû remarquer mon expression, un mélange d'espoir, d'attente et de crainte, aussi est-elle allée droit au but. Elle a reculé d'un pas afin de pouvoir me regarder sans trop se tordre le cou.

— Vous avez le temps de faire un petit tour ?

— Où ça ?

Pitié, pas à la morgue.

— À Derby, a-t-elle répondu.

— Qu'est-ce qu'il y a à Derby ?

— La voiture de votre fille.

5

— Elle était où ?

La Chevy grise de Kip Jennings n'arborait aucun des équipements habituels d'un véhicule de police. Pas de signalisation flagrante, ni de gyrophare sur le toit, et, à l'intérieur, pas de grille entre les sièges avant et arrière. Juste un tas d'emballages de plats à emporter et de gobelets à café vides.

— Sur le parking d'un Wal-Mart. Ça faisait plusieurs jours qu'elle était là. La direction du magasin a fini par appeler les flics pour la faire enlever.

— Est-ce qu'il y avait… Est-ce qu'il y avait quelqu'un dans la voiture ?

Je pensais au coffre.

Jennings m'a coulé un regard en coin.

— Non, a-t-elle répondu, avant de ramener les yeux sur le petit écran du GPS collé sur le tableau de bord. J'allume toujours ce machin, même quand je sais où je vais. J'aime bien le regarder.

J'ai fermé les yeux un instant, puis les ai rouverts, pour observer les arbres défiler tandis que nous suivions la route sinueuse entre Milford et Derby, un trajet d'une vingtaine de minutes.

— Où est la voiture à présent ?

Je me figurais un labo de police scientifique de la taille d'un hangar à avions, où des techniciens en combinaison protectrice la passaient au crible, à la recherche d'indices.

— Dans un enclos où ils mettent les véhicules embarqués pour stationnement interdit, a expliqué Jennings. Ils ont entré le numéro d'immatriculation dans le système informatique, voilà pourquoi ils m'ont prévenue. Je n'ai même pas encore vu la voiture. Vous la connaissez, vous pourrez me dire si vous remarquez quoi que ce soit d'anormal.

— Bien sûr.

Tout était anormal dans cette histoire. Ma fille avait disparu. Au cours des dernières semaines, j'avais parfois tenté de me réconforter avec la pensée que, même si Syd avait fugué, il ne lui était pas forcément arrivé quoi que ce soit.

Les premiers jours, je m'étais dit qu'elle était partie à cause de notre dispute. Mon interrogatoire sur les lunettes Versace, le ticket de caisse.

Ça l'avait sûrement énervée, et je l'imaginais bien cherchant à me punir pour avoir pensé qu'elle aurait pu les avoir volées.

Au fil des jours, cependant, il était devenu de plus en plus improbable que cette dispute ait déclenché sa disparition. Alors j'avais essayé de me persuader qu'autre chose l'avait mise suffisamment en colère pour s'enfuir. Quelque chose que j'avais fait, ou que Susanne avait fait.

Peut-être nous punissait-elle tous les deux. De notre séparation. D'avoir détruit ce qui, longtemps, avait été une jolie petite famille. De la ballotter entre deux foyers depuis cinq ans, de l'obliger à déménager aujourd'hui, à dix-sept ans, chez Bob. Bien sûr, sa maison était plus grande, il avait plus d'argent, il pouvait lui offrir plus de choses que moi, mais peut-être que tout ce changement la perturbait, la traumatisait.

En revanche, des questions d'ordre plus logistique se posaient à présent. Je ne me demandais pas seulement pourquoi elle était partie, mais comment. Sans voiture, comment avait-elle gagné le lieu où elle était allée, quel qu'il soit ? Pourquoi laisser sa voiture ?

Je ne trouvais aucune raison de me sentir optimiste.

Au bout de la route, l'inspecteur Jennings a tourné à gauche, roulé encore quelques kilomètres, passant devant le Wal-Mart où je supposais qu'on avait trouvé la Civic de Syd, puis s'est arrêtée sur un parking où étaient garées deux dépanneuses, à côté d'un bâtiment bas qui jouxtait une clôture derrière laquelle étaient parquées tout un tas de voitures.

Après avoir montré son badge au planton, la barrière métallique de l'enceinte a bourdonné, Jennings l'a franchie et m'a fait signe de la suivre.

La Civic était coincée entre un GMC Yukon et une Toyota Celica. Elle semblait la même que dans mon souvenir, tout en étant différente, d'une certaine manière. Désormais, ce n'était plus seulement la voiture de Syd. Elle avait quelque chose de sinistre, comme si elle détenait des infos qu'elle ne voulait pas nous révéler.

— Ne la touchez pas, m'a ordonné Jennings. Ne touchez à rien. Le mieux, c'est que vous gardiez les mains dans vos poches.

J'ai obéi. Jennings a posé son sac sur le capot de la Celica, en a sorti une paire de gants chirurgicaux, qu'elle a enfilés en tirant d'un coup sec sur les poignets.

À pas lents, j'ai fait le tour de la voiture, scrutant à travers les vitres. Sydney était fière de sa petite Civic, et l'entretenait avec soin. Contrairement au véhicule de Jennings, nul emballage de Big Mac ni de gobelets Dunkin' Donuts ne gisait à l'intérieur.

— Vous avez les clés ?

— Non, a répliqué Jennings en reniflant bruyamment. Mais la voiture a été trouvée déverrouillée.

Accroupie, elle se déplaçait tout autour, l'inspectant avec professionnalisme. Son attention s'est portée sur la poignée de la portière du conducteur.

— Quoi ? ai-je demandé depuis le côté opposé.

D'un geste, elle m'a intimé d'attendre une seconde.

J'ai contourné la voiture, puis, immobile, j'ai observé Jennings ouvrir avec précaution la portière d'un seul doigt, en le glissant sous la poignée avant de tirer tout doucement.

— Qu'est-ce que vous faites ?

À nouveau, elle n'a pas répondu. Une fois la portière grande ouverte, elle a regardé en bas, près du siège du conducteur, et a tendu la main vers les deux petites manettes qui se trouvaient là, l'une pour le bouchon d'essence, l'autre pour le coffre. Tout d'un coup, le battant de ce dernier, juste devant moi, a cliqueté et s'est entrouvert de quelques centimètres.

Même si Jennings avait assuré plus tôt qu'on n'avait trouvé personne dans la voiture, ce coffre entrebâillé suscitait une épouvantable appréhension.

— Ne l'ouvrez pas, ne touchez à rien, a-t-elle dit à nouveau.

Recommandation inutile.

Elle a inséré l'index sous le bord à l'extrême droite du coffre et l'a lentement soulevé. Il n'y avait rien à l'intérieur, hormis la trousse de secours que j'y avais mise en donnant la voiture à Syd. Elle ne semblait pas avoir été touchée.

— Il manque quelque chose ? a repris Kip Jennings.

— Pas depuis la dernière fois que j'ai regardé là-dedans.

Elle est retournée à la portière avant. Puis elle s'est penchée par-dessus le siège du conducteur, prenant toujours garde à ne rien toucher. Dans l'impossibilité de s'appuyer sur la voiture, elle se contorsionnait bizarrement pour garder l'équilibre.

Soudain, elle a sauté en arrière. Comme si quelque chose surgi de la Civic l'avait bousculée.

Mon cœur s'est emballé.

— Qu'est-ce qu'il y a ?

Elle a pivoté sur ses talons avant de lâcher un énorme éternuement.

— Pardon. J'ai senti que ça me chatouillait et je n'ai pas voulu contaminer la voiture avec mon ADN.

Le temps de me ressaisir, j'ai répété :

— ADN ?

— Je veux que les experts de la police scientifique examinent ce véhicule.

— Pourquoi ? C'est une démarche systématique ?

Jennings m'a dévisagé un instant, l'air de peser le pour et le contre.

— Venez voir, a-t-elle enfin lancé.

Délicatement, elle a refermé la portière aux trois quarts, m'a dit de m'approcher encore plus, puis a désigné la poignée extérieure.

— Vous voyez ces traînées ?

En effet. Des marques sombres. Brun-rouge.

Elle a de nouveau écarté la portière et pointé le doigt sur le volant.

— Ne le touchez pas, a-t-elle dit une fois de plus. Et là ?

D'autres traces, semblables à celles sur la poignée.

— Je vois. C'est du sang, n'est-ce pas ?

— D'après moi, oui, a répondu l'inspecteur Jennings.

6

— Il va nous falloir un échantillon ADN de votre fille, a annoncé Jennings durant le trajet de retour. Une mèche de cheveux fera l'affaire. Ensuite on le comparera avec ce sang.

— O.K., ai-je concédé, l'esprit ailleurs.

— Vous savez ce qui aurait pu attirer votre fille à Derby ? Elle y a des amis ? Un petit ami, peut-être ?

D'un signe, j'ai indiqué que non.

— Je vais faire inspecter la voiture à fond, a-t-elle poursuivi, et dès que j'en saurai plus, je vous informerai, votre femme et vous. Pardon, votre ex-femme. Et j'enverrai dans la journée quelqu'un chez vous prélever de quoi servir d'échantillon ADN.

J'ai acquiescé lentement avant de remarquer :

— Tout d'un coup, vous prenez ça au sérieux.

— Je n'ai jamais considéré cette affaire autrement, monsieur Blake, a rétorqué Kip Jennings.

— Excusez-moi.

— Ça va ?

— Je dois passer un coup de fil.

— J'ai une autre question, a-t-elle repris. Si ça ne vous ennuie pas.

Je me suis contenté de hocher la tête d'un air absent.

— Je suis certaine qu'il n'y a aucun lien, mais il s'est produit un incident à peu près au moment où votre fille a disparu.

— Une autre personne disparue ?

— Pas exactement. Vous avez déjà entendu parler d'un type nommé Randall Tripe ?

— Quel nom dites-vous ?

— Tripe. Comme ça se prononce. Et il se faisait appeler Randy plutôt que Randall.

— « Faisait » ? Plus maintenant ?

— Non. Vous connaissez ce nom ?

— Non. Je devrais ?

— Probablement pas, a admis Jennings.

— Qu'est-ce qui lui est arrivé ?

— Ce qui devait arriver. C'était un petit patron de la pègre. Un peu de prostitution, des cambriolages. Il écoulait des objets volés, vendait des armes, il dirigeait même une espèce d'agence de placement. Il a tout de même réussi à caser quelques séjours en prison dans cet emploi du temps surchargé. On l'a retrouvé dans une benne à ordures près des quais à Bridgeport, le lendemain du jour où vous avez signalé la disparition de Sydney. Avec une balle dans la poitrine. À en juger par sa blessure, il aurait pu survivre s'il avait reçu de l'aide, mais il a été abandonné au milieu des détritus et laissé pour mort. Attendez, je dois avoir un cliché d'identité judiciaire quelque part.

Elle s'est interrompue pour fouiller son sac tout en essayant de fixer la route.

— Je comprends mal le rapport avec Sydney.

— Il n'y en a sans doute aucun, a reconnu Jennings.

Comme la voiture commençait à mordre la ligne centralc clle a relevé les yeux, rectifié sa trajectoire, avant de reprendre sa recherche.

— Ah, le voilà.

Et elle m'a tendu une feuille blanche, pliée en quatre. Un formulaire d'arrestation, daté de plus d'un an. Randall Tripe était blanc, gros, pas rasé, un peu dégarni, âgé de quarante-deux ans à l'époque, et ne me rappelait personne que je connaisse ni veuille connaître.

— Il ne me dit rien, ai-je déclaré en lui rendant le document qu'cllc a rcmis dans son sac.

— Très bien.

— Ça n'annonce sûrement rien de bon, ai-je avancé.

— Hmmm ?

— Ce sang sur la voiture.

— On verra bien. Il va falloir attendre pour le savoir.

Nous avons continué de rouler un moment. Je me sentais dans une sorte d'état second, comme si rien de tout cela n'était réel.

— Votre fille, ai-je lancé.

— Pardon ?

— Quand vous téléphoniez. Elle s'appelle bien Cassie ?

Kip Jennings a hoché la tête.

— Oui. C'est le diminutif de Cassandra.

— Elle a des frères ou des sœurs ?

— Non. On n'est que toutes les deux.

Je saisissais le sens caché de la formule. Mère célibataire.

— Qu'est-ce qui lui est arrivé, inspecteur ? ai-je demandé. Qu'est-ce qui est arrivé à ma petite fille ?

— Nous voilà revenus, a-t-elle répliqué, pénétrant sur le parking de la concession.

Andy Hertz était à son bureau, une page d'annuaire déchirée devant lui. Alors que je m'asseyais, il a clamé :

— J'ai les D.

— Pas maintenant, Andy.

Il fallait que je m'échappe. Il fallait vraiment que je m'en aille de là.

— Tu sais, le mec ? a lancé Andy.

— Quoi ?

— Celui qui a pris le Ridgeline pour faire un petit tour ? Il l'a laissé tout au bout du parking, et comme il ne te trouvait pas, il m'a remis les clés. Ça fait à peine cinq minutes qu'il est revenu. L'essai de véhicule le plus long de l'histoire automobile, si tu veux mon avis. Bon sang, où étais-tu passé ? Tu as été absent plus d'une heure. Bref, il s'est tiré, a traversé la rue et est monté dans une Pinto jaune. Je ne savais même pas qu'il en roulait encore. On racontait pas, il y a des années de ça, que ces bagnoles explosaient ou je sais pas quoi ?

C'était avant sa naissance.

J'ai ramassé les clés du Ridgeline sur le bureau d'Andy, et je suis sorti.

Dès que j'aurais retiré les plaques commerciales et rangé le pick-up dans le parking, j'irais faire un tour dans Derby, chercher d'autres endroits où pourraient traîner des ados, montrer la photo de Syd à droite et à gauche.

Alors que j'avançais vers le camion, j'ai été assailli par une odeur désagréable, plus forte à chaque pas.

J'ai ouvert la portière côté conducteur et en me hissant à l'intérieur, j'ai jeté par hasard un regard à l'arrière, dans la benne. Elle était dégoûtante. Des traînées de résidus bruns – à première vue ça ressemblait à de la boue – la maculaient entièrement jusqu'en haut des parois.

J'ai sauté du camion pour aller baisser le hayon, qui était encore plus immonde. Je m'en suis mis plein les mains.

— Merde, ai-je lâché.

Au-delà d'une simple expression de colère, le mot prenait tout son sens.

Le salaud avait utilisé le pick-up pour livrer un chargement de fumier.

Je suis revenu dans le showroom, fermement décidé à mettre les voiles. Incapable d'effacer de mon esprit l'image du sang sur la voiture de Syd, j'avais besoin de m'éloigner de ces gens. Mais Patty Swain était installée dans un des sièges devant mon bureau. Une jambe posée par-dessus l'accoudoir, l'autre étalée dans l'autre direction, en une pose provocante même si elle portait un jean.

Elle était passée presque chaque jour – soit à la concession, soit à la maison – depuis la disparition de Sydney.

Patty, c'est la fille qui rentre à l'aube sans avoir peur de traverser un quartier malfamé à pied après avoir trop bu. Qui porte des jupes qui remontent un peu trop haut et des corsages au décolleté qui descend un peu trop bas. Qui a des capotes dans son sac. Et qui jure comme un charretier.

Elle m'inquiétait, mais il était difficile de ne pas admirer son côté indépendant.

Syd avait connu Patty l'année précédente, à l'université d'été. Ma fille avait échoué en maths et devait consacrer quatre semaines à rattraper son UV, casant son job à la concession entre les cours. En fait, quand ça importait, le calcul mental ne posait aucun problème à Sydney. Si vous lui promettiez quinze dollars de l'heure pour nettoyer le garage et si elle y passait six heures et quarante-cinq minutes, elle était capable de vous dire au centime près combien vous lui deviez, sans l'aide d'une calculatrice. Mais vous avez beau être bon en chiffres, si vous ne faites pas vos devoirs et si vous ne préparez pas vos examens, vous finissez à l'université d'été.

Deux ou trois jours après le début des cours, Patty a débarqué. Les deux filles ont terminé assises l'une près de l'autre, et découvert qu'elles avaient davantage en commun que leur mépris pour un système qui les obligeait à s'enfermer dans une salle de classe quand tous les autres bronzaient dehors.

Musique, cinéma – toutes deux vouaient une passion inavouable pour les productions Disney de leur enfance –, garçons, malbouffe. Tout semblait coller, exception faite peut-être de leur contexte familial.

Bien sûr, Syd venait à présent de ce qu'elle appelait volontiers un « foyer brisé », mais si le nôtre était brisé, celui de Patty avait été frappé par un missile de croisière. D'après ce que j'avais compris, elle ne pouvait pas compter sur ce qu'on qualifierait de cadre parental solide. Sa mère, selon Syd, était pour ainsi dire alcoolique. Elle avait déjà assez de mal à tenir le coup toute la journée, alors, surveiller le comportement de Patty… Son père, si je me souvenais bien, travaillait dans un magasin de vins et spiritueux, du moins à l'époque, car il avait tendance à ne pas garder ses emplois très longtemps. Malgré sa situation financière confuse, il trouvait quand même des femmes disposées à l'héberger pour des périodes variables. Patty avait raconté à Sydney qu'il les avait laissées tomber, sa mère et elle, lorsqu'elle était petite, mais qu'il réapparaissait à l'occasion dans leurs vies pendant quelques jours ou quelques semaines, jusqu'à ce que sa mère se lasse de l'avoir dans son lit et le flanque à la porte.

— Je suis plutôt contente, m'avait confié Syd, que quand maman et toi avez rompu, c'était terminé pour de bon. Ce truc de se remettre ensemble et se recasser ensuite, encore et encore, ça me rendrait folle. On se fait de faux espoirs, et puis, après, tout repart en eau de boudin.

Évidemment, il n'en avait pas toujours été ainsi entre les parents de Patty. Ils avaient commencé par vivre le rêve américain : bons boulots, une maison avec une salle de jeux, un break dans l'allée, une semaine en Floride tous les ans, dont une journée à Disney World. Mais le père de Patty avait perdu son travail chez Sikorsky après qu'on eut découvert qu'il volait des outils, et ensuite la vie n'avait été qu'une inexorable spirale descendante. Il avait laissé Patty et sa mère se dépatouiller sans lui alors qu'elle était encore toute petite. La mère s'est mise à boire. Patty a appris tôt à se débrouiller seule.

Susanne et moi – ensemble et séparément – abreuvions Syd de mises en garde : « Cette fille a cumulé les ennuis, on le comprend bien, mais ne te laisse pas entraîner sur la mauvaise pente. Évite de t'attirer des ennuis. »

Sydney nous assurait que nous n'avions rien à craindre. Et soulignait que, malgré son comportement un peu rebelle, Patty était une brave gosse, et une bonne copine. « Elle est un peu l'âme sœur dont j'ai toujours rêvé, m'a-t-elle expliqué un jour. On dit les mêmes choses en même temps. Chacune finit les phrases de l'autre. Il suffit que je la regarde pour qu'elle s'écroule de rire. Je pense à elle, et pile à ce moment-là, juré, mon portable sonne et c'est elle. »

Quand Syd séjournait chez moi, Patty y passait également plus de la moitié de son temps. Et quand elle était avec sa mère, Patty traînait souvent là-bas aussi. (J'ignorais si c'était encore vrai, maintenant que Susanne et ma fille s'étaient installées chez Bob.) Patty, malgré ses coups durs et son cynisme, se muait en gamine dès qu'il s'agissait de confectionner une fournée de cookies au chocolat. On avait l'impression que ma fille exerçait un effet modérateur sur Patty, plutôt que Patty une influence négative sur Sydney.

« J'aime bien être ici, l'avais-je entendue dire à Syd un jour qu'elles se trouvaient à la maison. Personne ne hurle sur les autres ni ne s'effondre bourré comme un coing. »

J'en étais malade pour elle.

En dépit de son insouciance apparente, Patty possédait un instinct de survie. Elle voyait le monde, non à travers un prisme rose, mais tel qu'il était. Un lieu cruel où l'on ne pouvait compter que sur soi-même. Raison, entre autres, pour laquelle je l'appréciais, et dans une certaine mesure je l'admirais. La vie lui avait distribué de mauvaises cartes, mais elle essayait de les jouer le mieux possible.

Cette fois, je ne l'avais pas vue faire son entrée, mais en général les têtes se tournaient sur son passage, tandis qu'elle zigzaguait d'une démarche chaloupée, les seins dansants, dans le hall empli de Honda. Patty connaissait ses atouts et en tirait volontiers avantage. Aujourd'hui, en plus du jean taille basse déchiré aux genoux et aux cuisses, elle portait un T-shirt bleu foncé trop court pour couvrir le piercing de son nombril, et assez échancré pour dévoiler un affriolant soutien-gorge en dentelle noire. Quelques fines mèches roses striaient ses cheveux blond cendré, et son visage paraissait dénué de tout maquillage hormis un vermillon éclatant sur les lèvres.

Alors que je m'asseyais, elle m'a lancé :

— Hé, monsieur B. Vous avez une sale tronche. Ça va ?

— Salut, Patty.

— Qu'est-ce qui se passe ? Vous êtes tout pâle.

— Euh... non, rien.

— Ça craint.

— Ouais, ça craint.

Elle a froncé le nez.

— C'est quoi cette odeur ?

— Du fumier, ai-je répondu.

— Coucou, monsieur Blake, a lancé une voix.

Je me suis retourné, sans voir personne sur le coup.

— Jeff m'a accompagnée, a indiqué Patty. Il est là-bas.

Elle a pointé une Accord du doigt. Installé derrière le volant, son ami Jeff Bluestein tripotait les boutons du tableau de bord. À chacune de ses visites, il choisissait une voiture, s'asseyait sur le siège du conducteur et n'en bougeait plus jusqu'à son départ.

Je lui ai adressé un petit signe.

— Salut, Jeff.

Il m'a rendu mon geste avec un sourire. À travers le pare-brise, il a demandé :

— Le site marche toujours bien ?

— Oui.

— Beaucoup de connexions ?

— Quelques-unes.

Jeff est retourné à ses manettes. Pendant ce temps, Patty avait jeté un regard circulaire sur le showroom, où s'affichaient les posters des différents modèles de véhicules.

— Vous croyez que je pourrais décrocher un job ici ?

— Pour faire quoi ?

— Ben, vendre des voitures, a-t-elle répliqué. Vu que je ne sais pas les réparer ni rien, c'est la seule chose que je pourrais faire.

À mon avis, elle n'avait pas l'intention de suggérer que sans aucune compétence, le métier de vendeur était à peu près le seul auquel vous pouviez prétendre.

— Alors tu te passionnes pour les voitures, maintenant.

Patty a haussé les épaules.

— Non. Et je suppose qu'il faudrait que je change de look. Ma tenue de pute camée risquerait d'effrayer M. et Mme BCBG venus acheter un monospace pour emmener leurs républicains miniatures au centre commercial.

— C'est possible, ai-je admis.

Patty avait habituellement un petit boulot, mais rarement le même plus d'un mois ou deux. Souvent comme vendeuse, en général dans des boutiques de fringues branchées fréquentées par une clientèle vêtue de la même façon qu'elle. À peine six mois plus tôt, elle avait travaillé dans un magasin de chaussures de sport à Stratford. À présent, elle était employée dans une boutique d'accessoires où elle vendait des bijoux de pacotille, des bandeaux et des foulards.

— Honnêtement, je peux vous parler d'un truc ?

Elle remuait la mâchoire comme si elle mâchait un chewing-gum imaginaire.

— Je n'en attends pas moins de toi, Patty.

— Ce plan de coller des lecteurs DVD dans les monospaces, ça prouve la dégringolade de cette fichue civilisation ou quoi ? Ils pensent que les mômes n'ont pas assez l'occasion de regarder la télé et qu'il faut leur en mettre dans les bagnoles aussi ?

Vous voyez ce que je veux dire ? Elle avait de bons côtés.

— Je te suis complètement, Patty. Quand Syd était petite, et qu'on se baladait en auto ensemble, elle posait toujours des questions sur tout. Elle aimait savoir quels étaient les différents modèles de voiture. À six ans, elle savait distinguer une Honda d'une Toyota ou d'une Ford. Ça n'aurait pas été le cas si elle avait regardé *La Petite Sirène*.

Une boule s'est formée dans ma gorge, que j'ai essayé d'avaler.

— Entièrement d'accord, a conclu Patty.

Quelques instants se sont écoulés en silence. Peut-être songeait-elle au fait qu'elle n'avait jamais passé beaucoup de temps en voiture avec son père.

Jeff a extirpé son corps balourd de l'Accord puis s'est glissé dans une Civic. On l'entendait presque faire « vroum vroum » en agrippant le volant.

Patty a repris la parole.

— En fait, Syd et moi avons regardé *La Petite Sirène* ensemble il y a quelques mois, et on a pleuré comme des gamines de CE1.

On imaginait mal la fille assise en face de moi tomber en extase devant quoi que ce soit en rapport avec Disney.

— Tu connais ce dessin animé sur les monstres ? ai-je enchaîné. Ceux qui travaillent pour une grosse boîte et dont le boulot est de terroriser les petits enfants ?

— *Monstres et Cie* ?

— Celui-là, oui. J'ai emmené Syd le voir quand elle avait, quoi, dix ans ? À la fin, j'ai fondu en larmes. Tu vois de quelle partie je parle ?

— Oh oui. J'y suis allée avec ma mère, moi aussi. Elle avait embarqué en douce une canette de Coca remplie de whisky. C'est elle qui m'a tout appris, a-t-elle ajouté en arborant un grand sourire, dans l'espoir de me choquer.

Je me suis penché en avant.

— Patty, est-ce que Sydney avait des amis à Derby ?

Elle a paru décontenancée.

— Je crois pas. Derby ? Putain, non. Personne à Derby. Pourquoi ?

Je me suis tâté pour savoir si je devais lui parler ou non de la voiture de Syd, et j'ai décidé de m'abstenir.

— Donc je continue à passer le message, a poursuivi Patty. Sur Facebook, ces machins-là.

Elle balançait sa jambe par-dessus l'accoudoir, et faisait en outre des pichenettes avec les doigts de sa main gauche.

— Je t'en suis reconnaissant. Tu touches sans doute bien plus de gens de cette façon que moi.

Puis, fixant son mollet qui allait et venait, j'ai demandé :

— Ça va, Patty ? Tu as l'air un peu à cran.

Elle a aussitôt cessé tous ces mouvements apparemment involontaires.

— Non, je suis cool.

— Tu n'es pas défoncée ou je ne sais quoi, si ?

Elle a éclaté de rire.

— Ah, la vache, monsieur B., vous alors !

Laura Cantrell arpentait lentement le showroom, aussi gracieuse qu'une gazelle malgré ses talons vertigineux. Elle a frôlé la cloison de mon box, sans nous adresser un mot, flâné entre les voitures. On avait l'impression que la température avait baissé de plusieurs degrés.

Puis elle a regagné son bureau. Patty n'en avait pas perdu une miette.

— Sérieux, cette nana a besoin d'être baisée, a-t-elle lâché.

— Je sais que je te l'ai déjà demandé mille fois, Patty, mais où Syd aurait-elle pu aller ? Si elle ne travaillait pas à cet hôtel, où est-ce qu'elle était ?

— Aucune idée. C'est un vrai merdier.

— J'ai sillonné la nationale 1 de long en large, je suis entré dans chaque magasin, chaque commerce. Personne ne sait rien.

Un bref instant, cela m'a fait penser à Ian, de la boutique SHAW FLEURS, qui aurait pu étudier un peu plus attentivement la photo de Syd avant d'affirmer qu'il ne l'avait pas vue.

— Tu étais sa meilleure amie, ai-je insisté. Et pourtant, elle t'a caché ce qu'elle faisait en réalité.

— Juré, je croyais qu'elle travaillait là-bas. Elle m'a jamais dit autre chose. Ce qu'il y a, c'est que Syd n'est pas comme moi. Elle ne chercherait pas d'ennuis. Tandis que je suis née pour ça.

Je lui ai décoché un sourire las.

— Merci d'être passée, Patty. Si quoi que ce soit te vient à l'esprit…

Elle a acquiescé, cligné plusieurs fois des yeux, comme pour refouler des larmes. Puis elle s'est levée.

— Bien sûr. En fait, je me demandais…

— Quoi, Patty ?

— Vous savez, mon nouveau boulot au centre commercial ?

— À la boutique de bijoux ?

D'un geste évasif, elle a balayé cc détail sans importance.

— Ouais. Bref, il faut bosser un mois avant de toucher son premier chèque, et ma mère, bon, elle est plutôt à sec en ce moment, et c'est pas comme si mon père m'envoyait des sous chaque mois.

— Tu ne me réclames quand même pas de l'argent, Patty ?

— D'accord, a-t-elle répliqué en rougissant. Je comprends.

Je l'ai observée un instant, et j'ai sorti un billet de vingt de mon portefeuille, qu'elle a saisi avant de le fourrer dans la poche de son jean. Il était si moulant qu'elle avait du mal à y glisser les doigts.

— Merci. Vous voulez que je vous prenne un truc à manger ce soir ?

Tentant de combler le vide laissé par Sydney, Patty était passée cinq ou six fois à la maison au cours des dernières semaines, pour une livraison surprise de McDonald's ou de Burger King ou de Subway, puis avait laissé entendre qu'elle était fauchée et accepté sans objection que je la rembourse.

— Je ne crois pas, non, ai-je répondu. Pas ce soir.

La déception se lisait dans ses yeux.

— O.K., a-t-elle fait. À plus tard, alors.

En passant devant le bureau d'Andy Hertz, elle a lancé : « Coucou, Andy Panda[1] », avant de continuer son chemin, roulant des hanches.

Andy, qui testait un par un tous les numéros de sa page d'annuaire, a grommelé un vague salut en réponse.

Patty avait beau être venue assez souvent à la concession, ce surnom me semblait un tantinet familier.

Jeff est sorti de la Civic et a couru pour rattraper Patty, laissant tomber au passage un jeu de clés sur mon bureau.

— Quelqu'un a oublié ça dans la voiture.

1. Personnage de dessin animé.

7

Je me demandais comment faisaient les gens.

Aux infos, on tombait sur un couple qui avait perdu un enfant dans un incendie. Ou la mère d'une fillette, disparue aux Bermudes et qui n'avait jamais été retrouvée. Ou encore ce père dont le fils avait été tué dans une rixe de bar. Et cette gamine partie en classe de ski, lorsqu'une avalanche s'est déclenchée, la petite a été ensevelie sous des mètres de neige et les équipes de secours n'ont pas pu la localiser. Ses parents, en pleurs, conservaient l'espoir que leur fille soit toujours vivante, alors que vous saviez que c'était tout simplement impossible.

J'interpellais le poste de télévision : « Mais comment font-ils, bon sang ? »

Je me disais que si une chose pareille arrivait à un être cher, le monde s'arrêtait tout bonnement de tourner, non ?

Mais j'étais en train de me rendre compte que la vie continue. Vous vous levez. Vous prenez votre petit déjeuner. Vous partez travailler. Vous faites votre boulot. Vous rentrez, vous dînez, vous allez vous coucher.

Comme tout le monde.

En quittant la concession, j'ai pris à la réception la photocopie du permis de Richard Fletcher, mon livreur de fumier, et relevé son adresse, Coulter Drive, avant de glisser la feuille dans ma poche.

Une fois dans la voiture, j'ai rallumé l'iPod de Sydney et écouté un peu de Natasha Bedingfield (en l'entendant un soir dans la chambre de Syd, je lui avais demandé de qui il s'agissait), un morceau d'Elton John qui datait de ma propre jeunesse, et, surprenant, « Misty » du pianiste Erroll Garner. J'en avais parlé à Syd quelques mois plus tôt, et elle avait téléchargé une de ses ballades.

— Tu es un sacré numéro, ma chérie, ai-je commenté à voix haute, comme si elle se trouvait sur le siège voisin.

Au lieu de prendre la direction de la maison, je me suis rendu au siège de Bob Motors et me suis garé devant le secrétariat – une longue caravane transformée en bureau, les roues cachées sous une bande décorative en vinyle.

Alors que je montais les marches du perron, la porte s'est ouverte sur Evan, le visage rouge, la mâchoire crispée de colère. Il paraissait au bord de l'explosion.

— Salut, ai-je fait.

Mais il m'a dépassé en trombe sans me voir, a foncé entre les véhicules d'occasion, puis a pilé près d'une Jetta rouge ornée d'un panneau PREMIÈRE MAIN ! sur le pare-brise, avant de flanquer de toutes ses forces un coup de pied dans le pare-chocs arrière.

— Merde ! a-t-il hurlé. Qu'elle aille se faire foutre ! Cette salope !

Ensuite, il s'est éloigné d'un pas rageur.

Susanne occupait un bureau à droite de la porte. Les béquilles dont elle se passait désormais reposaient contre la cloison, la canne pendait à un portemanteau. Elle a levé les yeux vers moi, visiblement chamboulée.

— Tiens, tu tombes à pic! Il t'est rentré dedans?

— Il a juste déglingué une Volkswagen. Qu'est-ce qui se passe?

— Je l'ai interrogé sur l'argent de la caisse.

— Quelle caisse?

— La petite caisse qu'on garde dans le tiroir, ici. Je jure qu'il y avait deux cents dollars hier, et aujourd'hui il en reste quarante. Je lui ai demandé s'il avait pioché dedans pour une raison quelconque, et il s'est mis dans une colère noire, en m'accusant de le traiter de voleur...

Elle s'est interrompue brusquement.

— Il est arrivé quelque chose?

— On a retrouvé la voiture de Sydney, ai-je expliqué.

Impassible, Susanne a attendu la suite.

— À Derby. Abandonnée sur le parking d'un Wal-Mart. Il se peut qu'elle ait été abandonnée là le jour de sa disparition. Il y a des traces de sang sur la poignée et le volant.

Le visage toujours inexpressif, Susanne a pris le temps d'assimiler l'information avant de déclarer:

— Elle n'est pas morte. Je refuse de croire qu'elle est morte.

— Elle ne l'est pas, ai-je répliqué, car c'est ce que j'avais besoin de croire, moi aussi. Ils doivent procéder à des tests ADN pour savoir s'il s'agit du sang de Sydney.

— Ça ne fait rien. Elle n'est pas morte.

Susanne a haussé le menton, comme pour défier des forces invisibles.

Soudain, Bob a fait irruption. Sans même poser les yeux sur l'un ou l'autre d'entre nous, il a aboyé :

— Mais qu'est-ce que tu as pu dire à Evan, bon Dieu ?

Puis il m'a vu.

Je me suis tourné vers Susanne.

— J'y vais. Je te tiens au courant. Prends soin d'elle, ai-je ajouté à l'intention de Bob. Et si jamais j'entends encore Evan traiter Susanne de salope, je lui passe la tête à travers un pare-brise.

J'ignore comment je suis rentré. Je n'ai aucun souvenir du trajet en voiture. Un voile de sang bouillonnant obscurcissait ma vision.

Quand je suis arrivé à la maison, un véhicule de police stationnait devant. Un Noir bien habillé s'est présenté comme appartenant à l'unité médico-légale de la ville. L'inspecteur Kip Jennings l'envoyait recueillir un échantillon d'ADN de Sydney. Je lui ai indiqué la chambre de Syd et la salle de bains où elle se préparait le matin. Il s'est dirigé droit sur la brosse à cheveux.

Pendant qu'il officiait, je suis descendu à la cuisine. La touche du répondeur téléphonique clignotait. Je l'ai pressée.

« Salut. »

Kate Wood.

« Je voulais juste savoir comment tu allais. Je ne sais pas si tu as eu mon message au travail. Ma proposition tient toujours. Je pourrais apporter un truc à manger. Je suppose que tu n'as pas le cœur à faire la cuisine. Tu pourrais même passer ici, si tu veux. Bref, rappelle-moi, O.K. ? »

J'ai effacé le message, puis je suis monté dans la chambre d'amis qui me servait de bureau, et j'ai vérifié sur l'ordinateur si le site avait enregistré la moindre activité.

Rien.

Je suis resté là un moment, les yeux fixés sur l'écran.

Le gars du service médico-légal a passé la tête et assuré qu'il trouverait le chemin de la sortie tout seul.

— D'accord, ai-je dit. Merci.

Finalement, je suis retourné dans la cuisine. J'ai ouvert le frigo et observé l'intérieur durant vingt bonnes secondes, comme si en le regardant suffisamment longtemps, quelque chose de comestible apparaîtrait par magie. Je n'avais pas fait de courses depuis au moins deux semaines, et – les soirs où Patty ne se pointait pas avec des hamburgers – je survivais essentiellement grâce à une réserve de plats surgelés qui s'étaient accumulés dans le congélateur depuis un an ou deux.

J'ai refermé le frigo et je me suis appuyé sur le plan de travail, les mains bien à plat. Puis j'ai inspiré plusieurs fois à fond, expirant lentement à chaque fois.

Si c'est censé détendre, ça n'a pas marché avec moi, parce que soudain j'ai balayé d'un revers du bras tout ce qui se trouvait devant moi – grille-pain, salière et poivrière, calendrier humoristique du *New Yorker* dont je n'avais pas tourné une page en trois semaines, ouvre-boîte électrique.

Toute cette rage et cette frustration réprimées m'étouffaient. Où était Syd ? Que lui était-il arrivé ? Pourquoi était-elle partie ?

J'avais envie d'exploser, à force de contenir tant de colère sans avoir nulle part où la diriger.

Je n'étais rentré que depuis quelques minutes et déjà le besoin de ressortir me taraudait. Chaque moment passé ici, seul, me rappelait l'absence de Sydney. Impossible de rester sans rien faire. Il fallait que je me défoule. Que je reparte sillonner le coin en voiture. Que je continue de chercher.

Le téléphone a sonné. J'ai arraché le combiné du support avant la fin de la première sonnerie.

— Quoi ? ai-je braillé.

— Ouh là.

— Pardon, me suis-je repris un cran en dessous, ignorant de qui il s'agissait. Bonsoir.

— J'ai appelé plus tôt. Tu as eu mon message ?

Alors j'ai su.

— Je viens de rentrer, Kate.

Ç'avait commencé environ six mois auparavant. Je l'avais rencontrée d'une manière plutôt originale. Elle quittait en marche arrière une place sur le parking de Walgreens et sa Ford Focus avait percuté mon pare-chocs de l'autre côté de l'allée. J'étais au volant, moteur coupé, écoutant la fin d'un bulletin d'informations avant d'entrer dans le magasin, et l'impact m'avait précipité dehors.

Je tenais un certain nombre de phrases toutes prêtes : « Vous êtes aveugle ? », « Où est-ce que vous regardiez, bon sang ? », « Vous avez acheté votre permis sur le Net ou quoi ? »

Mais quand elle était descendue de voiture, la première chose qui est sortie de ma bouche a été : « Tout va bien ? »

Le fait qu'elle soit une femme aussi remarquable y était sûrement pour beaucoup. Peut-être pas belle au sens top model (et là, bien sûr, je m'en remettrais au jugement de Bob), mais saisissante, avec des cheveux bruns coupés court, des yeux marron, un visage un peu à la Marilyn. Si ce n'est qu'au lieu d'un timbre aigu façon Betty Boop, elle parlait d'une voix douce, basse, rauque.

— Oh mon Dieu. C'était entièrement ma faute, a-t-elle reconnu. Vous êtes blessé ?

— Non, je vais bien. Regardons si votre voiture n'a rien.

Elle était intacte, et mon pare-chocs ne montrait qu'une infime éraflure. Bien que cela ne valût pas la peine d'être réparé, je n'ai fait aucune objection lorsque Kate a voulu me laisser ses coordonnées.

— Vous pourriez avoir un traumatisme cervical ou autre, vous savez, a-t-elle avancé – comme si elle l'espérait.

Le lendemain, j'ai composé son numéro de téléphone.

— Seigneur, s'est-elle exclamée, ne me dites pas que vous avez une commotion ou quelque chose comme ça ?

— Je me demandais si vous accepteriez de prendre un verre.

Autour d'une bière, elle m'a expliqué qu'au moment de mon appel, elle avait pensé que j'allais feindre une lésion à la colonne vertébrale pour lui extorquer un million de dollars de frais d'hôpital, parce que c'est le genre de choses que font les gens, c'est le genre de monde dans lequel on vit.

Cela aurait dû me mettre sur la voie.

Mais sur le coup je n'ai pas relevé, parce que ç'avait l'air de fonctionner assez bien entre nous. Ç'a même marché assez vite.

Nous sommes passés du verre au dîner, et du dîner à chez moi. Cinq minutes après avoir franchi le seuil de ma maison, nous étions au lit. Je n'avais pas fait l'amour depuis des mois, et il n'est pas impossible que ça puisse expliquer la rapidité de notre première étreinte. Mais la nuit a été longue, et j'ai pu me rattraper.

Au début, Kate semblait quasi parfaite.

Chaleureuse. Attentionnée. Désinhibée sur le plan sexuel. Et aussi accro aux DVD. Je travaillais tellement le soir que je regardais peu la télé, alors elle m'a fait découvrir des séries que je ne connaissais que par ouï-dire, y compris une mettant en scène des gens dont l'avion s'écrase sur une île déserte, ce qui se révèle être en quelque sorte leur destin. Ils se retrouvent tous sur cette île pour une raison précise, au cœur d'une grande combine – je comprenais à peine ce raisonnement. Mais Kate était obsédée par le fait que des forces invisibles manipulaient la vie de chacun. « C'est comme ça que ça se passe, affirmait-elle. D'autres gens tirent toujours les ficelles en coulisse. »

Ce qui aurait dû constituer un nouvel indice.

Mais à vrai dire, elle était amusante. Et cela faisait un bout de temps que je n'avais été avec personne d'amusant. C'est quand elle a commencé à se livrer que les choses ont dérapé.

Séparée depuis trois ans de son mari pilote de ligne, qui couchait à droite et à gauche, elle s'était fait complètement arnaquer dans le divorce. D'après elle, son avocat était copain avec celui de son mari, bien qu'elle ne puisse pas le prouver. Elle prétendait qu'ils avaient magouillé en douce, sinon elle aurait obtenu la maison de cette ordure. Mais figurez-vous qu'il l'habitait toujours, tandis qu'elle était obligée de vivre dans un appartement minable à Devon, à deux pas d'un bar où le vendredi soir, il y avait toujours un type qui finissait par pisser sur votre voiture.

Bon.

Et comme si ça ne suffisait pas, on la traitait d'une manière totalement injuste au boulot. C'était clairement à elle que revenait la prochaine place de chef acheteur chez Jazzies, le magasin de vêtements où elle travaillait à New Haven, mais ils l'avaient donnée à cette femme prénommée Edith, comme si on pouvait croire qu'une bonne femme affublée d'un prénom pareil ait la moindre idée de ce qui était à la mode.

— Edith Head ? ai-je avancé. La créatrice aux huit oscars du meilleur costume ?

— Qu'est-ce que tu racontes ?

En tout cas, elle savait que ses collègues lui en voulaient, ne l'aimaient pas, et la théorie la plus vraisemblable selon elle, c'était parce qu'elle se révélait être infiniment plus attirante que les autres. Elles se sentaient menacées. Eh bien, qu'elles aillent toutes au diable, voilà.

Au début, je me réjouissais de ses appels au travail. Je trouvais plutôt chouette qu'elle m'explique, en détail, ce qu'elle comptait me faire à notre prochaine rencontre. Mais parfois, lorsque vous essayez de conclure la vente d'une Accord à trente-cinq mille dollars, vous devez rester concentré sur votre objectif et oublier les sollicitations extérieures, quel que soit le plaisir qu'elles vous procurent.

Kate se vexait facilement.

Plus elle téléphonait au travail, à la maison, ou sur mon portable, moins je lui retournais ses coups de fil.

— Laisse-moi une chance d'être celui qui appelle, lui suggérais-je gentiment.

— Mais je te l'ai demandé dans mon message, répliquait-elle. Je t'ai justement dit de me rappeler.

Bien entendu, il ne s'agissait pas uniquement de téléphone rose. C'était souvent de nouvelles histoires à propos de son ex qui lui dissimulait de l'argent, ou le fait qu'on ne reconnaissait toujours pas ses talents professionnels, ou qu'elle soupçonnait son propriétaire d'être entré dans son appartement en son absence, pour fouiller le tiroir où elle rangeait sa lingerie. Rien n'avait été déplacé, c'était juste une impression.

Un soir, alors que j'avais l'intention de rompre, elle a réussi d'une manière ou d'une autre à me persuader de la laisser rencontrer Sydney.

— Je meurs d'envie de la connaître.

Je n'étais pas pressé de les présenter l'une à l'autre. Je ne voyais pas l'intérêt que Sydney rencontre toutes les femmes avec lesquelles je sortais, lesquelles, au cours des deux dernières années, n'avaient guère été nombreuses. Si jamais les choses devenaient sérieuses, il serait toujours temps pour les présentations.

Mais Kate insistait, alors, un dimanche, j'ai organisé un déjeuner à trois. Syd, fan de poissons et de coquillages, a choisi un restaurant du front de mer où, pour autant que je sache, la prétendue « pêche du jour » provenait d'un océan à l'autre bout de la planète.

Kate trouvait que ça s'était passé à merveille.

— On s'est vraiment bien entendues, a-t-elle déclaré.

Je savais que Syd aurait un autre point de vue.

— Elle est très gentille, a-t-elle commenté plus tard, une fois seuls tous les deux.

— Tu me caches quelque chose.

— Non, je t'assure.

— Allez, crache le morceau.

— Bon, tu sais qu'elle est cinglée, a commencé Sydney.

— Continue.

— Elle a parlé pendant tout le repas. Et tout ne tournait qu'autour d'untel qui ne l'aime pas et d'unetelle avec qui elle a des problèmes, et le fait qu'elle s'entendait avec personne à son ancien job parce que tout le monde était ligué contre elle et qu'on lui a fait un bilan professionnel injuste, et ensuite elle a décroché ce nouveau boulot et même si tout va bien elle sait que les gens la critiquent dans son dos, et elle est archi sûre que le blanchisseur lui fait payer trop cher et…

— C'est bon, l'ai-je coupé. J'ai pigé.

— Mais je comprends, a ajouté Syd.

— Comment ça, tu comprends ?

— Elle est sexy. C'est une histoire de cul, non ?

— Sydney, je t'en prie !

— Enfin, papa, quoi d'autre ? Si j'avais des nichons pareils, je serais la fille la plus populaire du lycée.

J'ai cherché quelque chose à répliquer, mais avant que j'y parvienne, Syd a répété :

— Cela dit, elle est très gentille.

— Et un peu cinglée.

— Ouais, a fait Sydney. Mais beaucoup de cinglés sont très gentils.

— Est-ce qu'elle t'a posé une seule question sur toi ?

Elle a dû réfléchir un moment pour répondre.

— Tu sais, quand tu es allé aux toilettes ? Elle m'a demandé mon avis sur ses boucles d'oreilles.

Le hic, c'est que ma fille avait mis le doigt dessus. Kate était égocentrique. Elle voyait partout des conspirations inexistantes, et tirait des conclusions hâtives. Elle voulait forcer les choses quand moi je voulais les ralentir.

Le lendemain du déjeuner, Kate, qui avait au départ eu le sentiment que ça s'était bien passé, m'a téléphoné au travail.

— Sydney me déteste, a-t-elle lancé.

— N'importe quoi. Elle t'a trouvée très gentille.

— Qu'est-ce qu'elle a dit ? Exactement ?

— Elle t'aime bien, ai-je assuré, laissant de côté les références à *cinglée* et à *nichons*.

— Tu mens. Je sais que tu mens.

— Kate, faut que j'y aille.

On continuait à se voir, occasionnellement. Par culpabilité, craignant d'être en train de profiter d'elle, j'inventais des excuses pour ne pas coucher avec elle.

La plupart du temps.

Après la disparition de Sydney, j'avais cessé de la rappeler. J'avais assez de problèmes comme ça. Mais il m'arrivait de décrocher le téléphone sans vérifier le numéro entrant.

— Laisse-moi être là pour toi, disait-elle.

Accepter ses offres de réconfort ne m'emballait pas.

— Tu veux bien de moi quand tu as besoin de prendre ton pied, a observé Kate à un moment donné, mais tu ne veux pas de moi quand ça va mal ?

À présent, je l'avais au bout du fil, debout dans ma cuisine au sol jonché de débris après mon explosion de rage, toujours incapable de chasser de mes pensées la voiture de ma fille, les traces de sang sur la portière et le volant.

— Tu es là ? a demandé Kate.

— Ouais, je suis là.

— Tu as une voix épouvantable.

— La journée a été dure.

— Tu es seul ?

— Oui.

Et en vérité, je me sentais terriblement seul.

— Je sais que tu as beaucoup de soucis.

— Mmm, ai-je fait.

Un silence s'est installé un instant.

— Tu as mangé ? a-t-elle repris.

Il m'a fallu réfléchir. Ne venais-je pas d'étudier le contenu du frigo ? Cela devait signifier que je n'avais pas dîné.

— Non.

— Je vais apporter quelque chose. Des plats chinois. Et j'ai quelques nouveaux DVD.

Après un moment d'hésitation, j'ai accepté. J'avais faim. J'étais claqué. Et la solitude me pesait.

— Tu peux me laisser une heure ? ai-je ajouté. Non. Une heure et demie ?

— Bien sûr. À plus tard.

J'ai raccroché sans dire au revoir. Après un regard par la fenêtre, j'ai vu qu'il restait encore une bonne heure de lumière.

J'ai pris la voiture, je suis passé devant la maison vide de Susanne, puis je me suis rendu à Derby. Une fois là-bas, j'ai sillonné les centres commerciaux, les parkings de fast-food, sans cesser d'observer partout, en quête d'une silhouette pouvant être celle de Sydney.

Chou blanc.

Au fond de moi, je savais cette démarche inutile, comme si, par hasard, j'allais repérer ma fille marchant dans la rue ; quelles chances y avait-il qu'elle se promène, ou soit assise derrière la vitre d'un McDonald's pile au moment où je passais devant ?

Mais il fallait que je fasse quelque chose.

J'allais repartir quand une plaque de rue a attiré mon attention.

Coulter Drive.

Sans réfléchir, j'ai freiné et tourné à droite. Puis, après avoir rangé ma voiture le long du trottoir, j'ai cherché dans ma poche la photocopie du permis de Richard Fletcher récupérée à la concession.

Il habitait au 72. La maison la plus proche était le 22, la suivante le 24. J'ai lentement remonté la rue.

La maison de Fletcher, une simple bâtisse de plain-pied, quatre fenêtres, la porte en plein milieu, se trouvait en retrait, entourée d'arbres. La pelouse de devant était inégale et envahie de mauvaises herbes. Des pneus usagés, des vélos rouillés, une vieille tondeuse à gazon et tout un bric-à-brac s'entassaient contre un garage indépendant. Dans l'allée gravillonnée, j'ai vu la Pinto jaune dont Fletcher s'était servi pour son escapade plus tôt dans la journée, ainsi qu'un pick-up Ford qui avait connu des jours meilleurs. Derrière le capot ouvert, je distinguais quelqu'un penché sur le moteur.

Richard Fletcher, sans doute.

À tout autre moment, j'aurais eu le bon sens de poursuivre ma route. Je me serais raisonné : « Alors comme ça le bonhomme t'a roulé. A pris un camion pour faire un tour, et l'a utilisé pour une livraison de fumier. La prochaine fois, tu feras gaffe, tu ne laisseras pas un type tester un camion sans l'accompagner. Fletcher a été veinard de tomber sur moi aujourd'hui. Pas la prochaine fois. On apprend tous les jours. »

Seulement, j'étais bien trop à cran pour penser de manière aussi rationnelle.

Je suis descendu de voiture et j'ai emprunté l'allée à grands pas. Un chien que je n'avais pas encore remarqué a bondi vers moi, un corniaud boiteux à l'hérédité imprécise et au museau grisonnant. Il était aussi avachi que le toit de la maison Fletcher. Sa queue fatiguée battait la mesure comme un métronome réglé au plus lent.

Après l'avoir dépassé et contourné le camion, j'ai constaté que c'était bien Richard Fletcher qui examinait le moteur. Il avait le coude posé sur le radiateur et la tête au creux de la main. Il ne tenait aucun outil, ne réparait en fait rien du tout. Il regardait le moteur de la manière dont une diseuse de bonne aventure éreintée regarderait le fond d'une tasse de thé. Essayant de trouver des réponses, sans beaucoup de chance.

— Salut, ai-je lancé, d'un ton agressif.

Il a levé les yeux sur moi, les a plissés, dans une tentative pour me situer.

— La prochaine fois que vous prenez un camion pour un essai, ça vous ennuierait de nettoyer toute la merde avant de le ramener ?

À présent il me remettait.

Fletcher s'est redressé en se frottant le crâne et m'a dévisagé sans un mot.

— Vous êtes un vrai malade, vous le savez ? ai-je poursuivi. Vous vous prenez pour qui, nom de Dieu ? J'ai une info pour vous. On n'est pas une agence de location de camions, O.K. ?

Il remuait les lèvres, comme s'il essayait de trouver ses mots, mais sans y parvenir.

La porte de la maison s'est brusquement ouverte, en grinçant sur ses gonds. Fletcher a tourné le visage dans sa direction. Une fillette a sorti la tête et annoncé :

— J'ai fini de préparer le dîner, papa.

Elle devait avoir dix, douze ans. Je ne voyais pas grand-chose d'elle. Juste assez pour remarquer qu'elle se tenait sur des sortes d'attelles métalliques.

— J'arrive tout de suite, ma puce, a répliqué Fletcher.

Il a ramené les yeux sur moi.

— Vous m'excuserez. Ma fille m'attend.

Puis il est reparti vers la maison, me laissant planté là. Soudain, je me suis senti tout petit.

En arrivant dans ma rue, j'ai aperçu la Ford Focus de Kate Wood devant l'allée. Elle attendait à côté, un grand sac marron dans une main, et ce qui semblait une bouteille de vin emballée dans l'autre.

Je me suis garé, me suis approché de Kate, et un sentiment primaire a pris le relais. J'avais besoin qu'elle me réconforte. Je l'ai enlacée et attirée contre moi, posant ma tête sur son épaule. Les mains toujours pleines, elle m'a serré entre ses bras.

— Oh mon chou, a-t-elle murmuré. Ça va aller, ça va aller.

Je me suis contenté de la tenir ainsi, sans rien dire.

— Il est arrivé quelque chose ? a-t-elle demandé.

Face à mon mutisme, elle a ajouté :

— Viens, allons à l'intérieur. Viens.

Tandis qu'elle m'entraînait vers la porte, j'ai réussi à trouver la clé de chez moi.

— Je vais prendre des assiettes, a-t-elle annoncé une fois dans la maison. On va te nourrir un peu, on va parler. Ma parole, on dirait que tu as perdu cinq kilos.

J'avais bien remarqué que mes pantalons flottaient un peu depuis quelques jours, mais sans vraiment y prêter attention.

— Tu ouvres le vin ? a poursuivi Kate.

— Laisse-moi d'abord vérifier quelque chose.

— Quand tu seras revenu, je te raconterai la dernière d'Edith. Elle a complètement foiré une commande.

— Dans une minute.

— Grands dieux ! s'est-elle exclamée en entrant dans la cuisine. Qu'est-ce qui s'est passé ici ?

Mon accès de colère de tout à l'heure.

— Ne t'inquiète pas pour ça.

J'ai grimpé deux à deux les marches de l'escalier. Sans prendre la peine de m'asseoir devant l'ordinateur, juste penché dessus, j'ai déplacé la souris, cliqué pour voir s'il y avait des messages autres que pour du Viagra au rabais.

Il y en avait deux. L'un me prévenait d'un problème sur mon compte eBay. Je n'avais pas de compte eBay. Je l'ai effacé.

Puis j'ai ouvert l'autre. Il commençait par : « Cher monsieur Blake, je suis presque certaine d'avoir vu votre fille. »

8

Je tremblais déjà avant de m'asseoir.

Le mail, venant d'une adresse Hotmail composée des lettres *ymills* et d'une série de chiffres, disait :

Cher monsieur Blake, je suis presque certaine d'avoir vu votre fille. Je travaille dans un refuge pour ados à Seattle...

Seattle ? Qu'est-ce que Syd pourrait bien faire à Seattle ? Non, une seconde. Ce qui comptait, c'était que Syd soit *vivante*.

Cette information, juste après avoir vu des traces de sang sur la voiture de ma fille, me mettait les larmes aux yeux.

J'ai repris ma lecture :

Je travaille dans un centre d'accueil pour ados à Seattle, et puisque je suis dans ce métier, je parcours souvent les sites de gosses disparus. Je suis tombée sur le vôtre et, en y voyant les photos de votre fille Sydney, je l'ai reconnue parce qu'elle est très jolie. Du moins je suis presque sûre que c'était elle, mais je peux me tromper. Je ne crois pas qu'elle ait dit s'appeler Sydney, elle a dû dire Susan ou Suzie ou quelque chose comme ça.

Elle utilisait le prénom de sa mère. Un moment, je me suis demandé si quelque chose clochait avec l'ordinateur, car le curseur sautillait partout. J'ai baissé le regard et constaté que ma main tenant la souris tremblait.

N'hésitez pas à me contacter à cette adresse mail. Ce doit être très stressant de ne pas savoir où est votre fille et j'espère pouvoir vous aider.

C'était signé : *Votre dévouée en Christ Notre-Seigneur, Yolanda Mills.*

Du rez-de-chaussée, Kate a crié :

— Viens manger pendant que c'est chaud ! Ce *chow mein* n'a pas l'air mauvais du tout.

J'ai cliqué sur RÉPONDRE : *Chère madame Mills, merci infiniment d'être entrée en contact. Dites-moi s'il vous plaît comment vous joindre autrement que par mail. Quel est le nom de votre centre d'accueil ? Son adresse à Seattle ? Avez-vous un numéro où je puisse vous appeler ?*

Je tapais si vite que je faisais plein de fautes de frappe, ce qui m'obligeait à revenir en arrière pour les corriger.

— Tim ? Tout va bien là-haut ?

J'ai poursuivi : *Sydney a disparu depuis presque un mois maintenant, et sa mère et moi cherchons désespérément à la retrouver, à savoir si elle va bien. Quand l'avez-vous vue ? Il y a longtemps ? Syd est-elle allée plusieurs fois dans votre centre, ou une seule fois ? Voici mes coordonnées.* Puis j'ai indiqué les numéros de téléphone de mon domicile, de mon portable, celui de mon travail. *Je vous en prie, mettez-vous en rapport avec moi dès que possible. Et, s'il vous plaît, appelez en PCV.*

Après avoir bien vérifié que je n'avais commis aucune erreur dans les numéros de téléphone, j'ai terminé par mon nom et cliqué sur ENVOI.

— Qu'est-ce qui se passe ?

Kate s'appuyait contre le chambranle de la porte.

Je me suis retourné, et des larmes devaient couler sur mes joues, parce qu'elle a soudain eu l'air horrifiée, comme si je venais de recevoir de mauvaises nouvelles.

— Oh mon Dieu, Tim, qu'est-ce qui est arrivé ?

— Quelqu'un l'a vue, ai-je expliqué, bouleversé. Quelqu'un a vu Sydney.

Kate s'est approchée, a attiré ma tête entre ses seins et m'a serré contre elle pendant que je tentais de me ressaisir.

— Où ça ? a-t-elle demandé. Où est-elle ?

Je me suis écarté pour désigner l'écran.

— Ça vient d'une femme à Seattle. Elle travaille dans un refuge. Un centre d'hébergement pour jeunes fugueurs, je suppose.

— À Seattle ? a répété Kate. Qu'est-ce que Syd ferait à Seattle ?

— Je ne sais pas, et pour le moment, je m'en moque. Tant que je sais où elle est, je peux aller la chercher.

— Tu as un numéro ? Appelle cette femme. Il est quoi, trois heures plus tôt, là-bas ? Elle risque même d'être encore à son travail.

— Elle ne m'a pas donné de numéro de téléphone. Je viens de lui répondre, et de lui en réclamer un.

— Et le centre ? Elle a dit son nom ?

— Non. Je ne sais pas pourquoi elle n'a pas été plus précise, d'ailleurs.

— Comment elle s'appelle ?

J'ai jeté un coup d'œil à l'écran.

— Yolanda Mills.

— Pousse-toi, a ordonné Kate en me faisant signe de lui laisser la place. On va la chercher dans l'annuaire en ligne.

Tandis que je restais debout, elle a pianoté sur le clavier, ouvert une page Web, rempli des champs avec les nom, prénom de la femme et la ville où elle vivait.

— Bon, voyons ce que ça donne… rien pour l'instant. Trois Y. Mills mais aucune Yolanda.

— Elle est peut-être mariée et l'abonnement, au nom de son mari, ai-je suggéré. Mais son nom de famille peut quand même être Mills.

— Laisse-moi voir combien il existe de Mills, a repris Kate, avant de siffler entre ses dents. O.K., plus de deux cents, à vue de nez.

J'ai lutté contre un vertige en agrippant le bord de la table. Le sang bourdonnait à mes oreilles.

— Soit on attend que cette femme te recontacte, soit on commence à les appeler tous un par un.

— Ou alors, on pourrait resserrer le truc autrement. Fais une recherche des foyers d'accueil pour ados à Seattle.

Les doigts de Kate dansaient sur le clavier.

— Zut, a-t-elle lâché. Il y en a des tas de différents. Pas autant que des Mills, mais pas mal. Attends, je pense qu'on peut réduire la liste. Certains sont réservés aux hommes, donc on peut les éliminer... Laisse-moi vérifier. O.K., regarde là.

Elle a pointé l'écran où s'affichait une demi-douzaine de centres destinés aux jeunes.

J'ai attrapé un stylo et recopié les adresses Web sur un bloc.

— Je vais prendre l'ordinateur portable de Syd et m'occuper de ceux-là en bas, dans la cuisine. J'utiliserai mon téléphone mobile, et toi la ligne fixe ici pour appeler quelques refuges pour jeunes filles. Après tout, elle pourrait être affectée à l'un d'eux, pour ce qu'on en sait.

— Ça marche, a déclaré Kate.

Elle a aussitôt décroché le combiné et composé un numéro tandis que je dévalais l'escalier, empoignant le portable de Syd au passage. La maison étant équipée en Wi-Fi, je pouvais m'en servir n'importe où. J'ai déniché mon téléphone dans la poche de ma veste suspendue à une chaise, puis fait le premier des cinq numéros apparus sur l'écran, l'ordinateur une fois lancé.

— Le Refuge, a annoncé une femme.

— Bonjour. J'essaie de joindre Yolanda Mills. Je pense qu'elle travaille dans votre établissement.

— Désolée, a répliqué la femme. Personne de ce nom ici.

— Bon, merci.

J'ai attendu une seconde avant de composer le deuxième numéro. À l'étage, j'entendais Kate discuter à voix basse.

— L'Espoir, a répondu un homme.

— C'est bien le centre d'accueil ?

— Oui, le foyer L'Espoir.

— Je voudrais parler à Yolanda Mills.

— Quel nom, vous dites ?

— Yolanda Mills, ai-je répété. Elle est sans doute employée chez vous.

— Je connais tout le monde ici. On n'a personne de ce nom.

Je l'ai remercié, puis raccroché.

— Qu'est-ce que ça donne ? a crié Kate.

— Rien encore. Et toi ?

— Pareil.

Sur le plan de travail se trouvaient deux assiettes de riz aux crevettes sautées, de *chow mein*, de poulet à l'aigre-douce et des pâtés impériaux, mais je n'avais pas faim. Bien qu'ayant l'estomac quasi vide, je me sentais sur le point de vomir le peu qu'il contenait.

J'ai essayé les deux numéros suivants, fait un flop avec les deux. J'allais attaquer le dernier de ma liste quand Kate a hurlé :

— Tim !

J'ai gravi les marches quatre à quatre avant de me précipiter dans la pièce.

— Tu as trouvé quelqu'un ? ai-je demandé, le souffle court.

Elle a bondi de la chaise pour me laisser la place.

— Non, tu as reçu un mail !

Il provenait de Yolanda Mills.

Cher monsieur Blake,

Merci de m'avoir répondu. C'était stupide de ma part de ne pas vous donner plus d'informations. Je travaille dans un foyer de jeunes chrétiens nommé

Seconde Chance, dans l'ouest du centre-ville. Il y a bien un téléphone, mais je suis toujours par monts et par vaux (je m'occupe entre autres des repas, et donc des courses, tout ça), mais j'ai toujours mon portable sur moi, et vous pourrez facilement me joindre. Voilà le numéro.

J'avais déjà attrapé le téléphone pour le composer.

— Et si c'était une folle ? a objecté Kate alors que je tapais le dernier chiffre. Une simple arnaqueuse, par exemple ? Un tas de gens passent leur temps à essayer de faire marcher de pauvres innocents crédules.

Tout en sachant qu'il s'agissait, en raccourci, de la façon dont Kate voyait le monde, je me suis rendu compte que c'était néanmoins un aspect à envisager. Alors que le téléphone se mettait à sonner à des milliers de kilomètres de nous, Kate a ajouté :

— Si elle commence à demander de l'argent, ou s'il y a une récompense, ça t'avertira qu'elle...

Je l'ai fait taire d'un geste de la main, m'attendant à ce que ça décroche à l'autre bout du fil.

Ce qui s'est passé.

— Allô ?

Une femme. Plutôt jeune, apparemment.

— Vous êtes Yolanda Mills ?

— Monsieur Blake ?

— Oh Seigneur, ai-je soupiré, terriblement soulagé. Nous étions en train d'essayer de retrouver votre trace par les annuaires en ligne, Google, etc., et voilà que vous me recontactez.

Merci du fond du cœur. Vous ne pouvez pas savoir ce que ça représente pour moi.

— Mais je ne suis pas sûre de pouvoir beaucoup vous aider.

Je ne décelais aucun accent notable dans son intonation. Et deviner l'âge d'une personne à sa voix, à moins qu'elle soit très âgée ou très jeune, se révélait difficile. Yolanda Mills semblait pile entre les deux.

— Quand avez-vous vu Syd ? ai-je enchaîné.

— Qui ça ?

— Sydney. Je l'appelle Syd.

— Il y a deux ou trois jours, je pense.

— Comment allait-elle ? Bien ? Elle vous a semblé blessée ? Malade ?

— Elle avait l'air en forme. Je veux dire, à supposer que ce soit elle. Elle a dû venir deux fois, pour manger.

Nom de Dieu, ma fille se nourrissant dans un centre pour jeunes fugueurs. Qu'est-ce qui l'avait amenée là ? Pourquoi était-elle à l'autre bout du pays ?

— Vous lui avez parlé ?

— À peine. Juste pour lui demander comment ça allait, ce genre de trucs, vous voyez ?

— Elle a dit quelque chose ?

— Non, elle a souri, plutôt.

— Elle était avec quelqu'un ?

— Autant que je me souvienne, elle était seule. Je dois admettre qu'elle paraissait triste.

Une vague de douleur m'a transpercé le cœur.

— Et vous dites l'avoir vue il y a environ deux jours ?

— Attendez, laissez-moi réfléchir, a répliqué Yolanda Mills. Je crois que, la première fois, ça devait être il y a quatre jours, et puis elle est revenue le surlendemain, à l'heure du déjeuner. Et ça, c'était avant-hier.

Ce qui signifiait que Syd se trouvait à Seattle depuis un moment. Peut-être passait-elle au centre d'accueil de Yolanda un jour sur deux. Donc si je me rendais là-bas et que je traîne dans les parages suffisamment longtemps, elle risquait de se montrer.

— Est-ce que ces ados fugueurs viennent manger dans votre foyer même s'ils n'y logent pas ?

— Oh, bien sûr. On n'a pas tant d'espace que ça. Et ce n'est pas censé être un lieu de séjour permanent. Juste une solution de dépannage, vous voyez ? Alors les gosses couchent parfois chez un copain, ou ils dorment dans une voiture, et même, ça m'embête de le dire, mais ils ne trouvent parfois qu'un coin dans le parc ou ailleurs, pour la nuit.

Syd, dormant sur un banc. J'ai tenté de chasser cette image de mon esprit.

— Comment avez-vous découvert qu'il s'agissait d'elle ?

— Je ne vous l'ai pas expliqué, dans mon mail ? Comme je sais, par mon travail, que la plupart de ces gosses sont en fugue et sans domicile, et que leurs parents les cherchent, je vais sur les sites où les familles mettent des photos de leurs enfants qui ont fui ou simplement disparu. C'est seulement la deuxième fois que je repère un gosse qui est passé par notre centre.

— Et comment ça s'est passé, la première fois ?

— C'était un jeune homme, il s'appelait Trent, il venait de la banlieue d'El Paso. Il logeait chez nous. J'ai d'abord voulu lui dire que je savais que ses parents le cherchaient, qu'il devrait les appeler, mais ensuite j'ai pensé que ça risquait de l'effrayer, alors j'ai téléphoné à ses parents et ils sont arrivés par le premier vol.

Un vol. Il me faudrait réserver un vol dès la fin de cette conversation.

— Si elle revient dans votre centre, ne lui parlez pas de notre conversation, ai-je recommandé. Je ne sais pas pourquoi elle s'est enfuie, si j'ai fait quelque chose, par exemple, je n'arrive pas à comprendre. Je me suis torturé les méninges à essayer de trouver ce qui l'aurait poussée à...

— C'est ce que prétendent beaucoup de parents, m'a coupé Yolanda, mais parfois je crois qu'ils connaissent la réponse et ne veulent pas le reconnaître, vous voyez ce que je veux dire ?

— Peut-être.

Malgré ma reconnaissance à son égard, je ne voulais pas entamer avec Yolanda Mills une discussion sur les éventuelles raisons qui auraient poussé Syd à fuguer.

— Le problème, a-t-elle repris, c'est que je ne peux pas affirmer à cent pour cent que c'est bien votre petite fille. Je pourrais me tromper.

— Mais vous pourriez avoir raison.

— Et si je vous envoyais une photo ?

J'ai failli tomber de mon siège.

— Une photo ? Vous avez une photo de Sydney ? À Seattle ?

— Bon, elle n'est pas terrible. Ça fait des siècles que j'ai ce téléphone qui peut prendre des photos, mais je n'ai jamais été fichue de comprendre comment ça marche. Je ne suis pas très gadgets, vous voyez. Alors un jour, au refuge, j'étais en train de le tripoter, de mitrailler au hasard pour voir si je trouvais les bons boutons, et votre fille est passée au moment où je prenais une photo. Elle et quelques autres gosses, mais il y en a une où elle est seule.

Voir cette photo me donnerait une certitude.

— Vous pouvez me l'envoyer par mail ?

— Je sais que ça se fait, mais comme je vous l'expliquais, j'arrive à peine à prendre des photos. Donc je n'ai pas la moindre idée de comment on télécharge les images sur un ordinateur. Mais mon mari comprend ces choses-là mieux que moi, et il sera à la maison demain matin. Il travaille de nuit. Quand il rentrera, je lui demanderai de s'en occuper.

Même si tout paraissait se précipiter, attendre jusqu'au lendemain pour recevoir cette photo allait me paraître une éternité.

Kate, qui s'était tenue un peu à l'écart, incapable d'entendre l'autre partie de la conversation, m'a tapoté l'épaule, avant de mimer l'argent en frottant son pouce contre l'index et le majeur.

— Écoutez, ai-je lancé à Yolanda Mills, il y a une façon dont je peux vous dédommager ? Vous voulez une récompense ?

— Une récompense ? a-t-elle rétorqué, d'un ton presque offensé. Ce ne serait pas très chrétien, vous ne croyez pas ?

9

Après mon échange téléphonique avec Yolanda Mills, j'avais l'impression qu'on m'avait injecté vingt cafés directement dans le sang. Mon corps tremblait, et je ne savais pas par où commencer.

— Je dois prévenir Susanne. Non, pas encore. Cette femme va m'envoyer la photo demain matin. Il faut que j'appelle l'inspecteur Jennings. Elle pourra demander à la police de Seattle de lancer un avis de recherche ou je ne sais quoi sur Syd. Ils pourraient envoyer toutes leurs patrouilles et…

— Tim, m'a interrompu Kate. Attends une seconde. Tu…

— Je dois réserver un vol. Il y en a peut-être un qui part ce soir.

Pivotant sur la chaise, j'ai commencé à pianoter sur le clavier.

— Il faut que tu réfléchisses une minute, a poursuivi Kate. Tu n'es même pas sûr que ce soit Syd. Tu ne le sauras pas avant d'avoir vu cette photo, et même à ce moment-là, rien ne te le garantira. Ces images prises par téléphone portable ne sont pas toujours très bonnes. Et tu verras, qui que soit cette Yolanda, tu peux être certain qu'elle va te réclamer une sorte de dédommagement à un moment donné. S'il y a bien une chose que j'ai apprise, c'est que tout le monde a toujours une idée derrière la tête. Les gens te sourient, mais en fait, ils mentent comme des arracheurs de dents, ne cherchent qu'à t'arnaquer. Ce que tu devrais, c'est...

Je me suis retourné pour lancer d'un ton sec :

— Ah, je t'en prie, Kate, ça suffit !

Elle a levé une main à sa joue, comme si je l'avais giflée.

— Le monde entier veut ta peau, hein ? ai-je continué. Ton ex, tes collègues de travail, ton propriétaire ? Qui ne fait pas de ta vie un véritable enfer, dis-moi ?

— Personne, manifestement, a-t-elle répondu en me fixant.

— Donc, moi aussi maintenant.

Après un instant de silence, elle a paru comprendre quelque chose.

— Tu profites de cette histoire avec ta fille pour me larguer.

Sur le coup, j'étais trop abasourdi pour répliquer, mais ensuite, j'ai failli éclater de rire.

— Quoi ?

— Tu ne me rappelles jamais. Et je sais que tu filtres mes coups de fil.

— Kate.

— C'est tout ce que j'étais pour toi ? Un bon coup et basta ?

— Kate, je n'ai pas le temps de discuter de ça pour le moment. Je dois réserver un vol.

— Tu vois ? C'est exactement ce que tu es train de faire. Ce que ma psy appelle une stratégie de fuite.

— Ta psy ?

— Dis-moi juste une chose, Tim. Est-ce que ta fille a vraiment disparu ? Elle n'est pas en colonie de vacances quelque part ? Est-ce que tu parlais seulement à une femme de Seattle, à l'instant ?

Je me suis effondré sur mon siège, les bras ballants. Lassitude, sentiment d'échec, comme vous voudrez.

— J'ai plein de trucs à faire, Kate, ai-je énoncé d'un ton aussi calme que possible, avant d'ajouter un commentaire sans doute stupide : Combien je te dois pour les plats chinois ?

— Va te faire foutre, a riposté Kate avant de tourner les talons et descendre l'escalier.

Prêt à me lever pour la rattraper, j'ai décidé que ça n'en valait pas la peine. J'ai entendu des emballages de plats chinois voler à travers la cuisine, puis la porte d'entrée claquer.

Eh bien, je nettoierais plus tard.

J'ai téléphoné à la police. Plus précisément, j'ai appelé le service auquel appartenait Kip Jennings. Un autre inspecteur m'a annoncé qu'elle n'était pas en service. Expliquant l'urgence de la situation, j'ai demandé si on pouvait lui passer le message afin qu'elle me rappelle.

Il a répondu qu'il allait voir ce qu'il pouvait faire.

J'ai ensuite consulté les horaires d'avion sur Internet, et failli réserver un vol US Airways au départ de La Guardia à 13 h 59, avant de constater au moment de confirmer qu'il me faudrait changer d'avion à Philadelphie.

— Et zut, ai-je grommelé.

Un vol Blue Jet partait à la même heure, coûtait trois cents dollars de plus, mais était direct jusqu'à Seattle. Il durait six heures, ce qui me ferait atterrir à l'aéroport de Seattle vers cinq heures de l'après-midi, heure locale. Le temps de rejoindre la ville, je pourrais commencer à chercher Yolanda Mills, ainsi que ma fille, en début de soirée.

Ne sachant pas quand bloquer le retour, je me suis abstenu. J'ai confirmé mon choix, fourni les coordonnées de ma carte bancaire, puis attendu qu'on m'expédie le billet par mail pour l'imprimer.

Le téléphone a sonné, et je me suis précipité dessus.

— Monsieur Blake ? Ici l'inspecteur Jennings.

Elle parlait du nez.

— Ah, bonsoir. Merci de rappeler. Écoutez, j'ai une piste pour Sydney.

— Vraiment, a-t-elle répliqué, avec moins d'enthousiasme que je n'en attendais. Elle vous a contacté ?

— Non.

— C'est quoi, alors ?

— Une femme qui travaille dans un centre d'accueil pour ados fugueurs a lu le signalement de Syd sur le Net. Elle m'a envoyé un message. Elle a vu Sydney. Je prends un avion demain à quatorze heures.

— Monsieur Blake, je doute que ce soit raisonnable.

En arrière-plan, j'ai entendu crier : « Maman, je suis prête ! »

— C'est ma seule piste pour le moment. Je ne peux pas rester assis ici sans rien faire.

— Le problème, c'est que cette femme pourrait chercher à vous escroquer.

— Elle n'a rien demandé, ai-je rétorqué. Elle assure que ce ne serait pas chrétien.

Kip Jennings a émis un grognement.

— Cette femme ne vous demande peut-être rien pour l'instant, mais une fois que vous aurez traversé tout le pays… Cassie ! Je suis au téléphone ! J'arrive dans une minute !

Elle a soupiré avant de poursuivre :

— Une fois que vous serez là-bas, elle vous réclamera une récompense. Et après avoir fait tout ce chemin, vous accepterez de lui donner ce qu'elle veut. J'ai déjà vu ce genre de choses.

Je n'avais pas envie de croire à un chantage.

— Je ne pense pas que ce soit le cas. Ce n'est pas l'impression qu'elle m'a donnée. Il y a quelques heures, quand vous m'avez amené voir la voiture de ma fille, j'ai commencé à juger que les choses prenaient mauvaise tournure. La Civic abandonnée, le sang… Mais là, c'est une bonne nouvelle. C'est du solide.

— Ah oui ? La simple parole d'une inconnue… Comment est-elle entrée en rapport avec vous, d'ailleurs ?

— Elle regarde les sites sur les gosses disparus, vérifie s'ils correspondent à l'un des jeunes de son centre.

— Je trouve ça louche, a indiqué Jennings.

Mais je refusais de me laisser abattre.

— Vous feriez quoi, s'il s'agissait de Cassie ?

Un long silence s'est installé à l'autre bout de la ligne.

— Monsieur Blake, a-t-elle ensuite repris, vous m'avez appelée uniquement pour m'annoncer que vous partiez là-bas, ou vous attendez de moi quelque chose en particulier ?

— Que vous appeliez la police de Seattle. Qu'ils lancent un avis de recherche ou je ne sais quoi, sur Syd.

— Je vais leur téléphoner, mais je serai honnête avec vous : une ado fugueuse ne constituera pas une priorité pour eux. Je vais leur parler de la découverte de la voiture, expliquer que c'est sans doute plus qu'une simple fugue, mais je ne suis pas du tout certaine qu'ils vont sauter sur cette affaire à pieds joints.

— Ce sang sur la voiture de Sydney. On sait à qui il appartient ?

— Cela prendra un moment, monsieur Blake. On le saura peut-être à votre retour de Seattle. Et si vous ramenez votre fille avec vous, le résultat n'aura peut-être aucune importance.

Je suis descendu à la cuisine, où j'ai rempli une poubelle entière du *chow mein* éparpillé sur le sol. Les récipients que Kate n'avait pas renversés contenaient des crevettes panées, du bœuf aux brocolis et du riz blanc.

Je l'ai mangé tel quel, froid.

Ensuite, je suis remonté préparer un petit sac de voyage que je puisse garder dans l'avion. Je n'avais aucune envie de poireauter pour enregistrer des bagages et encore moins pour les récupérer.

Comme il restait un peu de place, je me suis rendu dans la chambre de Syd et j'ai étudié sa collection d'animaux en peluche qu'elle étalait partout. Sur son fauteuil, ses étagères, autour de ses oreillers. Chiens et lapins miniatures. Et un petit orignal, autrefois tout duveteux, offert par ma défunte mère à Sydney quand elle avait deux ans. Il avait enduré tant d'années de câlins qu'il était tout râpé. Une part des petites filles ne grandit jamais, même lorsqu'elles quittent la maison en bas résille avec des piercings dans le nez et des mèches violettes dans les cheveux.

Ses copains en peluche n'étaient pas rangés ainsi le jour de sa disparition. Elle était partie travailler sans faire son lit, les animaux balancés en vrac à travers la pièce. Mais après une semaine, j'avais remis le lit en ordre et disposé les peluches de manière que Sydney se sente la bienvenue à son retour à la maison.

Les pauvres devaient probablement être aussi lasses d'attendre que moi.

Il me semblait que l'une d'elles devait m'accompagner à Seattle.

J'ai pris l'orignal. D'après son étiquette, il s'appelait Milt. Ce n'était pas lui que j'aurais choisi en premier. Sa ramure bombée le rendait difficile à caser. Mais je savais que c'était la peluche préférée de Syd.

Ensuite, je suis allé me coucher, persuadé de ne pas dormir. Mais j'imagine que la tension dans laquelle je vivais depuis ces dernières semaines avait quelque peu diminué grâce à l'information délivrée par Yolanda.

J'espérais juste que son mari parviendrait à envoyer la photo, comme promis.

Il n'était pas six heures quand je me suis levé, et avant toute chose, j'ai consulté l'ordinateur. Rien. Je me suis douché, rasé, puis je suis retourné regarder.

Toujours rien. Je me suis alors souvenu qu'il était à peine trois heures du matin à Seattle.

Cela ne m'a pas empêché de vérifier toutes les cinq minutes.

Peu après neuf heures, un mail est arrivé.

Un court message de Yolanda : *J'espère que c'est elle. Tenez-moi au courant.* Avec une photo en pièce jointe.

L'ouvrir me faisait peur. Jusqu'à maintenant, je m'étais convaincu que la fille que Yolanda avait vue était bien Sydney. Devait être Sydney. J'avais mon billet d'avion, mes bagages étaient prêts. Je partais chercher mon enfant adorée à Seattle.

Et si, en fin de compte, ce n'était pas sa photo, mais celle d'une autre ?

De toute façon, le moment était venu d'en avoir le cœur net. J'ai double-cliqué sur la pièce jointe, qui s'est ouverte devant mes yeux.

J'ai poussé un hurlement que tout le monde a dû entendre dans la rue, malgré les fenêtres fermées.

C'était ma fille.

C'était Sydney.

10

Non que la photo fût parfaite. Ce n'était qu'un cliché d'une faible définition. L'arrière-plan se résumait à un mur beige et une petite porte vitrée carrée, d'environ soixante centimètres de côté, avec le mot EXTINCTEUR peint en rouge dessus, dont le premier T était quasiment effacé. Les lettres y sont plus nettes que Syd, qui traverse le champ de droite à gauche, sur le point de sortir du cadre. Elle est de profil, inclinée en avant dans son mouvement, la tête penchée, ses cheveux blonds sur le visage. On ne distingue guère plus que le bout de son nez, mais j'aurais reconnu ce nez entre mille.

Ce n'est cependant pas cela qui m'a convaincu qu'il s'agissait de Syd, mais l'écharpe lumineuse enroulée avec style autour de son cou. Couleur corail, en crêpe fin et vaporeux, terminée par une frange. Sa mère la lui avait achetée quelques mois plus tôt, au cours d'une expédition shopping à Manhattan.

J'avais la réputation d'être quelqu'un qui n'aurait pas été capable de remarquer que sa femme ou sa fille entrait dans la pièce en robe de mariée fluorescente. Les nuances d'ombre à paupières et de vernis à ongles m'échappaient totalement. Mais je me souvenais de la première fois où j'avais vu Sydney porter cette écharpe, l'élégance du drapé, le corail éclatant qui contrastait avec sa chevelure.

« Dis donc, quel chic ! », avais-je observé ce matin-là.

À quoi elle avait répondu : « Ouh là, tu as fait soigner ta cataracte ou quoi ? »

L'écharpe, l'inclinaison de la tête, le nez, ne laissaient aucun doute dans mon esprit.

J'ai vérifié une nouvelle fois que j'avais tout ce qu'il fallait pour mon voyage. Avant de sortir, j'ai envoyé un bref message à Yolanda : *C'est elle. Je serai à Seattle dans la soirée et vous verrai à ce moment-là. Merci beaucoup.*

Un arrêt s'imposait en cours de route. Je suis entré sur le parking de Riverside Honda juste après dix heures. Quelques vendeurs se tenaient dans le hall, mais si tôt le matin, à moins d'être samedi, le calme régnait encore. J'ai aperçu Andy Hertz à son bureau. Au lieu de passer par le mien, je me suis rendu droit à celui de Laura Cantrell, avant de toquer assez vivement sur la porte ouverte.

— Bonjour, ai-je lancé.

Elle a levé les yeux du rapport de vente qu'elle étudiait et ôté les lunettes qu'elle utilisait pour ce genre de lecture minutieuse.

— Bonjour, Tim.

— Je prends un congé, ai-je annoncé d'un ton péremptoire.

Ses sourcils parfaits sont remontés un tantinet.

— Ah bon ?

— J'ai une piste pour Syd. Je pars pour Seattle.

Laura a reculé son siège, puis s'est levée et a fait quelques pas vers moi.

— Vous l'avez retrouvée ?

— Je sais qu'elle est allée là-bas. Elle a été vue dans un foyer d'hébergement.

— Ça doit être un sacré soulagement. De savoir qu'elle n'est pas…

— Oui.

J'avais appris que, si terrible que ce fût, il valait toujours mieux que votre fille soit portée disparue, plutôt que disparue et morte.

— J'ai un avion dans trois heures, ai-je poursuivi. Ça devrait me prendre un jour ou deux, peut-être plus. Je n'en ai aucune idée.

Laura a hoché la tête.

— Prenez le temps qu'il faudra, Tim.

Était-ce la même Laura qui menaçait de donner mon bureau à un autre vendeur si mon chiffre n'augmentait pas ?

— Merci.

— Je suis désolée, a-t-elle ajouté.

— Pardon ?

— Pour l'autre jour. J'y suis allée un peu fort.

Elle s'était rapprochée, et je pouvais sentir son parfum.

— Ma foi, je suppose que vous faites votre boulot, ai-je répliqué.

— Moi aussi, on me met la pression. Vous savez comment ça fonctionne. Au final, tout est une question de chiffres. Je parie que quand vous aviez votre propre concession, vous étiez bien obligé d'être sur le dos des gens.

C'était là une partie du problème. Je ne le faisais pas. J'étais toujours le chic type qui comprenait, qui disait : « O.K., tu as besoin de temps, prends-en autant qu'il t'en faut. » Ça rendait Susanne folle.

— Bien sûr.

— Peut-être qu'à votre retour, quand vous aurez ramené Cindy à la maison, on pourrait prendre un pot, par exemple.

Cette fois, je n'ai pas eu le courage de la corriger.

— Ce serait super, Laura. Je dois y aller maintenant.

J'ai mis le cap sur mon bureau. Andy était en train d'éplucher les petites annonces de véhicules d'occasion dans le *New Haven Register*.

— Hello, ai-je fait.

Il a levé la tête, grogné un salut, l'air stressé.

Mon téléphone clignotait, le message d'un couple à qui j'avais vendu un monospace quatre ans plus tôt. Leurs enfants ayant grandi, ils envisageaient d'acheter une Accord ou un Pilot. J'ai griffonné leur numéro et tendu la feuille à Andy.

— Sans doute une vente facile. Ce sont de braves gens. Dis-leur que je suis en déplacement, et que je t'ai demandé de t'occuper personnellement d'eux.

— Putain, Tim, merci !

— C'est bon.

— Je te dois une fière chandelle.

— Tu parles.

Il a voulu savoir où j'allais, et je lui ai expliqué, indiquant que je serais absent un jour ou deux.

— J'espère qu'elle va bien, a-t-il dit.

Sydney, onze ans.

Un garçon nommé Jeffrey Wilshire la raccompagne après l'école. Sa prévenance ne nous échappe pas, à Susanne et à moi.

Un soir, je la conduis à son cours de danse. Ça se passe peu de temps avant qu'elle arrête la danse classique. Toutes ces pirouettes en collant et en tutu ne l'attirent plus depuis déjà un moment, mais sa mère insiste pour qu'elle persévère. « Si tu laisses tomber, tu le regretteras. »

Syd finira par le faire, et ne regrettera rien.

Donc je la conduis à son cours, et j'observe d'un ton désinvolte :

— Ce Jeffrey a l'air de s'intéresser à toi.

— Pitié, papa.

— Pourquoi ?

— Il m'attend tous les jours à la sortie pour me raccompagner. J'espère à chaque fois que Mme Whattley nous mettra en retenue pour qu'il se lasse et rentre chez lui.

— Oh, fais-je.

On roule un moment, puis Syd reprend :

— Il aime faire exploser des grenouilles.

— Quoi ? Qui aime faire exploser des grenouilles ?

— Jeffrey. Lui et un autre – tu connais Michael Dingley ?

— Non.

— Bref, maman oui, parce qu'elle et la mère de Michael ont servi de chauffeurs bénévoles quand on a visité la caserne de pompiers l'an dernier.

— D'accord. Parle-moi de Jeffrey.

— Ils attrapent des grenouilles, ils leur collent des pétards dans la bouche et ensuite ils allument les pétards et font exploser les grenouilles.

— C'est répugnant.

Faire exploser des grenouilles ne constituait pas, du moins pour moi, un rite de passage vers l'âge adulte.

— Eux trouvent ça très drôle, poursuit Syd.

— Ce n'est pas drôle.

— Bon, je sais qu'on mange des animaux et tout. Maman a bien été végétarienne, avant ?

— Quelque temps.

— Pourquoi elle a arrêté ?

Je hausse les épaules.

— À cause des cheeseburgers. Elle estimait que la vie ne valait pas le coup sans cheeseburgers. Mais tuer un animal pour manger est une chose, prendre du plaisir à sa souffrance en est une autre.

Elle médite un instant là-dessus, avant de demander :

— Pourquoi quelqu'un ferait ça ?

— Quoi donc ?

— Tuer pour le plaisir ?

— Certaines personnes fonctionnent de travers.

— Comment ça ?

— Certains trouvent amusant de faire souffrir les autres.

Sydney regarde par la vitre.

— Moi je pense toujours à ce que ressent l'autre. Humain ou animal, ajoute-t-elle après une pause.

— C'est ce qui fait de toi une bonne personne.

— Jeffrey ne sait pas que la grenouille ressent la douleur ?

— S'il le sait, il s'en fiche.

— Ça fait de lui un méchant ?

La question me déconcerte.

— Un méchant ? Oui, peut-être.

— Il m'a raconté qu'un jour, il a enfermé un hamster vivant dans un micro-ondes avant de le mettre en marche.

— Ne le laisse plus te raccompagner après l'école. Et si, les prochains jours, maman ou moi allions te chercher ?

La play-list de Syd m'a accompagné sur le chemin de l'aéroport. Pour éviter de fondre en larmes sur la 95, j'ai dû couper à la moitié de « You Are So Beautiful To Me » de Joe Cocker. Je n'avais pas envie de finir dans le journal sous le titre : « Changement de file fatal pour un père en pleurs ».

À La Guardia, j'ai acheté des magazines – le dernier *AutoPlus* et le *New Yorker*. Je doutais d'être capable de me concentrer sur l'un ou l'autre, mais le premier serait plein de photos de voitures rutilantes et le second, de dessins humoristiques. Installé dans la salle d'embarquement terne et sans âme de l'aéroport, j'ai appelé Susanne au bureau.

Cela faisait maintenant près de deux ans qu'elle travaillait avec Bob. À entendre Syd, leurs relations professionnelles n'étaient pas toujours au top. Et à présent que tout le monde formait une grande et joyeuse famille sous le même toit, il arrivait que des problèmes liés au travail éclatent à la maison. Par exemple, Bob critiquait souvent la façon dont

Suze tenait les comptes. Il trouvait très exagéré de déclarer l'intégralité de son revenu.

Comme la promiscuité de la salle d'embarquement bondée ne m'offrait guère d'intimité, j'ai abandonné mon siège pour m'approcher des baies, d'où je pouvais observer les avions atterrir sur le tarmac.

— Bob Motors, a annoncé Susanne au bout du fil.

Sa voix manquait d'entrain, et ce, depuis plusieurs semaines désormais.

— C'est moi.

— Salut, a fait Susanne d'un ton plus circonspect.

Un appel de moi, ces jours-ci, pouvait signifier soit de très bonnes, soit de très mauvaises nouvelles.

— Je suis à l'aéroport. Je vais à Seattle.

Elle a brièvement retenu sa respiration avant de souffler :

— Raconte.

— J'ai une piste, une piste sérieuse, selon laquelle Sydney serait là-bas.

Je l'ai mise au courant. Elle a écouté, m'a interrompu avec deux questions : est-ce que j'avais informé Kip Jennings ? Pouvait-on croire cette femme qui avait téléphoné ?

Oui, Jennings était informée. Et j'espérais que Yolanda Mills disait la vérité.

— Je vais payer ton vol, a ensuite déclaré Susanne.

— Ne t'inquiète pas pour ça.

— Je devrais y aller avec toi.

— Tu dois rester tranquille, Suze.

— Je ne suis pas une handicapée, tu sais.

— En fait, pour le moment, si.

— Je me débrouille plutôt bien avec la canne. Je risque de ne pas être prête pour le marathon, mais…

— C'est bon. Laisse-moi m'en occuper.

— Oui. Je ne ferais que te ralentir. J'espère juste que… J'espère que je ne me suis rien bousillé de définitif. Cette hanche me torture littéralement, et le genou me fait toujours un mal de chien.

— Ça prend du temps, c'est tout.

— Merci de ne pas remuer le couteau dans la plaie.

— Quelle plaie ?

— Bob, cette idée idiote de parachute ascensionnel, comme si j'avais dix-huit ans. Tu fais preuve d'une grande retenue en ne me balançant pas de vannes là-dessus.

— Ça ne veut pas dire que je ne les pense pas.

Elle a ri doucement. Puis a observé un instant de silence.

— Suze ?

— Oui, je suis là.

— Qu'est-ce qui se passe, avec Evan ?

— Je ne peux vraiment pas en discuter, Tim. C'est le fils de Bob. Qu'est-ce que tu veux que je fasse ?

— Je vois bien qu'il se passe quelque chose. Quand il est sorti du bureau, il était furieux.

— Il… En général, ce n'est pas un mauvais gosse.

— En général.

— Simplement, il… il quitte rarement sa chambre. Il passe sa vie sur son ordinateur.

— Les mômes font tous ça, ils chantent avec leurs copains.

— Non, a-t-elle objecté à voix basse. C'est autre chose.

— Du porno, alors. Il se branle devant du porno.

— Non, a pensivement rétorqué Susanne. Je ne crois pas non plus. Je crois que c'est… pire.

— Tu en as parlé à Bob ?

— Je lui ai dit… que j'avais remarqué certaines choses.

— Quoi ? Qu'est-ce que tu as remarqué ?

— À mon avis, Evan vole.

— Ah oui, la petite caisse. Et ta montre qui a disparu, et l'argent dans ton sac.

— Tout ça, oui. Bob prétend que je suis juste sur les nerfs, que ça me rend distraite, tête en l'air.

— Tu penses qu'il a raison ?

— Je pense qu'il déconne. Et la montre est revenue. Je me souviens exactement où je l'avais rangée, dans mon tiroir, et ce matin, elle y était de nouveau.

— Comment tu expliques ça ?

— Evan pourrait l'avoir mise en gage. Et Bob l'a rachetée.

— Il le couvre, en fait.

— Bob est très susceptible concernant Evan.

— Tire-toi, Suze. Déménage. Retourne chez toi.

— Oui, tu as raison, voilà la solution, a-t-elle riposté. Ne pas chercher à arranger les choses, s'en laver les mains. C'est ça que tu voudrais ?

— Tu as assez de soucis comme ça. Pas la peine de vivre sous le même toit qu'un gamin qui te vole.

— Je ne peux pas parler de ça. Retrouve Sydney et c'est tout.

— Très bien.

— Tim, j'ai vraiment tout gâché avec toi.

Concentré sur une des pendules du terminal, je n'ai rien répondu. Mon vol n'allait pas tarder à embarquer.

— Jamais je n'aurais dû te forcer, a-t-elle poursuivi. On avait une belle vie.

— Je sais.

— Je me suis trouvée prise dans tout un… Je pensais que si on avait plus, ce serait mieux pour nous trois, tu vois ? Je veux dire, évidemment, j'apprécie les jolies choses, je l'admets. Je pensais à moi, mais je croyais aussi que ce serait bien pour nous tous, bien pour Sydney. Tu gagnerais plein d'argent, on pourrait lui payer de belles affaires, une chambre plus grande, une excellente fac, un meilleur avenir, tu comprends ?

— Oui.

— Alors je t'ai forcé la main. Mais ce n'est pas ce que tu voulais. Ce n'était pas ton truc. J'aurais dû être assez intelligente pour m'en rendre compte dès le début.

— Suze, tu n'as pas à…

— Et ensuite tout a déraillé. Je t'ai poussé parce que je voulais davantage pour nous, pour Sydney, et j'ai fini avec tellement moins. Parfois, je crois qu'elle nous déteste. Qu'elle me déteste, moi. Pour avoir laissé les choses s'écrouler. Je finis par penser que si on était restés ensemble, ceci ne serait peut-être jamais arrivé. Syd ne serait pas partie.

— On n'a aucun moyen de le savoir, Suze.

— Quelque part, les choses auraient été différentes.

— Je crois qu'on appelle mon vol.

— Tu me téléphones, d'accord ?

— Promis.

Quand on conduit pour se rendre quelque part, on a l'impression d'agir pour y parvenir. On est acteur. On gère. Ça aide à canaliser la tension. On consulte la carte, on cherche une station de radio, on guette l'opportunité de doubler un pick-up piloté par un vieux type à chapeau de cow-boy.

Mais en avion, on est simplement assis dans un siège et peu à peu, l'imagination se met en marche.

Bien entendu, il n'était pas envisageable d'aller à Seattle en voiture. Un vol de six heures valait mieux qu'un trajet de trois jours. Mais le fait d'être contraint de regarder par le hublot, de feuilleter mes magazines ou de suivre un film qui, malgré les écouteurs, était à peine audible à cause du bruit des moteurs, rendait ce voyage interminable.

Il a néanmoins fini par s'achever. Même si je hurlais intérieurement en attendant que tous les occupants des rangées devant moi rassemblent leurs bagages et quittent l'avion, j'ai réussi à rester calme. Une fois débarqué, j'ai rallumé mon portable et vérifié si j'avais des messages.

Je n'en avais aucun.

Après avoir déniché la borne de taxis, je suis monté dans le premier de la file en lançant au chauffeur :

— Au Seconde Chance.

Quand j'ai proposé de lui donner l'adresse, il a décliné d'un geste.

— Ça fait vingt-deux ans que je fais taxi dans Seattle. Je connais le chemin.

Je me suis enfoncé dans le siège, et j'ai observé ce paysage inconnu, avec l'impression de me trouver en pays étranger.

J'arrive, Syd. J'arrive.

11

Le taxi se dirigeait vers le centre-ville à travers les embouteillages de fin de journée. La circulation habituelle aurait déjà été mauvaise sans qu'un accident nous enlise davantage en réduisant trois files à une seule. Nous nous sommes arrêtés devant le foyer Seconde Chance juste avant six heures. Une pluie fine tombait. J'avais perdu le sens de l'orientation durant le trajet, incapable de distinguer le nord du sud, l'est de l'ouest, surtout en l'absence de soleil dans le ciel vespéral.

Je me trouvais dans un vieux quartier de la ville. Boutiques d'occasion, de vêtements au rabais, de prêt sur gages. Ça devait être le seul pâté de maisons de Seattle sans Starbucks. Seconde Chance ressemblait plus à un restaurant qu'à un refuge. Il y avait des tables poussées contre les fenêtres, des jeunes en tenue débraillée assis devant, qui buvaient du café dans des gobelets en carton, l'air désœuvré, comme si cela faisait longtemps qu'ils étaient assis là, et que si je revenais dans quelques heures, ils y seraient toujours.

Je furetais déjà partout. Inspectant le trottoir des deux côtés, étudiant les visages. Convaincu que Syd ne traînait pas dans la rue en attendant mon arrivée, j'ai franchi le seuil du centre.

À l'intérieur, j'ai examiné les lieux et les occupants. Des grappes d'ados, une bonne vingtaine – certains semblaient en fait plus âgés, entre vingt-cinq et trente ans, voire trente et quelques pour l'un d'eux –, mais aucune trace de Syd. Ils ont paru sentir mon regard, et plusieurs m'ont tourné le dos.

M'attendant sans doute à une sorte de réception d'hôtel, j'ai découvert, dans un coin, un homme frisant la quarantaine, prématurément dégarni mais encore pourvu d'assez de cheveux sur la nuque pour une courte queue-de-cheval. Vêtu d'un jean et d'une chemise écossaise, il scrutait l'écran d'un ordinateur, installé derrière une porte posée sur deux tréteaux.

— Excusez-moi, ai-je dit.

Il a levé un index, terminé de taper ce qu'il avait à saisir, puis, d'un geste assez emphatique, a pressé une touche.

— ENVOI, a-t-il déclamé, avant de pivoter sur son siège. Oui ?

— Je m'appelle Tim Blake. Je débarque juste du Connecticut.

— Tant mieux pour vous.

Bien que n'étant pas d'humeur à la provocation, j'ai poursuivi :

— Yolanda est là ?

— Aucune idée. Qui est Yolanda ?

— Elle travaille ici.

— Ah, première nouvelle.

Il a haussé les épaules, comme pour signifier : « Bon, je ne sais pas qui bosse ici, et alors ? » puis a repris :

— Je peux quelque chose pour vous ?

— J'essaie de retrouver ma fille. Sydney Blake. Elle est venue ici à deux reprises la semaine dernière, je crois. Sa mère et moi sommes fous d'inquiétude à son sujet. Attendez, j'ai une photo.

J'ai sorti de ma poche de veste les tirages des clichés de Syd affichés sur le site, pour les tendre au type.

— Jamais vue, a-t-il affirmé.

— C'est comment, votre nom ?

— Len.

— Len, vous voulez bien les regarder encore une fois ?

Il a jeté à nouveau un bref coup d'œil aux clichés.

— Vous savez, a-t-il expliqué, un tas de gosses passent par ici. Il est possible qu'elle se soit trouvée dans le coin et que je ne la reconnaisse pas.

— Vous êtes là tout le temps ?

— Nan. Alors elle est peut-être passée durant mon absence. Comment savez-vous qu'elle est venue ?

Je n'avais pas envie de lui révéler que je tenais l'info de Yolanda. Peut-être avait-elle violé des règles de confidentialité en me contactant. Je pariais qu'une des raisons pour lesquelles les fugueurs se sentaient à l'aise dans ce lieu, reposait sur le postulat que la direction n'avait pas pour habitude de les balancer à leurs parents.

Aussi, au lieu d'une réponse directe, me suis-je contenté de lâcher :

— Par un tuyau sur le site que j'ai créé à la disparition de ma fille. Indiquant son passage ici. Ensuite, j'ai contacté Yolanda Mills.

— O.K., a fait Len.

— Yolanda a fini sa journée ?

— Comme je vous disais, je ne la connais pas.

— C'est son jour de congé ? Elle fait partie d'une autre équipe ?

— Quel nom, déjà ?

— Yolanda Mills.

Le visage de Len est resté inexpressif.

— Et elle travaille ici ? Dans ce centre d'accueil ?

— D'après elle, oui.

— Vous lui avez parlé ?

— Par mail, et au téléphone, ai-je répondu, un drôle de fourmillement sur la nuque.

— Vous m'accordez un instant ?

Len s'est levé et a franchi une porte qui donnait sur un couloir aux murs vert foncé, parsemés d'affiches scotchées à même la peinture, pour entrer dans une pièce un peu plus loin. Il y est resté moins d'une demi-minute avant de revenir.

— On n'a personne de ce nom ici, a-t-il déclaré.

Mon angoisse a augmenté d'un cran.

— C'est impossible. J'ai discuté avec elle. À qui vous vous êtes adressé, là-bas ?

— À Bras-cassé.

Il a dû voir à mon regard que je sentais qu'il m'embobinait, car il a aussitôt rectifié.

— À Morgan. C'est la patronne. Mais on l'appelle Bras-cassé. Vous voulez lui parler ?

— Oui.

— Super. Elle adore être dérangée.

Il m'a précédé et a annoncé :

— Le type veut te parler, Bras-cassé.

Âgée sans doute d'une quarantaine d'années, même si les quelques mèches grises dans ses cheveux bruns et ses lunettes à la John Lennon me laissaient penser qu'elle pouvait avoir plus, elle disparaissait presque derrière un bureau jonché de piles de dossiers épais. Un pull bleu à manches longues flottait sur son corps mince, et lorsqu'elle s'est levée, j'ai remarqué sa ceinture étroitement sanglée afin d'empêcher son jean, trop grand de deux bonnes tailles, de tomber.

— Oui ? a-t-elle lancé.

Je lui ai tendu ma main droite.

— Tim Blake.

Au lieu de faire de même, elle a présenté sa main gauche. Elle n'avait pas de bras droit. La manche droite de son pull, vide, était fourrée dans une poche. Heureusement que je ne l'avais pas appelée Bras-cassé.

— Morgan Donovan. Et voici mon empire, a-t-elle ajouté, désignant d'un geste majestueux le chaos de son bureau. Vous cherchez une personne ?

— Deux, en fait. Ma fille, Sydney Blake. Et une femme qui travaille ici, Yolanda Mills.

— Non.

— Pardon ?

— Personne de ce nom ne travaille ici.

— Elle m'a affirmé travailler à Seconde Chance. Il existe un autre centre d'hébergement appelé comme ça ?

— Dans un monde parallèle, peut-être, a répondu Morgan. Mais on est le seul à Seattle.

— Je ne comprends pas.

— Vous avez peut-être mal saisi le nom, et elle travaille dans un autre refuge. Dieu sait si la ville en regorge.

— Non, je suis sûr de ne pas me tromper, ai-je objecté, avant de poser les photos de Syd au-dessus d'un dossier. Voici ma fille, Sydney Blake. Yolanda Mills affirme l'avoir vue ici. Deux fois.

Morgan a examiné les photos avec plus d'attention que Len.

— Je suis bonne pour les visages, mais cette fille ne me dit rien. Elle est canon. Si je l'avais vue, je m'en souviendrais. Et Len aussi. Surtout Len, a-t-elle précisé en levant les yeux au ciel.

— Mais votre bureau se trouve à l'écart, ai-je observé. Elle a pu entrer sans que vous l'aperceviez.

— Ouais. Mais si une Yolanda Mills travaillait pour moi, ça, je le saurais. C'est moi qui signe les chèques.

— Elle est peut-être bénévole. Il y a des bénévoles, ici ?

— Quelques-uns. Mais aucun de ce nom.

J'ai sorti le bout de papier sur lequel j'avais inscrit l'adresse du refuge, les coordonnées de mon vol, et divers numéros de téléphone, dont celui de Yolanda.

— J'ai son numéro de téléphone, là.

— Ce n'est pas celui du centre, a indiqué Morgan.

— Non, c'est celui de son portable. J'ai fait ce numéro hier soir et je lui ai parlé. Elle assure aider aux repas, et passer beaucoup de temps à l'extérieur pour les achats de nourriture.

Morgan Donovan m'a dévisagé sans un mot.

— Attendez une seconde.

J'ai ouvert mon portable et composé le numéro en question.

— Je vais la joindre et vous pourrez lui parler vous-même.

— Pourquoi pas, a-t-elle soupiré. Je n'ai que ça à faire.

J'ai laissé sonner une douzaine de fois, pensant que ça finirait par tomber sur la messagerie, mais cela n'a pas été le cas. J'ai coupé, aussitôt recommencé. Après douze nouvelles sonneries, j'ai refermé mon téléphone d'un coup sec.

— Ça n'a pas l'air d'aller, a constaté Morgan.

12

J'avais une impression de déjà-vu. D'abord Syd qui ne travaillait pas où elle le prétendait. Maintenant cette mystérieuse Yolanda.

— Vous voulez vous asseoir ? a proposé Morgan.

J'avais les jambes en caoutchouc, l'estomac à l'envers.

— Quelque chose cloche. Où est-elle, nom d'un chien ? ai-je pesté, m'adressant plus à moi-même qu'à la femme en face de moi.

Morgan s'est laissée aller dans son siège avec un soupir de lassitude.

— Vous feriez aussi bien de tout me raconter.

Ce que j'ai fait. La disparition de Syd. L'hôtel. La voiture. Ensuite, sur le site que j'avais monté, le message d'une femme affirmant avoir vu ma fille à Seattle.

— Et elle assure travailler chez nous, a complété Morgan. Tu parles d'une histoire. Ça ressemble à une arnaque. Peut-être une gamine qui vous mène en bateau.

— Non. On n'aurait pas dit une gamine, et elle ne m'a rien réclamé. Elle ne voulait pas de récompense.

Ça cogitait sec dans mon esprit.

— Si quelqu'un d'ici fournissait des tuyaux aux parents, leur apprenait que leurs enfants se trouvaient dans ce refuge, ce serait contraire aux règles ?

— Et pas qu'un peu ! On ne demande pas mieux que ces mômes retrouvent leurs parents, mais quelques-uns de ces pères et mères ne méritent pas de les récupérer. Vous n'avez pas idée du genre de saloperie que beaucoup de ces enfants doivent endurer. Non qu'ils soient des anges. Soixante-dix pour cent d'entre eux, je les flanquerais sans doute moi-même dehors si c'étaient les miens. Mais ils ne posent pas tous des problèmes. Les beaux-pères de certaines de ces filles, quand ils ne les prennent pas pour des punching-balls, essayent de les sauter. On a des gosses dont les parents sont poivrots ou dealers. L'an passé, on a eu une petite, sa mère la prostituait. Elle n'était plus assez fraîche pour le faire elle-même et a pensé que sa fille pourrait reprendre le flambeau familial.

— Nom de Dieu, ai-je soufflé.

— Ouais, eh bien Il est aux abonnés absents, en ce moment. Un gamin est arrivé la semaine dernière, avec la peau dans un état ! Comme s'il avait entièrement pelé et que ça repoussait, surtout sur le visage. Toutes les parties non protégées du corps, en fait. Son père a piqué une colère parce qu'il n'avait pas pris sa douche quand il le lui avait demandé. Alors il a traîné le garçon dans l'allée et l'a passé au Kärcher. D'ordinaire, on décape la peinture avec ça.

J'en suis resté sans voix.

— Alors il y a peu de chances qu'on passe un coup de fil à des pères ou des mères pareils, pour leur dire : « Hé, devinez quoi, on a retrouvé votre petit ange, venez donc le chercher. »

— Je comprends.

— Ces gosses nous font confiance. Ils doivent pouvoir le faire, sinon on ne peut pas les aider.

— Donc, ai-je repris, poursuivant ma réflexion, si un membre du personnel tentait de réunir enfants et parents, et que vous le découvriez, il serait viré.

— Très vraisemblablement.

— En ce cas, peut-être que la personne qui m'a appelé travaille ici mais ne s'est pas servie de son vrai nom.

Morgan Donovan a médité un instant là-dessus.

— Mais pourquoi vous donner un nom, après tout ? Elle aurait pu vous contacter de manière anonyme.

— J'ai même une adresse mail, ai-je souligné.

Elle l'a recopiée au dos d'une enveloppe.

— À ma connaissance, personne ici n'utilise cette adresse. Cela dit, une adresse Hotmail n'est pas très compliquée à obtenir.

— Je sais, ai-je admis.

— Alors, je répète, cette fille vous a peut-être baratiné.

Comme je ne trouvais rien à répliquer, elle a proposé :

— Vous voulez un café, ou quelque chose ? Je vous aurais bien offert un truc plus costaud, mais c'est une fondation chrétienne qui nous permet de boucler notre budget et ils verraient d'un mauvais œil que je garde du scotch dans mon tiroir. Non qu'il n'en contienne pas une bouteille en ce moment même. On a une cafetière qui fonctionne en permanence depuis 1992. Vous en voulez ?

Mon visage a dû exprimer une certaine réticence.

— Un Coca, alors ?

Cette fois, j'ai accepté.

— Eh, Len !

Bruit de pas précipités dans le couloir, puis la tête de Len dans l'encadrement.

— Tu peux nous apporter deux Coca light ?

J'ai entendu Len actionner la poignée d'un antique frigo avant de revenir avec une canette et un gobelet.

— On est un peu à court, a-t-il expliqué en les déposant sur le bureau pour disparaître ensuite.

Morgan s'est levée et a entrepris de débarrasser une chaise d'un tas de paperasses afin que je puisse m'asseoir.

— Laissez-moi m'en occuper, ai-je protesté.

Mais elle a décliné mon offre d'un geste.

— Je me débrouille pas mal. Mais vous savez ce qui m'énerve ? Ces robinets dans les toilettes publiques, où l'eau ne coule que si l'on appuie dessus. Dès que vous lâchez pour mettre votre main sous l'eau, paf, ça s'arrête. Je n'ai qu'un poing, mais si je dégotais l'imbécile qui a inventé ce foutu système, je lui ferais volontiers sauter les dents.

J'ai eu un rictus embarrassé.

— Vous pouvez demander, a-t-elle ajouté.

— Pardon ?

— Comment je l'ai perdu.

— Ça ne me regarde pas.

— Vous avez déjà laissé pendre votre bras par la vitre en roulant ?

Lentement, j'ai acquiescé. Elle a souri.

— Mon mari conduisait. Moi, je me relaxais sur le siège passager, le bras ballant à la fenêtre ; mais l'andouille a grillé un feu rouge et on s'est fait emboutir sur le côté. J'ai perdu mon bras dans la calandre d'un Ford Explorer. Peut-être que si on n'avait pas été ronds comme des queues de pelle tous les deux, ce ne serait pas arrivé. Rendre sa femme manchote a tendance à peser lourd sur un mariage, alors plutôt que devoir me regarder tous les jours et se rappeler son acte, il a mis les voiles. Au moins, il me restait un bras pour lui faire un signe d'adieu, à ce salaud.

Elle m'a tendu un gobelet rempli à ras bord et a siroté le reste de la canette avant de reprendre sa place derrière le bureau.

Je me suis assis sur la chaise qu'elle avait débarrassée.

— Je crois que vous n'avez pas répondu à ma question, a-t-elle poursuivi.

Laquelle ? Je digérais encore l'histoire du bras. Morgan m'a rafraîchi la mémoire.

— Pourquoi cette femme n'aurait pas simplement envoyé un tuyau anonyme ? Pourquoi vous donner un faux nom ?

— Pour me convaincre qu'elle était réglo, je suppose, ai-je avancé. Ce qui est le cas. J'en suis certain. Elle m'a même envoyé une photo de ma fille.

— Une photo ?

— Sydney figure par hasard sur un cliché qu'elle a pris avec son téléphone portable. C'est elle. Je suis catégorique.

J'ai bu une gorgée. Jusqu'alors, je ne m'étais pas rendu compte à quel point je mourais de soif.

Morgan a pensivement hoché la tête.

— Elle voulait peut-être vous faire savoir que votre fille est dans le coin, et afin que vous la croyiez, elle vous a donné un nom. Mais pour une raison quelconque, elle ne pouvait pas vous révéler sa véritable identité.

Elle a éclaté de rire avant d'observer :

— On dirait Wonder Woman, non ?

— Ce n'était pas vous, n'est-ce pas ?

L'idée venait de jaillir dans mon esprit.

Morgan Donovan était trop usée par son boulot pour exprimer la moindre surprise.

— J'ai déjà toutes les peines du monde à faire avaler un petit déjeuner à ces gosses, a-t-elle répondu d'un ton las. Alors les convaincre de retourner dans leurs familles…

— Désolé. J'avance beaucoup à l'aveuglette, ces temps-ci.

— Vous logez où ?

— Je ne sais pas. Je n'ai rien réservé avant de partir. J'avais pensé que si je trouvais Syd tout de suite, on aurait attrapé un vol de nuit pour rentrer le soir même.

Morgan m'a adressé un sourire plein de compassion.

— Un optimiste. Ça fait si longtemps que je n'en ai pas croisé que j'avais presque oublié leur existence. Laissez-moi votre numéro de portable. Je vais afficher quelques-unes de vos photos sur le panneau et préciser qu'on vienne me voir si quelqu'un sait quoi que ce soit. Et le cas échéant, je vous appellerai. Ça marche ?

— D'accord. Je vous suis très reconnaissant.

En deux gorgées, j'ai terminé mon Coca.

— Ça vous ennuie si je demande aux autres personnes qui travaillent ici si elles ont vu Syd, ou entendu parler de Yolanda Mills ?

— En fait, oui, a répliqué Morgan. Je ferai mon possible pour vous aider, mais je n'ai pas envie que vous fassiez de vagues.

Sa réponse ne m'a pas beaucoup plu. Je me suis levé en la remerciant, et elle est retournée à ses montagnes de dossiers. Au bout d'un instant, remarquant que j'étais toujours là, elle a demandé :

— Autre chose ?

— Vous comptiez mettre la photo de ma fille sur le panneau d'affichage.

— En effet.

Elle m'a frôlé en sortant, longé le couloir jusqu'à la salle principale, toujours pleine de gamins. Ils semblaient plus nombreux qu'à mon arrivée.

Elle a punaisé le portrait de Syd sur un panneau, et inscrit en dessous : *Si vous avez vu cette fille, prévenez Bras-cassé.*

Le panneau était composé de centaines de clichés. Garçons et filles. Blancs, Noirs, Hispaniques, Asiatiques. Certains à peine âgés de dix ou douze ans, d'autres dépassant la trentaine. Dès que Morgan a reculé, le visage de Sydney s'est fondu au milieu des autres. Ce n'était plus ma fille perdue, mais le dernier élément d'une génération perdue.

J'ai fixé le mur avec désespoir.

— Je sais, a reconnu Morgan. Saleté de vie, hein ?

Avant de partir, j'ai réclamé une feuille à Len. Penché sur la porte qui lui servait de bureau, j'ai positionné une photo de Syd au centre de la feuille, puis tracé au-dessus : « AVEZ-VOUS VU SYDNEY BLAKE ? » Sous la photo, j'ai inscrit mon nom et mon numéro de portable, ainsi que APPELEZ-MOI SVP.

De retour dehors, j'ai déniché un drugstore doté d'une photocopieuse et imprimé une centaine d'exemplaires. Une fois en possession de mes copies, j'ai remonté toute la rue. Je me disais que si Syd était venue au moins à deux reprises dans ce quartier, elle aurait pu se rendre ailleurs. Ou même entrer dans un des magasins, en quête d'un travail. Elle avait toujours été une gamine pleine de ressources, et je la voyais bien chercher un petit boulot pour subvenir à ses besoins.

La plupart des commerçants ont poliment regardé les tracts, et les ont mis de côté. Certains se sont contentés d'un « Désolé ». D'autres y ont jeté un coup d'œil avant de les froisser.

Pas le temps de me fâcher. Je passais simplement au magasin suivant.

J'ai répété ce manège jusqu'à neuf heures environ, puis j'ai trouvé une place près de la fenêtre dans un resto juste en face de Seconde Chance. J'ai posé mon portable sur la table, commandé un sandwich chaud à la dinde avec un café et je suis resté là, les yeux rivés sur le centre d'hébergement. Malgré le crachin intermittent, l'éclairage d'un lampadaire m'assurait de voir Syd si elle apparaissait.

J'ai mangé mon dîner machinalement: je mettais la nourriture dans ma bouche, mâchais, avalais, et ponctuais le tout d'une gorgée de café.

À nouveau, j'ai essayé le numéro de Yolanda Mills. Pas de réponse, aucun moyen de laisser un message.

Je venais juste de reposer le téléphone quand il a sonné. Dans ma précipitation à décrocher, ma fourchette est tombée par terre.

— C'est moi, a annoncé Susanne.

— Salut. Qu'est-ce que tu fais ? Quelle heure est-il ? Il doit être plus de minuit chez vous.

— J'ai passé toute la soirée à attendre ton coup de fil.

— Excuse-moi. La piste… n'était pas aussi bonne que prévu.

— Tu as l'air claqué.

— Je vais chercher un hôtel. Il y a un Holiday Inn ou je ne sais quoi plus loin dans la rue. Je vais démarrer tôt demain matin. Essayer de trouver la femme qui m'a contacté, vérifier le maximum de refuges, au cas où Syd serait allée dans l'un d'eux.

— Tu n'as pas rencontré cette femme, alors ?

— Personne n'a jamais entendu parler d'elle.

— Ça ne tient pas la route.

— Je sais.

La frustration de Susanne me parvenait à des milliers de kilomètres de distance.

— Je n'aurais pas dû y croire autant, a-t-elle murmuré.

— Oui. Je comprends.

Le coude sur la table, j'ai posé la tête sur ma main libre, sans cesser de surveiller l'autre côté de la rue.

Une fille se tenait à la porte du centre. Blonde.

— C'est simplement que, au moindre indice, tu t'accroches de toutes tes forces, poursuivait Susanne. Si tu apprends quoi que ce soit, tu m'appelles ?

— Promis.

Puis j'ai changé de sujet.

— Susanne, quel était le degré d'intimité d'Evan et de Sydney ? Avant sa disparition, s'entend.

— Bof. Ils ne sont pas si proches que ça, à mon avis. Je veux dire, ils restent courtois l'un vis-à-vis de l'autre à table, mais ce n'est pas comme s'ils traînaient ensemble.

— Qu'est-ce qui le branche, selon toi ?

— Comment ça, « le branche » ?

— Tu le soupçonnes de te voler, il passe son temps devant son ordinateur, la porte fermée. Tu ne crois pas qu'il s'agisse de porno. Alors quoi, à ton avis ?

— Aucune idée. Enfin, sans doute rien de grave. Il est vraiment mordu de musique. Il existe plein de programmes qui permettent de créer de la musique par ordinateur, tu sais ? Il fait peut-être ça, avec des écouteurs sur les oreilles pour qu'on n'entende pas.

Mais elle ne semblait pas convaincue.

Je continuais d'observer la fille en face.

— Tu penses qu'Evan pourrait avoir entraîné Syd dans ses petits trafics, quels qu'ils soient ?

— Je n'ai jamais rien remarqué qui laisse supposer…

— Susanne ? Allô ?

— Pardon. Je fermais juste la porte du bureau. Je ne veux pas réveiller Bob. Bref, non, je ne crois pas que Syd soit mêlée aux affaires d'Evan. Mais je dois te parler d'un truc.

La fille ne cessait de faire des allers-retours dans l'ombre. Elle s'était rapprochée de l'entrée du refuge, où je la distinguais à peine, puis elle a sorti la tête pour regarder passer les voitures, ses cheveux blonds brillant sous la lumière des lampadaires.

Allez, vas-y, sors complètement.

— J'ai revu ce van ce soir, a indiqué Susanne.

— Quel van ?

La fille a fait un pas en avant, son visage émergeant moins d'une seconde sous la lumière.

Elle a jeté un coup d'œil à la rue, et de nouveau reculé dans l'ombre.

— Dans notre rue, tu sais ? Celui dont Bob trouve qu'il n'y a pas de quoi en faire un plat.

J'avais compris de quel van elle parlait dès le début, mais j'avais du mal à suivre la conversation pendant que j'observais la fille.

— Tu l'as vu quand ? ai-je réussi à demander.

— Ce soir. Il y a deux heures. À la tombée de la nuit, j'ai aperçu par la fenêtre un van garé quelques maisons plus loin. Quand je suis sortie, il a fait marche arrière au coin de la rue et il est parti.

Un garçon – un jeune homme, plutôt – s'approchait du refuge par la droite. Il a atteint la porte, et la fille a jeté ses bras autour de lui pour l'embrasser. Il me tournait le dos, et je ne voyais de la fille que le haut de sa tête et ses bras.

— Susanne…

— Ça me fait flipper. Bob prétend que je deviens parano à cause de Syd. Mais pourquoi je le serais pas, hein ?

La fille est sortie en pleine lumière, mais la façon dont elle enlaçait le garçon, la tête contre son torse, m'empêchait de discerner son visage. Mon instinct me soufflait néanmoins qu'il ne s'agissait pas de ma fille. Ce n'était pas tout à fait Sydney. Les jambes de cette jeune femme semblaient moins longues.

Ils ont commencé à marcher le long du trottoir. Encore un moment, et ils allaient disparaître.

— Alors je m'interroge. Est-ce que quelqu'un surveille notre maison ? Ou une autre maison dans la rue ? Mais si c'est la nôtre, c'est moi qu'on surveille, ou Bob ? Ou bien ç'a un rapport avec Evan ?

Ensuite la fille a incliné la tête en arrière, rejeté ses cheveux par-dessus son épaule.

J'avais vu Syd faire ce geste des centaines de fois.

— Susanne, je dois te laisser une seconde. Ne quitte pas.

— Quoi ? Pourquoi…

Je suis sorti du resto en trombe, laissant mon sac, mon téléphone sur la table. J'ai couru dans la rue, obligeant des automobilistes venant des deux côtés à écraser leurs pédales de frein. Des klaxons ont retenti, quelqu'un a crié : « Connard ! »

Ils se trouvaient à quarante mètres devant moi, trente, puis vingt. Bras dessus, bras dessous. La fille avait le pouce glissé dans un passant de la ceinture du garçon.

— Syd ! ai-je hurlé. Syd !

J'étais sur eux avant que la fille ait le temps de se retourner, je l'ai attrapée par son bras libre.

— Syd !

Ce n'était pas elle.

D'un geste brusque, la fille s'est libérée tandis que son compagnon me repoussait violemment des deux mains. J'ai reculé en trébuchant, atterri sur les fesses, ma tête manquant de peu un mur en brique derrière moi.

— C'est quoi ton problème ? a glapi le garçon, avant d'entraîner son amie sur le trottoir opposé.

13

Le lendemain matin, j'ai hésité à louer une voiture, mais Seattle ne présente pas vraiment la même configuration que New York. Je voulais visiter le plus de foyers pour ados possible, sans perdre toutefois de temps à chercher mon chemin dans les rues tortueuses de la ville. Alors j'ai négocié avec un chauffeur de taxi garé devant l'hôtel, qu'il me conduise d'un centre d'hébergement à l'autre et m'attende pendant que je visitais chacun, le tout pour deux cents dollars.

— Ça vous amènera à midi, a-t-il indiqué.

— On verra à ce moment-là où nous en sommes. Trouvons d'abord un distributeur de billets.

L'hôtel – pas un Holiday Inn, ni même rien d'approchant – mettait au moins un ordinateur à disposition dans le hall, sur lequel j'avais cherché la liste des centres d'accueil de la ville. Le réceptionniste m'ayant averti que l'imprimante était HS, j'ai dû recopier les noms, adresses et numéros de téléphone sur un bloc pris dans ma chambre.

J'ai tendu la feuille, ainsi que l'argent, au chauffeur.

— Commençons par le plus proche, et les autres dans l'ordre que vous voudrez.

— N'ayez pas peur que je vous trimballe dans tous les sens, a répliqué le bonhomme. Vous avez déjà payé, le compteur est arrêté, et vu le prix de l'essence, on ira au plus court.

— Super.

À onze heures et demie, nous avions fait le tour de la liste. C'était la même histoire partout. Je leur montrais une photo de Syd, laissais quelques tracts avec mon numéro de portable. J'arrêtais des gamins au hasard, leur collais la photo sous le nez.

Personne ne reconnaissait Syd.

Dans chaque centre, je demandais à voir Yolanda Mills, mais personne n'avait entendu parler d'elle.

Après le dernier, je me suis laissé tomber sur la banquette arrière.

— Vous en connaissez d'autres ?

— Je ne savais même pas qu'il en existait autant, a répondu le chauffeur en se retournant vers moi.

Le Jésus en plastique fixé sur son tableau de bord, dont la tête avait dodeliné frénétiquement durant notre circuit dans Seattle, pouvait enfin se calmer. Mon chauffeur était un gars trapu, pas rasé depuis plusieurs jours, qui, pendant que nous sillonnions la ville, avait passé la plupart du temps au téléphone avec sa femme, à discuter du moyen de trouver un mari à sa sœur. D'après ce que j'avais compris, elle ne risquait pas de décrocher le titre de Miss USA dans un avenir proche, ce qui constituait un obstacle majeur à l'entreprise.

— D'accord, ai-je soupiré, démoralisé. Y a-t-il un quartier général de la police ?

— Oui.

— Déposez-moi là-bas et ça ira.

— Dur, le coup de votre fille.

Je ne lui avais pas parlé de Syd, mais étant donné que nous faisions le tour les foyers pour ados fugueurs, et vu la pile de tracts que je tenais à la main, inutile d'être Jim Rockford[1] pour deviner la nature de mon enquête.

— Merci.

— Parfois, a-t-il poursuivi en donnant une chiquenaude à la figurine de Jésus, il faut les laisser faire ce qu'ils veulent, patienter jusqu'à ce qu'ils comprennent qu'ils ont besoin de notre aide, et décident de rentrer à la maison.

— Mais s'ils ont des ennuis ? ai-je objecté. Et qu'ils attendent qu'on les retrouve ?

Le chauffeur a médité un instant.

— Ma foi, je suppose que, dans ce cas, c'est différent, a-t-il reconnu.

Le quartier général de la police se trouvait sur la Douzième Avenue. J'ai annoncé à la femme derrière le comptoir que je souhaitais signaler la disparition d'une adolescente.

Un policier dénommé Richard Buttram m'a fait entrer dans une salle d'interrogatoire, je lui ai raconté la disparition de Sydney, ce qui m'avait amené à Seattle, et je lui ai expliqué que j'avais perdu la trace de Yolanda Mills depuis mon arrivée.

Ensuite, je lui ai remis un de mes tracts et parlé du site Web.

Il m'a écouté avec patience, ne m'interrompant que pour une question ponctuelle.

1. Détective privé héros d'une série télévisée.

— Donc, vous ne savez pas réellement si votre fille se trouve à Seattle, ni même si elle y est seulement venue ?

À contrecœur, j'ai admis que c'était exact. Puis, m'efforçant de paraître plus sûr de moi, j'ai ajouté :

— Mais cette femme m'a affirmé qu'elle était là. Qu'elle l'avait vue. Elle m'a même envoyé une photo, je suis absolument certain qu'il s'agit de ma fille.

— Quel numéro de téléphone vous a-t-elle donné ?

Je l'ai cherché sur mon portable et l'ai lu à Buttram, qui l'a inscrit sur un bloc.

Il l'a aussitôt composé sur le poste de son bureau. Après avoir laissé sonner trente bonnes secondes, il a raccroché.

— Donnez-moi trois minutes.

Puis il a quitté la pièce.

J'ai attendu presque un quart d'heure, fixant la table vide, les murs nus. Je regardais la pendule, la trotteuse avancer à petits coups.

Lorsque Buttram est revenu, il affichait une mine sévère.

— Je suis allé voir un de nos inspecteurs, très calé en portables, téléphonie et ce genre de choses.

— Bon.

— Il pense que c'est un téléphone jetable. Il a vérifié le numéro vite fait, passé un coup de fil, et, selon lui, il s'agit d'un de ces appareils qu'on peut acheter dans un 7-Eleven ou n'importe quel magasin de proximité, pour un usage de courte durée. Ensuite on les balance.

J'avais l'impression de m'enfoncer lentement sous la surface de l'eau.

— Rien de tout cela ne tient debout, ai-je murmuré.

— Je vais garder ce tract, a poursuivi Buttram, faire circuler l'info, mais je ne veux pas vous laisser trop espérer qu'on retrouvera votre fille.

— Entendu.

— Cette femme qui vous a appelé, elle ne cherchait pas à obtenir une récompense ?

— Non.

Buttram s'est levé en hochant la tête, puis m'a raccompagné dans le couloir.

— Alors je ne sais pas quoi en penser, a-t-il conclu.

— Moi, je ne sais pas quoi faire. Je commence à croire que Sydney n'est pas à Seattle, qu'elle n'y a jamais été, mais j'ai peur de rentrer chez moi. Je persiste à imaginer que si j'arpente les parages de ce centre pour ados, juste une fois encore, je tomberai sur elle.

— Vous avez passé le message, a répliqué le policier. Je connais Morgan, elle est top. Si elle dit qu'elle va ouvrir l'œil, alors elle le fera.

Il m'a serré la main en me souhaitant bonne chance. Je suis resté planté cinq minutes sur le trottoir avant de regagner l'hôtel pour régler ma note.

J'ai réservé un vol Jet Blue qui ne quittait Seattle qu'à dix heures, et qui arriverait, compte tenu du décalage horaire, à six heures du matin à

La Guardia. Cela me laissait le temps de retourner chercher Syd dans le quartier de Seconde Chance.

J'ai réussi à occuper la même table dans le même resto que la veille, où j'ai passé la plus grande partie des quatre heures suivantes à surveiller la porte du refuge. J'ai commandé de quoi manger, puis un café environ toutes les demi-heures.

À aucun moment je ne l'ai vue, ni personne qui lui ressemble un tant soit peu.

De là, j'ai pris un taxi pour l'aéroport, et me suis posé dans la salle d'embarquement comme une victime en état de choc, regardant droit devant moi, quasi immobile, en attendant que les passagers de mon vol soient appelés. J'ai reçu deux appels. Le premier venait de Susanne, qui espérait de bonnes nouvelles, mais savait qu'il n'y en avait pas puisque je ne l'avais pas contactée.

Puis mon portable a de nouveau sonné.

— Oui ?

— Je suis vraiment désolée.

— Ah, salut, Kate.

— J'ai un peu pêté les plombs, l'autre soir.

Je n'ai rien répondu.

— Tu y es allé, pas vrai ? À Seattle ? J'ai remarqué que tu n'étais pas encore rentré.

Donc elle était passée devant chez moi.

— Kate, je ne peux vraiment pas te parler maintenant.

— Je sais que j'ai dit certaines choses, et je voulais m'excuser.

Peut-être que si j'avais été moins épuisé, moins découragé, j'aurais trouvé le moyen d'être plus diplomate.

Et de ne pas répliquer :

— Kate, ça ne marche pas. C'est terminé entre nous. Fini.

En tout cas, je n'aurais certainement pas conclu par :

— La vie est trop courte.

Mais c'est bien ce que j'ai dit.

Kate a mis quelques instants à réagir.

— Tu es un enfoiré absolu, tu sais ça ? Tu es un sale enfoiré. Je l'ai su dès le premier jour. Et tu sais quoi, aussi ? Il y a quelque chose qui débloque chez toi. Quelque chose qui ne...

J'ai coupé, éteint le téléphone, et l'ai glissé dans ma poche.

D'habitude, je suis incapable de somnoler en avion, mais ce vol de nuit a constitué une exception. Abruti de fatigue, j'ai dormi durant presque tout le voyage. En plus d'être fatigué, j'étais déprimé, anéanti, accablé par le désespoir. J'avais traversé tout le pays en pensant ramener ma fille à la maison.

Et je rentrais seul.

Nous avons atterri à l'heure, mais le pilote a dû attendre qu'une passerelle de débarquement se libère à l'aéroport. Aussi était-il près de sept heures lorsque j'ai quitté l'avion, et, entre les bouchons, quelques arrêts ravitaillement et tout le reste, ce n'est que vers midi que je me suis engagé dans mon allée de Hill Street.

Tel un soldat vaincu qui rentre de la guerre, je me suis traîné jusqu'au porche, le sac jeté pardessus l'épaule. J'ai introduit la clé dans la serrure, puis ouvert la porte à la volée.

La maison avait été vandalisée.

14

— Bon, récapitulez-moi tout une fois de plus, a réclamé Kip Jennings.

— Je suis arrivé chez moi, j'ai ouvert la porte, et on aurait cru que quelqu'un avait balancé une grenade à l'intérieur.

— C'était quand ?

J'ai consulté l'horloge au mur de la cuisine, un des rares objets encore en place.

— Il y a environ une heure et demie.

— Vous avez touché quelque chose, depuis ?

— J'ai remis cette pendule sur la cheminée. Elle appartenait à mon père.

Un geste équivalant à remettre sa casquette d'aplomb après être passé sous un semiremorque.

Deux agents en uniforme arpentaient la maison, prenaient des photos, marmonnaient entre eux. Ils avaient découvert une fenêtre brisée au sous-sol.

— Combien de temps avez-vous été absent ? a poursuivi Jennings.

— À peu près quarante-huit heures. Je suis parti avant-hier matin. Peu après neuf heures. Ce qui fait plus ou moins deux jours et quatre heures.

— À Seattle.

— Exact.

— Et votre fille ?

— Je ne l'ai pas trouvée.

Le regard de Jennings s'est adouci un instant.

— Donc vous êtes revenu chez vous, vous avez ouvert la porte. Avez-vous vu quelqu'un ? Une personne s'éloigner de la maison pendant que vous pénétriez dans votre allée ?

— Non.

Je lui ai décrit ce que j'avais découvert : dans le séjour, les coussins des meubles éventrés, la mousse éparpillée. Chaque étagère dégagée, chaque placard vidé de son contenu. Des livres partout, des CD dans tous les coins. La chaîne hi-fi arrachée de son support, certains éléments encore accrochés aux câbles et suspendus de manière aussi précaire qu'un camion sur une falaise dans un *Indiana Jones*.

Dans la cuisine, tous les placards mis à sac, les boîtes renversées. Le sol jonché de corn-flakes. Des aliments sortis du frigo, laissé porte ouverte.

Il en allait ainsi dans toute la maison. Chaque tiroir de la commode avait été sorti. Il y avait tellement de vêtements par terre qu'on ne voyait plus la moquette. Chaussettes, caleçons, chemises. Habits arrachés des cintres, jetés çà et là.

Idem dans la chambre de Syd, bien qu'il y eût moins à saccager que dans la mienne, puisque la plupart de ses affaires étaient chez sa mère. La commode avait été vidée. Contrairement à mon lit, qui semblait intact, le matelas de Syd avait été éventré, et le contenu de la penderie répandu par terre.

Mon bureau avait été fouillé, les étagères vidées de leur contenu.

Au sous-sol, les dégâts se révélaient minimes. On avait ouvert le lave-linge et le sèche-linge, renversé un carton de lessive sur le sol. Ma boîte à outils avait été retournée sur l'établi.

Nos cartons de bazar – ces objets qu'on accumule au cours d'une vie et dont on ne sait pas quoi faire, sans avoir le courage de les balancer, comme des dessins d'enfants, des photos, des bouquins qu'on ne relira jamais, de vieux dossiers ou de la paperasse professionnelle qui vient de chez vos parents – avaient été ouverts et fouillés, mais seuls deux d'entre eux avaient été renversés.

Debout au milieu des décombres du séjour, j'ai demandé à Jennings :

— Quelle sorte de petits saligauds feraient ça ?

— Vous pensez à des gamins ?

— Pas vous ?

Nous avons lentement traversé la maison, écrasant des corn-flakes sous nos chaussures dans la cuisine.

— On vous a volé quelque chose ?

— Comment savoir ? ai-je répondu en contemplant le décor ravagé. Je n'ai pas franchement eu l'occasion de vérifier.

— Votre ordinateur ?

— Non, il est toujours là-haut.

— Et celui de votre fille ?

Me rappelant l'avoir également vu, j'ai secoué la tête.

— C'est pourtant facile d'embarquer un ordinateur portable, a observé Jennings.

— Oui.

— Et l'argenterie ?

Je l'avais aperçue un peu plus tôt, déversée de son tiroir sur la moquette du séjour.

— Elle est là. Mais est-ce que des gamins voleraient de l'argenterie ?

— Alors un iPod, de petits objets comme ça, faciles à empocher ?

— Aucune idée. Je n'en possède pas. Syd oui, mais il se trouve dans ma voiture. En revanche, ils n'ont pas pris cette petite télé, ai-je ajouté en désignant le poste de la cuisine.

Suspendu à un placard, il aurait fallu un tournevis pour le décrocher.

— Ils ne l'ont pas arraché de son support non plus, a souligné Jennings. Vous gardez du liquide dans la maison ?

— Pas beaucoup. Un peu dans ce tiroir, là-bas. Juste quelques billets de cinq ou de dix dollars, pour les livraisons de pizzas, les étrennes, ce genre de trucs.

— Jetez un œil.

J'ai ouvert et constaté que l'argent avait disparu.

— En dehors de l'argent, a-t-elle insisté, autre chose vous saute aux yeux ?

— Pas vraiment. Où voulez-vous en venir ?

— Vous pensez à des mômes, et c'est possible. Mais vous voyez des tags sur les murs ? Des coups de latte dans la télé ? Je n'ai pas l'impression qu'on a déféqué sur vos tapis non plus.

— Tout malheur a du bon.

— C'est le genre de trucs que feraient des gamins.

— Donc vous ne croyez pas qu'il s'agissait de ça.

— Je vais vous dire : à mon avis, personne n'est venu ici faucher des bricoles au hasard. Ces gens-là cherchaient quelque chose. Et ils étaient vraiment déterminés à le trouver.

— Mais trouver quoi ?

— À vous de me le dire, a répliqué Jennings.

— Vous pensez que je le sais mais que je vous le cache ?

— Non. Du moins, pas nécessairement. Mais vous savez mieux que moi ce que vous pourriez planquer dans cette maison.

— Je n'ai rien planqué du tout.

— Ce n'est pas forcément vous qui l'avez fait.

— Qu'est-ce que vous insinuez ?

— Que votre fille a disparu, et qu'on ignore pourquoi. Elle prétendait travailler dans cet hôtel mais personne là-bas n'a ne serait-ce qu'entendu parler d'elle. J'en déduis que votre fille n'était pas toujours parfaitement honnête avec vous. Alors peut-être cachait-elle à votre insu quelque chose dans cette maison – ou en tout cas, quelqu'un le supposait.

— Je n'y crois pas.

Les mains sur les hanches, Kip Jennings m'a dévisagé.

— La fouille a été plutôt minutieuse. Depuis que je suis dans la police, et ça fait un certain nombre d'années maintenant, j'ai rarement vu des endroits aussi dévastés que celui-ci. Même par des flics. Ça leur a pris un moment. On dirait qu'ils ne craignaient pas trop que vous débouliez sans crier gare. Comme s'ils savaient qu'ils avaient le temps.

Nos regards se sont croisés.

— Qui savait que vous alliez à Seattle ? a-t-elle poursuivi.

Qui en avais-je informé ? Qui était au courant ? Kate. Ma patronne, Laura Cantrell. Mon collègue à la concession, Andy Hertz. Susanne, bien sûr, et sans doute Bob et Evan. Ainsi que toute autre personne que l'un d'entre eux aurait éventuellement prévenue.

J'oubliais la plus évidente, naturellement.

Yolanda Mills, qui que soit cette femme, savait que j'étais parti pour Seattle. Elle m'avait pour ainsi dire convoqué là-bas.

— Je me suis peut-être fait rouler, ai-je avancé.

— Plaît-il ?

— Je me suis fait rouler. La femme qui m'a contacté, qui affirmait avoir vu ma fille. Elle savait que je serais absent.

— Seattle est à peu près la destination la plus lointaine où vous envoyer sans quitter le pays, a poursuivi Kip Jennings. Une fois que vous étiez en route pour l'aéroport, ils étaient sûrs d'avoir au minimum deux jours pour fouiller votre maison.

— Mais elle avait une photo de Syd. Elle me l'a envoyée. Je suis absolument certain qu'il s'agissait de Syd.

— Je peux la voir ?

— Sur l'ordinateur, ai-je indiqué.

Je l'ai guidée vers le bureau, en enjambant des livres balancés par terre et des cartons de factures renversés. Bien que la tour et l'écran aient été déplacés, ils semblaient relativement intacts. Après avoir lancé l'ordinateur, j'ai ouvert ma messagerie et cherché le mail de Yolanda Mills avec la photo jointe.

— Ce n'est pas la photo du siècle, a-t-elle constaté. La manière dont ses cheveux tombent empêche de bien distinguer son visage.

J'ai désigné l'écharpe corail nouée autour du cou de Sydney.

— Vous voyez cette écharpe ? Je la connais. Syd a exactement la même. Vous mettez cette écharpe à côté de ces cheveux, et ce petit bout de nez qu'on aperçoit là, et c'est elle. Je parie tout ce que vous voulez.

Jennings s'est penchée sur l'écran pour étudier l'écharpe.

— Je reviens dans une minute, a-t-elle déclaré.

Resté devant l'ordinateur, j'ai vérifié si quelqu'un d'autre m'avait laissé un message ces deux derniers jours. Il n'y avait pour ainsi dire aucune connexion sur le site pour Syd, et tous mes mails méritaient d'être jetés à la poubelle.

Jennings s'est encadrée dans la porte, une boule de tissu coloré et lumineux dans la main.

— Sa couleur a attiré mon attention quand j'examinais la chambre de votre fille, tout à l'heure, a-t-elle précisé en la brandissant. Il était par terre avec tout le reste.

Je me suis levé, j'ai pris la bande d'étoffe soyeuse et l'ai tenue comme si elle risquait de se dissoudre entre mes doigts.

— C'est la bonne écharpe ? a-t-elle poursuivi.

Très lentement, j'ai hoché la tête.

— Oui, c'est la bonne.

— Alors, si votre fille était censée porter cette écharpe à Seattle il y a quelques jours, comment se trouve-t-elle dans votre maison aujourd'hui ?

C'était une excellente question.

Je n'ai guère eu le temps d'y réfléchir. Un instant plus tard, un des agents en uniforme a passé la tête dans le bureau pour lancer à Jennings :

— Je crois qu'on a trouvé ce qu'ils cherchaient.

15

— Quoi donc ? ai-je demandé.

Le policier n'a rien répondu. Il a guidé Jennings vers ma chambre, et j'ai suivi. Un des oreillers avait été dépouillé de sa taie et fendu en deux. Un sachet de congélation en plastique transparent, empli d'une substance poudreuse blanche, gisait sur le dessus-de-lit.

— J'ai remarqué une drôle de bosse sous la taie, a-t-il expliqué.

L'inspecteur Jennings a soulevé le sachet par un coin, entre le pouce et l'index.

— Doux Jésus, qu'avons-nous là ?

— C'est ce que je pense ? ai-je repris.

Jennings a braqué les yeux sur moi, tout comme le flic en uniforme.

— Je ne sais pas. Vous pensez à quoi ?

— Peut-être à de la cocaïne.

— Si ça se révèle exact, qu'est-ce que ça fait dans votre oreiller, à votre avis ?

— Aucune idée, ai-je répondu.

— Ni aucune supposition à hasarder ?

J'ai secoué la tête.

— Non.

Puis, après un moment de réflexion :

— Si.

— Allez-y.

— Quelqu'un l'a mis là.

Le policier a émis un petit grognement.

— D'accord avec vous sur ce point, a raillé Jennings.

— J'ai dormi dans ce lit il y a deux nuits. Et il n'y avait rien dans cet oreiller. Quelqu'un l'a placé là pendant mon absence.

— Alors quelle est votre théorie ? Que deux effractions différentes ont été commises ? D'abord un individu venu cacher cette présumée cocaïne dans votre oreiller, et ensuite d'autres personnes pour essayer de la dénicher ?

— Je ne sais pas. Honnêtement, si bizarre que soit cette affaire, je m'inquiète plus de savoir comment l'écharpe de ma fille peut se trouver ici si elle la portait sur la photo prise à Seattle.

— Une chose à la fois, a riposté Jennings en reposant le sachet transparent sur le lit. Admettons, pure hypothèse, qu'une autre personne que vous se soit introduite ici et ait caché ceci dans votre oreiller. Ce ne serait pas complètement idiot ? Dès que vous vous coucheriez et poseriez la tête sur cet oreiller, vous remarqueriez sa présence à l'intérieur.

— Je suis d'accord, c'est assez débile. À peu près aussi débile que, de ma part, vous faire venir chez moi sans le planquer ailleurs pour éviter que vous ne le découvriez. Et si cette maison a vraiment été forcée deux fois, la première pour cacher cette drogue, et la seconde pour essayer de la trouver, comment ces gens-là ont-ils bien pu la louper ? Il a fallu dix minutes à votre agent pour tomber dessus. Je veux dire, regardez autour de vous. Tout a été entièrement retourné. Et au milieu de tout ça, cet oreiller intact, bourré de came. Vous trouvez que ça tient debout ?

Pensive, Jennings a gardé le silence, tentant de démêler les fils.

— À moins que celui ou celle qui a déposé cette drogue l'ait fait après que la maison a été mise à sac, a-t-elle suggéré. Un endroit déjà fouillé fait une cachette formidable.

— Même si les choses se sont déroulées ainsi, mon oreiller reste une cachette stupide. J'aurais forcément trouvé le sachet.

— Sauf si c'est vous qui l'avez camouflé là, a objecté Jennings en me fixant.

— Pour l'amour du ciel.

— Vous avez un avocat, monsieur Blake ?

— Je n'ai pas besoin d'avocat.

— Il se pourrait que si, selon moi.

— Ce dont j'ai besoin, c'est que vous me croyiez. Que vous m'aidiez à comprendre ce qui se passe. Ce dont j'ai besoin, c'est que vous m'aidiez à retrouver ma fille.

Cela l'a fait réfléchir un moment.

— Votre fille, a-t-elle observé. Elle n'aurait sûrement pas dû briser une fenêtre du sous-sol pour entrer.

— Où voulez-vous en venir ?

— Elle pourrait entrer n'importe quand. Elle a une clé.

— Quoi ? Vous pensez que Sydney était ici ? Que ma fille est revenue ? Qu'elle reviendrait sans nous dire qu'elle va bien ? Et qu'elle cacherait de la cocaïne dans mon oreiller ?

Kip Jennings s'est rapprochée de moi. Et bien que nettement plus petite, elle a réussi à se poster à deux centimètres de mon visage.

— Maintenant, parlons de cette écharpe.

— Je n'ai pas d'explication.

— Tentez le coup quand même. Cette écharpe, celle que votre fille porte sur une photo prétendument prise à Seattle, se trouve ici, dans cette maison.

J'ai hoché la tête, en signe d'ignorance.

— Peut-être que Syd était là-bas, et qu'elle est revenue.

— Jusqu'à quel point connaissez-vous votre fille, monsieur Blake ?

— Je la connais très bien. Nous sommes très proches. Je l'adore. À quel point connaissez-vous la vôtre ?

Jennings a ignoré ma question.

— Et vous connaissez tous les amis de Sydney ? Quand elle sort le soir, vous savez toujours où elle est ? Vous savez avec qui elle discute sur Internet ? Si elle a déjà touché à la drogue ? Si elle a une vie sexuelle ? Vous pouvez répondre avec certitude à une seule de ces questions ?

— Aucun parent ne le pourrait.

— Aucun parent, a-t-elle répété en acquiesçant. Donc, quand je vous demande à quel point vous connaissez votre fille, je ne vous demande pas si vous êtes proche d'elle ou si vous l'aimez. Je vous demande s'il est possible qu'elle soit impliquée avec des gens, ou dans des histoires que vous n'approuvez pas forcément.

— Je ne sais pas.

— Vous pensez que Sydney pourrait être mêlée à une affaire de drogue ?

— Je ne peux pas croire ça.

— Votre fille a disparu. Sa voiture a été abandonnée. Et il y avait du sang dessus. Il faut que vous preniez conscience qu'il se passe quelque chose.

— Vous croyez que je... ?

— Vous devez prendre conscience de l'éventualité, je dis bien l'éventualité, que Sydney ait été mouillée dans des trucs plutôt moches. Elle peut avoir de mauvaises fréquentations. Elle vous a dit travailler dans cet hôtel. Si elle mentait sur ce point, sur quoi d'autre a-t-elle menti ?

Brutalement, j'ai quitté la chambre et pris la direction de la cuisine.

— Fichez le camp, ai-je ordonné au policier debout au pied de l'escalier.

— Hein ?

— Fichez le camp. Fichez le camp de chez moi.

— Tu ne vas nulle part, Talbott, a objecté Jennings derrière moi. Monsieur Blake, vous ne pouvez pas renvoyer ces agents. Votre maison est une scène de crime.

— Je dois commencer à nettoyer, à ranger, ai-je riposté d'un ton sec.

— Non, pas encore. Vous ne ferez rien ici sans mon accord. Vous allez devoir vous arranger pour dormir ailleurs cette nuit.

Je me suis retourné, un doigt accusateur pointé sur elle.

— Vous ne me chasserez pas de chez moi.

— Si, c'est exactement ce que je fais. Cette maison est une scène de crime, y compris votre chambre. Surtout maintenant.

La frustration m'accablait.

— Moi qui croyais que vous tentiez de m'aider.

— J'essaie de comprendre ce qui s'est passé, monsieur Blake. Et j'espère qu'au bout du compte, ça vous aidera. Parce que mon instinct me dit que, jusqu'à présent, vous avez joué franc jeu avec moi, vous m'avez dit ce que vous saviez, sans rien me dissimuler. Mais pour le moment, tout cela reste un peu nébuleux. Voilà pourquoi je pense qu'il serait de votre intérêt de contacter un avocat.

— Vous n'envisagez pas sérieusement de m'inculper pour possession de drogues ou je ne sais quoi ?

Elle m'a fixé droit dans les yeux.

— C'est un bon conseil que je vous donne, et vous devriez le suivre.

J'ai soutenu son regard tandis qu'elle poursuivait :

— Vous êtes-vous demandé à un moment ou à un autre si la personne qui vous a piégé et expédié à Seattle afin de fouiller votre maison pouvait être votre fille ?

— C'est aberrant, ai-je rétorqué. La femme que j'ai eue au téléphone n'était pas ma fille.

Jennings a haussé les épaules.

— Elle n'est pas forcément seule dans le coup.

De toutes les insinuations proférées par l'inspecteur, celle-ci me semblait la plus ridicule.

Mais au lieu de m'emporter, j'ai levé les mains en geste de défense et d'apaisement, car il y avait un autre élément dont je voulais discuter avec elle.

— Indépendamment de ce que vous pensez de moi, ou de ce qui se passe ici, vous devez être au courant d'autre chose.

— Je vous écoute.

— C'est à propos de mon ex-femme. Quelqu'un surveille sa maison.

Elle a froncé les sourcils.

— Continuez.

— Susanne a remarqué à plusieurs reprises un van garé dans sa rue. D'après elle, on aperçoit une petite lueur à l'intérieur, comme si le conducteur fumait.

Une idée m'a soudain traversé l'esprit :

— Il ne s'agit pas de la police, n'est-ce pas ? ai-je demandé.

— Pas à ma connaissance, a répondu Jennings. Elle a relevé un numéro de plaque minéralogique ?

— Non.

— Conseillez-lui de le faire, la prochaine fois. Quant à moi, je vais voir si quelqu'un peut y faire un tour, de temps à autre.

Après avoir marmonné un vague merci, je me suis retourné, et mon regard a été accroché par le tiroir de cuisine qui renfermait, jusqu'à récemment, un peu d'argent liquide.

Un nom m'est alors venu à l'esprit. Evan. J'avais deux mots à lui dire.

Sur le trajet vers Bob Motors, des travaux rétrécissant la voie m'ont retenu. Poussé par un bref sentiment de charité, j'ai laissé passer une Toyota Sienna qui cherchait à se glisser dans ma file. À travers la vitre teintée, j'ai vu le chauffeur me remercier d'un signe de la main.

Comme la Sienna se rangeait devant moi, j'ai reconnu la camionnette de livraison de SHAW

FLEURS, la boutique voisine de Plaisirs XXX. Ce devait être Ian, le jeune homme qui se trouvait avec Mme Shaw l'autre jour, quand elle fermait son magasin.

Il avait alors lancé un coup d'œil si hâtif à la photo de Syd, qu'il méritait, ai-je songé, une nouvelle occasion de la regarder.

Ian a mis son clignotant droit, et je l'ai imité.

Je l'ai suivi dans un vieux quartier résidentiel doté d'arbres si anciens qu'ils formaient une voûte végétale au-dessus de la rue. Tandis qu'il s'arrêtait devant une maison de type colonial, je l'ai dépassé avant de tourner dans une allée, cinq ou six numéros plus loin.

Ian est descendu de la camionnette, des fils d'écouteurs blancs dans les oreilles. Je présumais qu'il possédait le même genre de mini-iPod que Syd. Il a contourné le véhicule, fait coulisser la portière pour s'emparer d'un grand bouquet, qu'il a porté jusqu'à la maison.

J'ai reculé dans l'allée et suis venu me garer de l'autre côté de la rue, puis j'ai attendu près de la Sienna pendant que Ian sonnait. Une femme a ouvert, pris les fleurs, ensuite Ian est revenu à grands pas.

Il a paru très surpris en me voyant.

— Ian ?

Les écouteurs lui bouchaient toujours les oreilles, et il les a sortis d'un coup sec.

— Hein ?

— C'est bien Ian, pas vrai ?

— Ouais. Qu'est-ce que vous voulez ?

— On s'est rencontrés l'autre jour, au magasin, quand Mme Shaw fermait. Je t'ai montré une photo de ma fille.

— Ah, ouais.

Il est passé devant moi pour regagner son siège.

— Je me demandais si tu voudrais bien y jeter un nouveau coup d'œil, ai-je continué tout en le suivant.

— Je vous ai déjà dit. Je la connais pas.

— Ça ne te prendra qu'un instant.

Doucement, j'ai refermé la portière qu'il venait d'ouvrir. Il n'a pas protesté.

— Bon, d'accord.

Je lui ai tendu le cliché. Cette fois, il l'a étudié cinq bonnes secondes avant de me le rendre. Durant tout ce temps, ses yeux semblaient rouler dans leurs orbites, comme s'ils ne se fixaient pas réellement sur le visage de Syd.

— Nan, a-t-il déclaré.

J'ai hoché la tête et lâché la portière.

— Eh bien, je te remercie d'avoir à nouveau regardé.

— Pas de problème.

— D'après Mme Shaw, tu vis derrière le magasin ?

— Ouais.

— Il y a un appartement, là-bas ?

— Un genre d'appart. Pas très grand. Assez pour moi.

— Drôlement pratique, de loger juste à côté de son travail. Tu vis seul ?

— Ouais.

— Ça fait longtemps que tu travailles pour Mme Shaw ?

— Deux ans. C'est ma tante. C'est pour ça qu'elle me laisse habiter là, depuis la mort de ma mère. Vous me posez toutes ces questions pour une raison particulière ?

— Non. Je n'en ai aucune.

— Parce que j'ai d'autres livraisons à faire.

— Bien sûr. Je ne voudrais pas te retarder.

Ian est monté dans la camionnette, a claqué la portière, bouclé sa ceinture, et démarré sur les chapeaux de roues.

De temps en temps, je tombe sur un client qui, une fois qu'il a fait une offre sur une voiture, se met à paniquer. Non que son offre soit rejetée ; il est terrorisé à l'idée qu'elle soit acceptée. Il aura la voiture de ses rêves, mais il lui faudra trouver le moyen de la payer. Entre le moment où il signe l'offre et celui où elle est acceptée par le chef des ventes, il gigote, se lèche les lèvres, cherche un verre d'eau, la bouche en carton. Il est totalement déboussolé et ne sait comment s'en sortir.

Ian avait cet air-là.

— Evan ? a demandé Susanne. Qu'est-ce que tu veux à Evan ?

Je venais d'entrer dans le bureau de Bob Motors. Bob se trouvait quelque part dans le parc d'exposition, sans doute en train de persuader quelqu'un en quête d'une caisse de base qu'il lui fallait en fait un SUV capable d'escalader des rochers. Je n'avais pas vu Evan dehors.

— Juste lui poser une ou deux questions sur Syd.

— Crois-moi, a répliqué Susanne, je l'ai déjà interrogé.

— Il a peut-être besoin qu'on recommence.

— Tu parais à cran. Il s'est passé quelque chose depuis ton retour de Seattle ?

Elle était en droit de savoir ce qui s'était produit chez moi, mais je n'avais pas envie de lui en parler pour le moment.

— Non, ça va. Il est dans le coin ?

— Derrière, dans l'atelier, en train d'astiquer une voiture. Il la prépare pour une livraison.

J'ai quitté le bureau sans un mot, puis gagné l'arrière du bâtiment, où se dressait l'annexe de Bob Motors, qui faisait à peu près la taille d'un garage à deux places. L'affaire de Bob restait strictement commerciale. Une fois que vous lui aviez acheté un véhicule, à vous de trouver où la faire réviser. Mais il lui fallait néanmoins un endroit pour effectuer des réparations mineures, et nettoyer les voitures avant que leurs nouveaux propriétaires viennent les chercher.

Evan s'occupait d'un Dodge Charger de trois ans. Les quatre portières étaient ouvertes, et il ne m'a pas entendu approcher car il passait l'aspirateur sur les tapis, penché à l'intérieur.

— Evan ! l'ai-je hélé.

Comme il ne répondait pas, j'ai arrêté l'aspirateur.

— Hé ? a-t-il fait en pivotant.

Il n'a pas eu l'air content de me voir.

— Rallumez ça, a-t-il protesté.

— Je veux te parler.

— Papa a demandé que cette voiture soit prête dans une heure.

— Tu préfères perdre du temps à parlementer, ou tu me donnes un coup de main et je te lâche les baskets le plus vite possible ?

Il a écarté de ses yeux une mèche de cheveux, qui est aussitôt retombée.

— Qu'est-ce que vous voulez ?

— Ma maison a été cambriolée.

— Pas de bol.

— Elle a été mise à sac.

De nouveau, il a repoussé ses cheveux.

— Vous attendez quoi de moi ?

— Que tu me dises tout ce que tu sais sur Syd et sur ce qui a pu lui arriver.

— Je ne sais rien du tout.

— Ça doit te plaire qu'elle habite chez toi, je parie.

— Tu parles ! On vit sous le même toit, et alors ? Elle a sa vie, et moi la mienne.

— Vous passez du temps ensemble ?

— Hein ?

— Vous traînez l'un avec l'autre ?

— On prend nos repas ensemble. Parfois je dois la virer de la salle de bains pour pouvoir l'utiliser.

La maison de Bob en ayant plusieurs, cela semblait peu probable.

— Tu ne trouvais pas ça assez cool ? Qu'elle emménage chez ton père ?

— Vous le dites comme si ça ne l'était pas, quelque part.

— Tu l'as présentée à tes amis ?
— Vous ne savez rien de mes amis. Ni rien de moi, a-t-il riposté, le regard noir.
— Tu te drogues, Evan ? Tu as des copains qui dealent ?
— Vous êtes cinglé. Je dois finir de nettoyer cette voiture.
— Pourquoi voles-tu ? ai-je demandé.
— Quoi ?
— Tu m'as très bien entendu.
— Allez vous faire foutre.
— La petite caisse du bureau, la montre de Susanne…
— Elle l'a retrouvée, cette montre.
— Il paraît. Tu ne vas quand même pas nier pour la caisse, aussi ?
Ça l'a pris au dépourvu.
— Mon père sait que vous discutez avec moi ?
— Tu préfères qu'on aille le chercher ? Comme ça je pourrais te demander, en sa présence, si tu as pénétré chez moi par effraction.
— Pourquoi j'aurais fait ça, putain ?
— Je n'en sais rien. À toi de me le dire.
— Je ne sais pas ce qui vous fait croire ça, mais vous êtes complètement barjo.
— Tu fais quoi toute la journée sur ton ordinateur ?
Il a ricané.
— C'est elle qui vous raconte toutes ces conneries, pas vrai ?
— « Elle » ? ai-je répété.
— C'est pas ma mère, O.K. ? Et être la nana de mon père ne lui donne pas le droit de

m'espionner ni de vous déballer ensuite ce qu'elle a découvert.

— Evan, écoute-moi bien. Là, je te fais une sacrée fleur, parce que l'autre jour je t'ai entendu traiter mon ex-femme de salope, et en ce moment même, je n'ai qu'une envie, c'est de t'arracher la tête. Mais j'ai décidé d'être sympa, parce que tout ce qui compte pour moi, c'est de retrouver Sydney. Or il y a quelque chose, j'ignore quoi, qui pue chez toi, et je ne peux pas m'empêcher de penser que ce qui est arrivé à Syd pourrait avoir un rapport avec toi.

Il a secoué la tête, s'efforçant de prendre ce que je venais de dire à la rigolade.

— Vous êtes un cas, vous !

Après avoir rallumé l'aspirateur, il m'a tourné le dos. J'étais sur le point de le saisir par l'épaule quand j'ai entendu hurler :

— Tim !

J'ai fait volte-face. Bob Janigan se tenait à l'entrée du garage. Il a de nouveau crié mon nom.

Je l'ai rejoint à grands pas, lui ai lancé :

— Tu devrais essayer de savoir ce qui cloche avec ton garçon.

Puis j'ai regagné ma voiture.

Sur la route, mon téléphone a sonné.

— Qu'est-ce qui s'est passé ? a demandé Susanne.

— Quelqu'un est entré chez nous – chez moi – pendant que j'étais à Seattle. La maison a été vandalisée, fouillée de fond en comble. On a volé un peu de liquide. Peut-être d'autres trucs aussi, je n'en sais rien. Et quand la police est venue, elle a trouvé ce que je suppose être de la cocaïne.

— Quoi ?

— À mon avis, Evan en sait plus qu'il n'en dit.

— Bob jure que si jamais tu t'approches encore de son fils, il te tue.

— On m'appelle sur l'autre ligne, Suze. Je te laisse.

C'était un avocat criminaliste nommé Edwin Chatsworth. Il faisait partie du cabinet que je consultais quand c'était nécessaire. Il s'occupait de faillites d'entreprise, par exemple, mais aussi de questions de propriété, de transferts de titres, ce genre de choses.

J'avais passé un coup de fil au cabinet en quittant la maison pour aller voir Evan. On m'avait répondu que cela semblait un dossier qui pourrait intéresser Edwin, et promis qu'il me rappellerait.

Je lui ai exposé les faits aussi clairement que possible.

— Simple hypothèse de ma part, a-t-il avancé, mais je serais très surpris qu'ils vous inculpent pour la coke, à supposer qu'il s'agisse bien de coke et non de bicarbonate de soude.

— Pourquoi ?

— Comme vous l'avez indiqué vous-même, vous avez fait venir les flics à votre domicile. Dans lequel on a pénétré par effraction. D'autres que vous ont eu l'opportunité de déposer la drogue dans votre lit. Un juge rejetterait ça en bloc avant qu'ils aient fini de présenter leurs arguments liminaires.

— Vous êtes sûr ?

— Non. Mais c'est ce que me souffle mon instinct. Quant à cet inspecteur Jennings, ne lui adressez plus la parole.

— Mais elle enquête également sur la disparition de ma fille. Je ne peux pas éviter de lui parler à ce sujet.

Chatsworth a médité un instant avant de reprendre :

— Ne vous fiez pas à elle. Dès qu'elle dévie la conversation sur ce qui a été trouvé chez vous, faites-moi appeler et ne dites plus rien avant que j'arrive. Il n'y a aucun moyen de prouver que cette drogue vous appartient.

— Elle ne m'appartient pas. Cette drogue n'est pas à moi.

— Je vous ai posé la question ?

Je suis allé au centre commercial pour manger une part de pizza au pepperoni. J'observais tous les jeunes qui passaient, essayant de distinguer le visage de chaque adolescente.

On n'arrête jamais de chercher…

Puis j'ai repris la voiture dans laquelle j'avais remis le sac de voyage emporté à Seattle, et que je n'avais pas eu l'occasion de vider, et je me suis rendu au Just Inn Time. Carter et Owen, les deux employés qui tenaient la réception le soir où j'étais venu pour essayer de trouver Syd, étaient là.

Je me suis approché du comptoir.

— Je voudrais une chambre.

16

Et ça se limitait à ça.

Une chambre. Banale, impersonnelle et sans attrait. Un lit double recouvert d'un tissu uni bleu au centre de la pièce, flanqué de lampes aux abat-jour d'un blanc maussade. Les murs étaient beiges, comme la salle de bains, les serviettes de toilette, les couloirs et à peu près tout le reste dans cet hôtel plutôt modeste.

Cela dit, c'était également propre, bien entretenu et équipé. Savon, shampooing et sèche-cheveux dans la salle de bains et dans le placard, un minicoffre-fort à digicode assez grand pour y déposer passeport, caméra vidéo et quelques milliers de dollars en billets de banque.

L'hôtel n'était pas encore passé aux écrans plats accrochés au mur, et si le volumineux poste posé sur la commode faisait figure d'antiquité, on pouvait néanmoins commander des films – y compris des titres comme *L'Homme aux coïts d'or* – si le cœur vous en disait.

J'ai zappé entre différentes chaînes avant de laisser le Dr Phil[1] en fond sonore exploiter les misères d'une famille assez stupide pour laver son linge sale à l'antenne, au grand divertissement de milliers de téléspectateurs, et me suis posté devant la fenêtre. J'ignore ce que j'espérais

---

1. Phil McGraw, ancien psychologue actuellement présentateur de sa propre émission.

précisément. Peut-être pensais-je qu'observer le Howard Johnson un peu plus loin, les voitures et les camions filer sur la 95, me fournirait une sorte d'indice sur l'endroit où était allée Syd après que je l'avais déposée devant le Just Inn Time.

Mais ce n'était pas le cas.

En regardant passer ces centaines de voitures et de camions, je ne pouvais m'empêcher de songer qu'en quelques heures à peine, n'importe lequel de ces véhicules vous emmenait n'importe où en Nouvelle-Angleterre. À Boston ou à Providence, dans le Maine. Ou encore dans le Vermont, le New Hampshire. Il vous faudrait moins de trois heures pour rallier Albany, au nord-ouest. Ou alors plus près de la maison, mais plus difficile à fouiller, Manhattan.

Et cela, le jour même où vous montiez dans une de ces voitures.

À présent, des semaines plus tard, une personne pouvait se trouver à peu près n'importe où.

À condition que cette personne soit vivante.

Depuis sa disparition, je m'efforçais à tout prix de ne pas laisser mon esprit s'aventurer sur ce terrain. Tant qu'aucune preuve irréfutable du contraire ne surgissait, je devais croire que Sydney allait bien. Qu'elle était perdue – du moins pour Susanne et moi – mais vivante.

L'image de ce sang sur la voiture de Syd était difficile à chasser.

Cela faisait des semaines qu'une litanie tournait en boucle dans ma tête, en arrière-plan, comme un bourdonnement permanent, prêt à enfler.

Elle reprenait les questions que je ne cessais de poser, encore et encore.

Où es-tu ?

Est-ce que tu vas bien ?

Qu'est-ce qui s'est passé ?

Pourquoi t'es-tu enfuie ?

De quoi avais-tu peur ?

Pourquoi ne nous contactes-tu pas ?

Es-tu partie parce que je t'ai interrogée sur les lunettes de soleil, et ensuite il est arrivé quelque chose qui t'a empêchée de rentrer ?

Pourquoi ne peux-tu pas juste me dire que tu vas bien ?

Ce soir-là, je ne ressentais pas la moindre fatigue, malgré mon habitude, venue avec l'âge, de piquer du nez vers neuf heures.

Machinalement, je me suis quand même préparé à aller me coucher. En ouvrant le sac que j'avais emporté à Seattle, je suis tombé sur Milt, l'orignal en peluche, qui me regardait.

— Oh, merde ! ai-je murmuré, soudain un peu bouleversé.

J'ai installé Milt sur un des oreillers, sorti mon portable de ma veste pour le poser près du lit, me suis brossé les dents, déshabillé et mis au lit. Après avoir zappé encore une dizaine de minutes, j'ai éteint la lumière.

Et fixé le plafond durant une bonne demi-heure.

La lumière provenant de la nationale 1 – phares des voitures et camions qui passaient, néons de la zone commerciale – pénétrait à flots dans la chambre. Peut-être que rapprocher davantage les bords des rideaux m'aiderait à m'endormir.

Quittant le lit, j'ai traversé pieds nus la moquette usée pour empoigner un des rideaux. Mais avant de le tirer, j'ai jeté un nouveau regard à l'extérieur. La circulation diminuait, sauf sur l'autoroute, où elle paraissait ne jamais changer de débit. Vues d'en haut, les voitures semblent toujours rouler plus lentement.

Depuis le premier étage de l'hôtel, on apercevait bien les établissements voisins. Je voyais la plupart de ceux que j'avais visités les semaines précédentes. Le Howard Johnson à droite, les autres petits commerces à gauche.

Je distinguais sans peine les lettres de néon rouge sang de PLAISIRS XXX, ainsi que la dizaine de voitures garées devant. Des hommes, toujours seuls, entraient les mains vides dans la boutique, en ressortaient quelques minutes plus tard avec leur divertissement de la soirée enveloppé de papier brun.

Un homme qui arrivait à l'angle du bâtiment, où se trouvait la boutique de fleurs, a attiré mon attention.

Il a traversé le parking, pointé une télécommande, faisant clignoter les feux rouges d'une camionnette, puis est monté dedans. Je n'en étais pas certain, mais on aurait dit la Toyota appartenant à SHAW FLEURS.

Un peu tard pour une livraison. Peut-être Ian pouvait-il se servir de la camionnette quand il le voulait. Il devait avoir un rendez-vous galant.

Il a quitté son emplacement puis attendu au bord de la nationale 1 de pouvoir se glisser dans la circulation.

Le coup frappé à la porte m'a fait sursauter.

Je me suis approché de la porte dans le noir et j'ai regardé par l'œilleton. C'était Veronica Harp, la responsable de jour.

— Donnez-moi un instant !

J'ai allumé une lampe de chevet, enfilé à la hâte mon pantalon et ma chemise, que je boutonnais encore en ouvrant la porte.

— Comment allez-vous ?

Elle avait troqué son uniforme d'entreprise pour une tenue plus décontractée. Jean moulant parfaitement coupé, talons hauts et chemisier bleu vif. À la voir ainsi, avec ses cheveux bruns et ses yeux mélancoliques, l'image de « grand-mère » ne venait pas immédiatement à l'esprit.

— Oh non ! s'est-elle exclamée devant mes pieds nus et ma chemise mal boutonnée. Je tombe mal.

— Non, ce n'est pas grave. Je n'arrivais pas à dormir, de toute façon.

— Je faisais juste un saut, et Carter m'a dit que vous logiez à l'hôtel, a-t-elle expliqué. Ça m'a tellement surprise.

— J'avais besoin d'une chambre.

— Il y a eu un problème chez vous ?

— On peut dire ça, en effet. J'espère pouvoir rentrer demain et nettoyer la maison.

— C'est terrible.

Comme il me semblait impoli de la laisser plantée sur le seuil, je l'ai invitée à entrer. Elle a fait quelques pas à l'intérieur, et j'ai laissé la porte se refermer seule. Elle a jeté un coup d'œil vers le lit défait.

— Eh bien, je suis heureuse que vous ayez choisi cet hôtel. Il y en a sûrement de plus agréables dans le coin.

— Disons que ces temps-ci, c'est celui-ci que je connais le mieux, ai-je argué avec un sourire ironique.

Elle m'a retourné mon sourire.

— Je suppose, en effet.

J'ai lancé un bref regard par la fenêtre. On voyait plus difficilement, avec le reflet des lampes de la chambre sur la vitre.

— Vous cherchez quelque chose ? a demandé Veronica.

La camionnette avait disparu.

— Non, non, rien, ai-je répondu.

— En fait, je vous dérange. On devrait pouvoir séjourner dans un hôtel sans que la direction vienne vous casser les pieds !

— Mais non, tout va bien.

Je me suis écarté de la fenêtre en finissant de boutonner ma chemise. Mes pieds nus me gênaient un peu, mais je trouvais ridicule d'enfiler mes chaussettes, au point où j'en étais.

— Alors, parlez-moi de votre petit-fils, ai-je lancé.

Le visage de Veronica s'est éclairé.

— Oh, il est merveilleux. Il observe tout ce qui se passe autour de lui. À mon avis, il sera ingénieur ou architecte. Il a des cubes géants, et il joue tout le temps avec dans son lit.

— Formidable. Dites-moi, pourquoi Carter vous a-t-il informée de ma présence ?

Nouveau sourire.

— Il sait que vous et moi avons discuté plusieurs fois, et à quel point vous vous efforcez de retrouver votre fille.

— Il en a peut-être marre de me voir traîner sur le parking.

— Ma foi…, a-t-elle répliqué. Personne ne pourrait vous le reprocher. N'importe qui ferait son possible à votre place. Alors, ce problème chez vous ? C'est grave ?

— J'ai été cambriolé.

Veronica a levé une main à sa bouche.

— Mon Dieu ! Ils ont pris beaucoup de choses ?

— Non. Un peu de liquide.

— C'est affreux.

— Ouais. Je peux vous poser une question bizarre ?

— Allez-y.

— Auriez-vous une paire de jumelles dans l'hôtel ?

— Des jumelles ? Pour quoi faire ? Vous espionnez quelqu'un ?

— Non, laissez tomber, oubliez ça.

— Pourquoi des jumelles, alors ?

— Pour passer le temps, regarder filer les voitures. Les camions sur l'autoroute.

Les sourcils de Veronica Harp se sont brièvement relevés en signe de perplexité, mais elle n'a pas insisté.

— Je pourrais faire autre chose pour vous ? Nous n'avons pas de room service, mais si vous désirez une pizza, par exemple, je m'arrangerai pour la faire livrer, et on la mettra sur votre note.

— Non, tout va bien.

Elle s'est avancée dans la chambre, a passé la main sur les couvertures froissées, avant de demander :

— La chambre vous convient ?

— Bien sûr. Elle est parfaite.

Elle s'est retournée juste en face de moi, tout près.

— Je sens que vous êtes un homme triste, a-t-elle lâché tout à trac.

— Disons que je traverse une période un peu difficile.

— Je le vois à vos yeux. Même avant la disparition de votre fille, vous étiez triste ?

J'avais envie de changer de sujet.

— Êtes-vous… Que fait votre mari ?

— Il est mort il y a deux ans. Le cœur, a-t-elle ajouté en désignant sa poitrine.

— Un peu jeune pour une crise cardiaque, non ?

— Il avait vingt ans de plus que moi. Il me manque terriblement.

— Je n'en doute pas.

Veronica a tendu une main pour toucher mon torse, puis s'est jetée à l'eau :

— Si vous ne saviez pas que j'étais grand-mère, vous l'auriez deviné ?

— Non, ai-je admis en toute honnêteté. Jamais.

Elle s'est penchée en avant, le visage levé vers le mien. Avant qu'elle puisse m'embrasser, j'ai légèrement détourné la tête pour poser le menton sur son épaule, l'ai tenue délicatement dans mes bras durant quelques secondes, puis je l'ai écartée de moi en douceur.

— Veronica…

— Je comprends. Vous trouvez que ce serait déplacé, avec votre fille qui…

— Je…

— La tristesse, je connais. Vraiment. Toute ma vie n'a été qu'une succession d'événements tristes. Mais si on attend que ce soit fini pour s'accorder le moindre plaisir, on n'en connaîtra jamais.

Une part de moi aurait aimé oublier mes problèmes. Les mettre de côté, même momentanément, pour ressentir un peu de chaleur humaine, pour du sexe sans attaches. Mais cela ne me semblait pas convenable.

Comme je me taisais, Veronica a compris que nous en resterions là. S'approchant de la table de chevet, elle a inscrit un numéro sur un bloc au logo de l'hôtel, et m'a tendu la feuille.

— Si vous avez besoin de me parler, ou de quoi que ce soit, appelez-moi. N'importe quand.

— Merci.

Je lui ai tenu la porte tandis qu'elle se glissait dans le couloir, puis, adossé contre le panneau, j'ai poussé un soupir. Ensuite j'ai éteint la lumière avant de revenir à la fenêtre.

Un truc chez Ian me turlupinait. Ce gars avait quelque chose de bizarre. De pas net.

Je voulais en savoir davantage sur lui. Et dans l'immédiat, cela signifiait observer la boutique de fleurs depuis mon perchoir dans cette chambre d'hôtel.

Mais Ian venait de partir avec la camionnette. Il pouvait être absent des heures. Que faire, alors ? Rester toute la nuit à regarder par la fenêtre ?

J'ai allumé CNN en bruit de fond. La voix d'Anderson Cooper me parvenait sans que je l'écoute.

Puis j'ai tiré l'unique siège rembourré de la chambre – celui sur lequel j'avais étalé mes vêtements – devant la fenêtre afin de pouvoir exercer ma surveillance confortablement, et une fois assis, j'ai appuyé le front contre la vitre, que mon souffle a embuée.

C'était idiot. Mais qu'est-ce que je fichais là, à épier par cette fenêtre le retour dans son appartement d'un livreur de fleurs ? Peut-être ne pouvais-je rien faire d'autre.

Je me suis relevé pour attraper un oreiller, envoyant valser Milt, et je l'ai coincé entre ma tête et la vitre. Malgré l'apparence inconfortable de ma position, j'étais plutôt bien installé.

Tellement bien que je me suis endormi.

Ce sont mes ronflements qui m'ont réveillé. La télé marchait toujours. J'ai détaché ma tête de la fenêtre et l'oreiller est tombé par terre.

Je me sentais groggy et désorienté. Pendant quelques instants, impossible de me souvenir où j'étais. Mais très vite, les choses ont commencé à se remettre en place. Le radio-réveil près du lit indiquait 12:04.

Je suis au Just Inn Time. Et j'y suis parce que la maison a été vandalisée.

Tout me revenait peu à peu.

Et j'étais en train de surveiller la boutique de fleurs.

Après avoir cligné une ou deux fois des yeux, j'ai regardé dehors. Il n'y avait plus que deux pick-up garés devant le magasin porno, encore ouvert.

La camionnette Toyota était revenue. Depuis combien de temps, je n'en avais pas la moindre idée. Mais visiblement, Ian était rentré et au fond de son…

Une seconde.

Quelqu'un gagnait le côté passager de la camionnette par l'arrière. La Toyota venait sans doute d'arriver, et Ian de quitter le volant.

Il a ouvert la portière de droite, mais personne n'est descendu. Il s'est alors penché à l'intérieur, comme pour défaire la ceinture d'un passager. Restant toutefois plusieurs instants dans cette position, comme s'il essayait de saisir quelque chose.

Puis il est sorti lentement à reculons de l'habitacle, avec d'infinies précautions. Il portait quelque chose de grand et d'encombrant. On aurait dit qu'il tenait une sorte de sac balancé par-dessus l'épaule.

Il s'est suffisamment écarté pour passer la portière, qu'il a claquée. Un lampadaire projetait une faible lumière dans sa direction. Juste assez pour me permettre de voir qu'Ian transportait quelqu'un sur son épaule. Quelqu'un de plus petit que lui.

Avec de longs cheveux, probablement blonds.
Une fille.
Qui ne bougeait pas d'un poil.

17

Je me suis rué vers la porte, pieds nus, avant de m'arrêter, empoigner mes chaussures, avec l'idée de les enfiler et les lacer dans l'ascenseur. Au diable les chaussettes.

— Téléphone, ai-je ensuite énoncé à voix haute, m'arrêtant une seconde fois pour bondir sur la table de chevet.

Dans ma précipitation, j'ai fait tomber l'appareil entre le meuble et le lit.

Pas le temps de le récupérer.

J'ai ouvert la porte à la volée, couru jusqu'aux ascenseurs, écrasé le bouton d'appel. D'un coup d'œil à la barre lumineuse, j'ai vu que les deux se trouvaient au rez-de-chaussée. En toute hâte, j'ai sauté à cloche-pied pour mettre mes chaussures, puis noué mes lacets presque aussi rapidement.

Aucun des ascenseurs n'avait bougé.

Je me suis alors rendu compte que j'avais pressé le bouton – qu'il suffisait de frôler – si vite qu'il n'avait pas enregistré l'appel.

— Merde ! ai-je lâché avant de foncer vers l'escalier.

J'ai dévalé les marches quatre à quatre, comme si je participais à une épreuve de parkour[1]. J'ai franchi si brutalement la porte coupe-feu qu'elle a heurté le mur. En traversant la réception à toute allure, j'ai crié à Carter :

— Appelez la police !

Les portes automatiques menant à l'extérieur n'étaient pas assez rapides à mon goût, et j'ai failli m'écraser dessus, freinant *in extremis* des quatre fers, avant de me glisser dans l'ouverture dès qu'elle a été suffisante.

À ce moment-là, je me suis aperçu que je n'avais pas mes clés, mais même si ç'avait été le cas, je n'aurais sûrement pas pris le temps de monter dans ma voiture et de la démarrer. Je courais maintenant à fond de train, et rien ne devait me retarder.

Au coin, j'ai franchi la nationale 1, ne ralentissant que pour laisser passer un taxi. Il y avait peu de circulation à cette heure. Le petit centre commercial constitué de Plaisirs XXX, de Shaw FLEURS, et de quelques autres magasins, se trouvait une centaine de mètres plus loin. Mon cœur cognait dans ma poitrine, et tout en galopant, j'essayais de me rappeler quand j'avais couru ainsi pour la dernière fois, priant pour ne pas faire une crise cardiaque avant d'atteindre l'appartement d'Ian.

---

1. Pratique sportive consistant à se déplacer et franchir de la manière la plus efficace possible des éléments en milieu urbain.

C'est Syd, me disais-je. *C'est elle. Il la séquestre. Il la séquestre depuis le début.*

Mais qu'est-ce qu'il fabriquait avec elle dans cette camionnette ? Il la déplaçait d'un endroit à un autre ? En fait, ce serait assez logique. Il pouvait difficilement cacher longtemps quelqu'un dans un appartement situé juste derrière la boutique. Mme Shaw risquait d'entendre, de remarquer quelque chose.

J'ai dépassé la camionnette en courant.

Malgré l'obscurité qui régnait derrière le magasin, j'ai une unique porte surmontée d'une lampe, et sur le côté, une petite fenêtre pourvue d'un rideau. Des lumières étaient allumées dans l'appartement.

Sans prendre la peine de frapper, j'ai essayé d'ouvrir la porte. Elle était verrouillée, alors j'ai tenté de l'enfoncer d'un grand coup d'épaule, mais elle a tenu bon.

De l'intérieur, un homme a crié d'une voix paniquée :

— Qui est là ?

— Ouvre ! ai-je hurlé. Ouvre cette porte !

— Qui est-ce ?

— Ouvre cette satanée porte !

— Je n'ouvrirai pas tant que vous ne me direz pas qui vous êtes !

Reculant d'un pas, j'ai levé une jambe, et cogné de toutes mes forces avec mon talon. Le panneau a cédé de quelques centimètres, à présent uniquement retenu par une chaîne.

Par l'entrebâillement, j'ai aperçu Ian, debout dans ce qui semblait être une petite cuisine, vêtu en tout et pour tout d'un boxer rouge, sa peau pâle couverte de taches de rousseur.

Il hurlait.

Après un nouveau coup de pied dans la porte, la chaîne a cédé.

— Où est-elle ?

— Sortez ! Fichez le camp d'ici !

Le coin cuisine faisait partie d'une grande pièce comprenant canapé, télé, lecteur DVD et console de jeux. L'endroit n'était pas terrible, mais pour un jeune homme vivant seul, étonnamment propre et rangé. Pas de vaisselle sale dans l'évier, ni de canettes de bière ou d'emballages de pizza vides. Des revues de jeux vidéo étaient parfaitement empilées sur la table basse.

— Où est-elle ?

— Hein ?

— Où est-elle ?

Je hurlais à pleins poumons.

— Sortez d'ici ! a répliqué Ian sur le même mode.

Il y avait deux portes à l'extrémité de la pièce. J'ai bousculé Ian pour accéder à la première, que j'ai poussée d'un geste brusque, m'attendant à une chambre, une salle de bains ou un placard. Mais elle donnait sur l'arrière-boutique.

Alors que je posais la main sur la poignée de l'autre porte, Ian a bondi sur moi comme un chat, avant de m'entourer la tête de ses mains, puis d'enfoncer ses doigts dans mes yeux et mes joues.

Il était léger, ce qui l'avantageait en termes de rapidité et d'agilité. J'ai essayé de glisser mes doigts sous les siens et de lui faire lâcher prise, mais il se cramponnait. Alors je me suis jeté en arrière contre le mur, afin de le déstabiliser. Ian m'a enfin lâché et est tombé par terre. Il s'est aussitôt relevé, mais cette fois, j'étais prêt. Je lui ai flanqué mon poing dans la figure, le cueillant sous l'œil gauche.

Ça l'a de nouveau sonné, me laissant le temps d'ouvrir la seconde porte et d'entrer dans ce qui se révélait être la chambre.

Elle n'était guère plus grande qu'un débarras : une petite commode le long d'un mur, une porte étroite, sans doute celle d'un placard, et une autre au fond, ouverte, qui laissait voir un lavabo et des toilettes.

Il restait juste assez de place pour un lit d'une personne.

Il y avait quelqu'un sous les couvertures, et à en juger par la forme du corps, il s'agissait très vraisemblablement d'une jeune femme. Immobile. *Droguée,* ai-je pensé.

Ou pire.

Les couvertures étaient assez remontées pour la cacher entièrement, à l'exception de quelques mèches blondes. Malgré tout ce raffut, elle n'avait toujours pas bougé.

Mon Dieu…

— Syd ? ai-je appelé. Syd ?

Je me suis assis au bord du lit et m'apprêtais à tirer les couvertures quand j'ai senti Ian entrer dans la chambre. Pivotant sur moi-même, je l'ai foudroyé d'un tel regard qu'il s'est arrêté net.

— Toi, lui ai-je lancé en le pointant du doigt, tu fais un seul geste et je te tue.

Je haletais tellement que je pouvais à peine articuler. La sueur dégoulinait sur mon front, collait ma chemise à mon torse.

J'ai baissé les couvertures sur les épaules de la fille. Quelque chose clochait. Clochait très sérieusement, même. Sa peau semblait caoutchouteuse, et brillait d'un drôle d'éclat.

— Mince, qu'est-ce que… ?

La fille n'était pas Syd.

Ni une fille.

C'était une poupée.

18

Je me suis retourné vers Ian, qui me fixait depuis l'encadrement de la porte, le visage rougi par notre bagarre, et aussi, j'imagine, par l'embarras.

— Sortez d'ici, maintenant, a-t-il dit à voix basse.

Un bleu se formait sur sa pommette.

— Je… J'ai cru… J'ai cru que c'était ma fille.

Ian a gardé le silence.

— Je suis désolé, ai-je poursuivi. Quand je t'ai vu…

— Vous m'espionniez ?

— Je t'ai vu sortir quelque chose de ta camionnette.

Pour en estimer le poids, j'ai soulevé un bras de la poupée. Pas étonnant que Ian l'ait portée si facilement. Elle ne devait guère peser plus de dix kilos. Sous mes doigts, l'intérieur du bras rappelait le rembourrage d'un coussin.

Je me suis levé pour regagner la pièce principale.

— Tu l'as achetée à la boutique d'à côté ?

Il a acquiescé. Son corps quasi nu semblait s'être tassé sur lui-même. Au lieu d'avoir l'air menaçant, il frisait le pitoyable.

— Je vous en prie, ne dites rien à ma tante.

Confus, j'ai hoché la tête.

— Bien sûr. Excuse-moi.

Puis je me suis souvenu de l'ordre que j'avais jeté à Carter en me ruant hors du Just Inn Time. La police risquait de débarquer d'un instant à l'autre.

— Tu… Tu la gardes ici ?

Ian a fait signe que non, avant d'expliquer :

— Ma tante est tout le temps fourrée chez moi, pour nettoyer, me préparer à manger. J'ai un box à Bridgeport, où sont entreposées des affaires de ma famille. Je la laisse là-bas et je vais la chercher de temps en temps, ensuite je la ramène avant l'arrivée de ma tante le matin. Parfois, on va juste faire un tour, on se gare un moment près du port et on écoute la radio et tout.

Je ne voulais pas avoir de précisions sur ce qu'il entendait par « et tout ».

Maintenant, je comprenais pourquoi Ian m'avait paru si bizarre lors de nos précédents échanges. C'était parce qu'il était... bizarre.

— Écoute, Ian. La police va probablement se pointer dans une minute.

— Oh non ! Il ne faut pas.

J'étais assez d'accord avec lui. Ian, une fois l'inévitable humiliation surmontée, serait parfaitement en droit de m'accuser de violation de domicile et d'agression.

— Je ne veux pas que la police entre ici, a-t-il poursuivi. Pas seulement à cause... d'elle.

— Hein ?

— J'ai aussi de l'herbe.

— Bon, d'accord, je vais partir. Et quand les flics arriveront, je leur dirai que j'ai cru voir ma fille faire du stop, par exemple.

Malgré ma conduite à son égard, Ian a réussi à marmonner :

— Merci.

J'ai quitté son appartement sans un mot de plus. Je m'attendais à voir débouler des véhicules de police toutes sirènes hurlantes, mais tout était calme. En retournant à petites foulées au Just Inn Time, je n'ai aperçu qu'une voiture de patrouille roulant sur la nationale 1 à allure normale. Elle a dépassé le Howard Johnson et poursuivi sa route.

Lorsque j'ai franchi la porte de l'hôtel, Carter est sorti de derrière son comptoir.

— Qu'est-ce qui s'est passé, monsieur Blake ? a-t-il demandé.

— Vous avez appelé la police ?

— Pas encore. Vous êtes sorti en courant sans dire où vous alliez ni ce que vous aviez vu. Qu'est-ce que j'étais censé raconter aux flics ?

En temps normal, je me serais mis en colère, mais pas cette fois.

— Aucune importance. Je me suis trompé, ai-je répliqué, avant de regagner ma chambre.

Au moment de quitter l'hôtel le lendemain, j'ai pris du café et un muffin rassis à la myrtille, gracieusement mis à la disposition des clients dans le hall. Nulle trace de Carter ni de Veronica. Mais Cantana, la jeune Thaïlandaise que j'avais rencontrée l'autre matin, s'activait dans le coin petit déjeuner. Elle m'a tendu un gobelet de café à emporter.

— Vous voyez à ma tête que j'en ai besoin, ai-je commenté, essayant d'être aimable.

Au lieu de me rendre mon sourire, elle a poliment hoché la tête, détourné les yeux, et s'est remise au travail.

J'ai jeté mon sac sur la banquette arrière de la voiture, placé le café dans le porte-gobelet, puis mordu dans le muffin, recevant une pluie de miettes sur les genoux. Avant de mettre le contact, j'ai posé la nuque sur l'appuie-tête et poussé un grand soupir. J'avais très peu dormi après mon raid chez Ian. J'étais vraiment le roi des crétins. Et, plus grave, ma recherche de Syd n'avait pas avancé d'un pouce.

Tout en démarrant, j'ai allumé l'iPod de Sydney. Un vieux tube des Spice Girls – trop jeune pour leur prêter attention à leurs débuts, Syd s'y était intéressée quand une tournée les avait de nouveau réunies, un an ou deux auparavant – a été suivi par un autre des Beatles, « Why Don't We Do It On The Road », extrait de *The White Album*. Quel père ne serait pas ravi qu'une des chansons favorites de sa fille porte sur des gens faisant l'amour à la sauvette ?

Puis venaient des chansons de Lily Allen, de Metric, de Lauryn Hill, mais là, pour certaines, j'étais moins sûr de moi. Le titre suivant a débuté par des premiers accords familiers, et j'ai pensé : *voilà un groupe que j'adore, Chicago*. Dommage que le titre ait été « If You Leave Me Now[1] ».

Lorsque je me suis garé devant chez moi, peu avant huit heures, je n'avais pas encore décapsulé mon café, mais mes genoux et le tapis de sol étaient couverts de miettes de muffin.

Il y avait un véhicule de police stationné dans l'allée, et au bord du trottoir de la maison voisine, une voiture qui ressemblait à celle de Kip Jennings. Si personne ne se trouvait derrière le volant, quelqu'un occupait apparemment le siège passager.

Mon café à la main, je suis descendu, et en arrivant à la hauteur de la voiture, j'ai vu une gamine de douze ou treize ans. Un sac à dos à ses pieds, un cahier ouvert sur ses genoux. Elle m'a coulé un bref regard par la vitre baissée côté conducteur.

— Salut, ai-je dit. Je parie que tu es Cassie.

Elle n'a rien répondu.

---

1. « Si tu me quittes maintenant ».

Je me tenais bien à l'écart de la fenêtre.
— Tu fais des devoirs à la dernière minute ?
— Ma mère est flic et elle va revenir d'un moment à l'autre, a-t-elle indiqué.
— Je te laisse tranquille, ai-je rétorqué avant de tourner dans mon allée, où j'ai croisé Kip Jennings.
— Bonjour. Vous avez bien dressé votre fille.
— Pardon ?
— Le coup de ne pas parler aux inconnus, tout ça. J'ai illico fait machine arrière.
— Je dois la déposer à l'école. Je faisais un saut en chemin. On en a terminé avec votre maison. Vous pouvez la récupérer.
— Super.
— Elle est toujours en désordre.
— J'imagine.
— Il existe des entreprises pour vous aider à ranger. Je peux vous donner une liste.
— Je m'en occuperai moi-même.
— Vous ne serez pas inculpé, a-t-elle ajouté. Pour la cocaïne.
— Bonne nouvelle.
— C'était bien de la coke, mais tellement coupée de lactose que si vous l'aviez payée au prix fort, ça ferait de vous un camé drôlement fumasse.
— Elle n'est pas à moi, ai-je affirmé une fois de plus.
Jennings m'a dévisagé d'un air pensif.
— De toute façon, cela n'a pas grande importance. Le procureur n'aurait pas été convaincu.
— Moi, je trouve important que vous le sachiez.

— Sans blague. Pour être franche, je pense que vous dites probablement la vérité.

Probablement.

— Parce que je crois que nous étions censés la découvrir, a-t-elle complété.

— « Censés » ?

— Maman ! a crié Cassie depuis la voiture. Je vais être en retard !

— Deux secondes ! a riposté Jennings sur le même ton. Oui, censés tomber dessus, censés penser qu'elle vous appartenait.

Malgré la recommandation d'Edwin Chatsworth de ne pas adresser la parole à l'inspecteur, j'ai enchaîné :

— Ces individus ont mis la maison à sac, comme s'ils cherchaient quelque chose. Ils savaient que j'appellerais la police dès mon retour. Et que vous trouveriez la cocaïne.

— Oui. Ensuite, on vous mettrait la pression.

Je l'ai regardée fixement.

— Pourquoi faire une chose pareille ?

— Quelle coïncidence : j'allais vous poser la question.

— Maman !

— Elle est comme son père, a soupiré Jennings.

— Il est policier aussi ?

Son visage s'est un peu contracté, même si elle a cherché à le masquer.

— Non. Ingénieur. Et il travaille quelque part en Alaska. Avec un peu de chance, il ne reviendra jamais.

Ne sachant quoi dire, j'ai gardé le silence.

— Nous avons divorcé il y a trois ans. Et Cassie et moi nous en sortons très bien, a-t-elle ajouté, non sans un brin d'orgueil.

— Elle est costaud. Ça se voit tout de suite.

— Monsieur Blake, vous devez chercher pourquoi quelqu'un se donnerait la peine de vous éloigner de la ville en essayant ensuite de vous piéger pour possession de drogue.

Sans répondre, j'ai laissé mon regard errer dans la rue.

— Et vous devez aussi continuer de réfléchir à ma question d'hier : jusqu'à quel point saviez-vous ce que faisait votre fille ?

— Les traces de sang sur la voiture de Syd... vous avez découvert quelque chose ?

— Vous serez le deuxième informé, a-t-elle assuré, avant de monter dans sa voiture pour conduire sa fille à l'école.

J'ai décidé de nettoyer les pièces à fond l'une après l'autre.

Bien sûr, je suis d'abord monté vérifier dans le bureau si j'avais des messages téléphoniques, des mails ou même un fax. Rien. L'idée m'a traversé l'esprit que toutes ces nouvelles technologies permettaient d'affirmer avec une certitude absolue que personne ne cherchait à me joindre.

Ensuite, je suis redescendu dans la cuisine, où il me semblait logique de commencer. J'ai rempli quelques sacs-poubelle de nourriture impossible à récupérer : aliments avariés après avoir été balancés du frigo, céréales éparpillées sur le sol.

Je m'activais depuis une bonne heure quand j'ai entendu crier par-dessus le vrombissement de l'aspirateur.

— Il y a quelqu'un ?

Sur le seuil de la porte d'entrée se tenait un homme mince, vêtu d'un costume au moins cinq tailles trop grand pour lui. Il restait l'espace de trois doigts entre son cou et le col de sa chemise boutonnée jusqu'en haut. Sa cravate noire étriquée pendait de guingois. Il me paraissait terriblement tôt dans la journée pour avoir l'air si négligé. Sa poitrine creuse lui donnait une apparence tassée. C'était l'exemple même du gars qui se recevait du sable en pleine figure sur la couverture de mes BD, lorsque j'étais gosse.

— J'ai sonné, mais vous n'entendiez pas.

— Vous désirez ?

— Vous êtes bien Tim Blake ?

— Exact.

— Arnold Chilton. Je crois que Bob Janigan vous a parlé de moi.

Hein ?

Puis ça m'est revenu. Le détective, ou le spécialiste en sécurité, ou je ne sais quoi, bref, le type qui, selon Bob, pourrait peut-être nous aider à retrouver la trace de Sydney. J'étais étonné, sachant quelle dent Bob avait contre moi en ce moment, qu'il ait malgré tout décidé de mettre ce projet à exécution.

— Bob m'a contacté il y a quelques jours, a poursuivi Chilton, mais j'étais un peu débordé par l'installation de ma maman en maison de retraite.

— Oh, ai-je fait, avant de lui serrer la main.

Arnold Chilton a sifflé en constatant la pagaille qui régnait dans la maison. Je n'avais pas encore attaqué le séjour.

— Ç'a dû être une sacrée fiesta, a-t-il commenté.

— Ce n'était pas une fiesta. Des gens sont entrés et ont tout saccagé.

— Purée…

— Oui.

— Vous avez un moment pour quelques questions ?

— Autant nous installer dehors, ai-je proposé. Il n'y a vraiment nulle part où s'asseoir ici, pour l'instant.

— O.K. !

Nous sommes sortis sur la pelouse devant la maison.

— C'est sympa de la part de Bob de vous mettre à contribution, ai-je observé. Lui et moi ne sommes pas toujours sur la même longueur d'onde.

— Il a laissé entendre ça, oui.

— Je m'en doute. La police enquête sur la disparition de Syd, bien entendu, mais c'est formidable qu'une autre personne s'en occupe aussi. Je fais tout mon possible pour la rechercher – j'ai même suivi une fausse piste qui m'a mené à Seattle cette semaine – mais sans beaucoup progresser. Vous savez que sa voiture a été retrouvée ?

— Ah non.

Je pensais que l'évocation du voyage à Seattle et la découverte de la voiture de Sydney auraient suscité des questions supplémentaires de la part de Chilton.

— Vous avez rencontré l'inspecteur Jennings ? ai-je demandé.

— Qui ?

— Kip Jennings. L'inspecteur de police.

— Il me semble que Bob a cité son nom. Ou sa femme Susanne.

— Susanne n'est pas sa femme, ai-je rectifié. Nous avons été mariés, mais elle n'a pas épousé Bob. Pas encore.

— Ah, exact ! Ça, je le savais.

— Donc ils vous ont parlé de l'inspecteur Jennings ? Et ils vous ont donné son numéro ? Parce que vous allez vouloir discuter avec elle.

— Je suis presque sûr qu'ils l'ont mentionnée. Mais je ne crois pas avoir noté de numéro.

— Je l'ai, si vous voulez.

Il a hoché la tête d'un air aimable.

— Parfait.

— Alors, vous êtes quoi ? Un ami de Bob ? Ou vous avez travaillé pour lui ?

— Ouais, il m'est arrivé de le dépanner quelques fois.

J'étais curieux de savoir pour quelle raison le jules de mon ex avait eu besoin des services d'un détective privé. Et quelle que soit cette raison, Arnold Chilton avait-il obtenu des résultats ? Il ne m'inspirait guère confiance.

— Bien, mettons-nous au boulot, a-t-il attaqué. Parlez-moi du jour où votre fille a disparu.

Pour la centième fois, j'ai répété l'histoire. Chilton prenait des notes dans un carnet tiré de sa poche de veste.

— Et ses amis, a-t-il poursuivi. Vous avez des noms ?

— Patty Swain. Et un garçon avec qui elle est un peu sortie, Jeff Bluestein. Il m'a aidé à monter le site.

— Ça s'écrit comment ? a demandé Chilton.

J'ai commencé à épeler Bluestein, mais il m'a arrêté d'un geste.

— Non, le prénom.

— *j-e-f-f*, ai-je repris, éberlué.

— O.K., merci. Certains l'écrivent parfois avec un G, hein ?

— C'est vrai.

— Mais pas *g-e-f-f*. Ce serait *g-e*-o-*f-f*.

— Oui.

Devais-je lui préciser que Syd prenait un *y* et non un *i* ?

— Bon, a-t-il continué. Vous avez remarqué quoi que ce soit de bizarre à propos de Sydney avant qu'elle parte ?

J'espérais qu'il avait raison, que Sydney était bien *partie*. Cela valait mieux que d'avoir été enlevée.

— Non. On a juste eu une petite dispute au petit déjeuner. Au sujet d'une nouvelle paire de lunettes de soleil qu'elle avait.

— Racontez-moi ça.

Mais je ne voulais pas entrer dans les détails avec lui. Ni croire que cette dispute puisse expliquer la fuite de ma fille. De toute façon, ça ne regardait pas Arnold Chilton.

— Rien de grave, ai-je éludé.

— Est-ce qu'elle touchait à la drogue ? Ou dealait, par exemple ?

J'ai pensé à la cocaïne retrouvée dans ma chambre, mais je me suis tu.

— Elle faisait le tapin, peut-être ? a ajouté Chilton.

Pris d'une subite envie de le cogner, j'ai senti mes poings se serrer.

— Écoutez, monsieur Chilton…

— Appelez-moi Arnie, a-t-il coupé avec un grand sourire.

— Arnie, ma fille n'était ni une trafiquante de drogue ni une prostituée.

Chilton, visiblement un très fin limier, a perçu quelque chose d'inquiétant dans mon ton.

— O.K., a-t-il marmonné, gribouillant dans son carnet. Ni drogue ni tapin.

Puis il a relevé la tête vers moi.

— Et vous ? Vous pouvez justifier vos allées et venues ?

— Pardon ?

— Au moment où votre fille a disparu, où étiez-vous ?

— Arnie, pardonnez ma question, mais quelle sorte de travail avez-vous effectué pour Bob, au juste ? Ou pour n'importe qui d'autre, d'ailleurs ?

— À peu près toutes mes missions de sécurité, je les ai effectuées pour le compte de Bob.

— Mais quel type de mission, exactement ? Sans vouloir violer un quelconque devoir de confidentialité, bien entendu, ai-je précisé avec une sincérité feinte.

— Non, pas de problème. De la surveillance, surtout.

— De la surveillance ? De la surveillance de quoi ?

— De voitures.

— Que ce soit bien clair. Vous étiez, quoi ? Vigile ?

Chilton a acquiescé.

— Le pire, c'est les nuits. Vous essayez de garder les yeux ouverts, en espérant presque qu'un gus pénétrera dans l'enceinte pour que vous puissiez rester éveillé, vous voyez ?

— Je comprends. Arnie, ça ne vous ennuie pas de rester ici un moment, le temps que je passe un coup de fil ? Je viens de me souvenir que je dois appeler quelqu'un.

— Super. Je vais en profiter pour relire mes notes.

Je suis retourné à la cuisine, où j'ai pressé une touche de numéro préprogrammé sur le téléphone mural.

Susanne, qui apparemment avait vérifié qui appelait avant de décrocher, a aussitôt demandé :

— Des nouvelles ?

— Non. Bob est là ?

— Oui.

— Il faut que je lui parle.

— Je ne crois pas que ça l'intéressera. Il est furieux contre toi.

Mais rien dans son ton n'indiquait le même sentiment de sa part.

— Magnum est ici, ai-je expliqué.

— Quoi ?

— L'autre jour, Bob m'a averti qu'il enverrait un détective pour nous aider à retrouver Syd. Un dénommé Chilton.

— Je sais. Je passais tellement de temps là-dessus, ça devenait si frustrant d'être coincée par ces satanées béquilles, que Bob a voulu charger Arnie d'une partie du travail sur le terrain.

— Je dois parler de ce type à Bob.

— Ne quitte pas.

Elle a reposé l'appareil. Une minute après, Bob s'est emparé du combiné.

— Qu'est-ce que tu veux, Tim ?

Son mépris passait à travers l'écouteur du téléphone.

— C'est un vigile, Bob.

— Hein ?

— Un putain de gardien de nuit. Ce Chilton que tu m'as envoyé. Le spécialiste en sécurité que tu as engagé pour retrouver Syd.

— Tu sais quel est ton problème, Tim ? T'es snob. Tu rabaisses les gens.

— Ce n'est pas un détective professionnel, Bob. Ni un spécialiste de la sécurité. C'est un foutu vigile.

— Écoute, a riposté Bob en baissant la voix afin que Susanne n'entende pas, il travaillait pour moi, je lui ai vendu une Corolla, et comme il n'arrivait pas à payer toutes les traites, j'ai pensé lui permettre de les liquider par du boulot.

— Ce type ne trouverait pas son cul au milieu du blizzard, Bob.

— J'essaie d'aider, et voilà comment on me remercie. C'est peut-être pour ça que je suis à ma place, et toi à la tienne. Question de mauvaise attitude.

J'ai raccroché.

Arnie Chilton m'attendait dans le jardin, carnet fin prêt.

— Hé, j'ai pensé à deux ou trois nouvelles questions, a-t-il annoncé. Des bonnes.

— Formidable. Mais il y a un empêchement.

— Ah, lequel ?

— Bob a besoin que vous alliez lui chercher une douzaine de beignets et six cafés au Dunkin' Donuts, pour les livrer au garage.

— Bon, très bien.

— Il vous les réglera à votre arrivée.

— Il a précisé quel parfum, pour les beignets ?

J'ai secoué la tête.

— Il a dit que vous choisiriez vous-même.

Chilton a souri, manifestement ravi de se voir confier pareille responsabilité.

— Alors je reviendrai vous poser mes questions plus tard.

— Je m'en réjouis d'avance.

Arnie Chilton a regagné sa Corolla. Il lui a fallu plusieurs tentatives avant de réussir à la démarrer.

Comme je revenais vers la maison, mon regard a été accroché par un objet brillant à côté du seuil, dans un parterre de fleurs.

Je me suis agenouillé pour déblayer la terre. Il s'agissait d'un téléphone portable. Noir, tout fin. J'ai soufflé dessus pour ôter la saleté autour du clavier. Qui avait perdu un portable ? Ce pouvait être n'importe qui, y compris l'un des policiers qui étaient entrés et sortis d'ici au cours des deux derniers jours. Je l'ai fourré dans ma poche, pensant vérifier plus tard.

— C'est quoi ? a demandé quelqu'un derrière moi.

Kip Jennings.

19

— Pardon ? ai-je bafouillé.

Jennings m'avait pris de court. Je n'avais pas entendu sa voiture arriver dans la rue.

— Qu'est-ce que vous avez mis dans votre poche ?

J'ai ressorti le téléphone portable.

— Je l'ai trouvé dans la terre, près de la porte.

— C'est le vôtre ?

— Non. Je viens de vous le dire, je l'ai trouvé par terre.

— Je peux y jeter un œil ?

Je lui ai tendu l'appareil.

— Il n'a pas l'air très sale, a-t-elle remarqué.

— Je viens de l'essuyer.

Elle a brièvement relevé les yeux vers moi, avant de les ramener sur l'appareil.

— Il appartient peut-être à l'un de vos hommes.

Jennings a commencé à jouer avec le menu.

— Je vérifie juste son numéro… voilà.

Et elle a récité une série de chiffres précédés d'un indicatif régional qui m'était récemment encore inconnu.

— Vous connaissez ce numéro ? a-t-elle poursuivi.

— Je crois, oui.

Une espèce de frisson m'a parcouru l'échine.

— Laissez-moi vérifier autre chose… APPELS MANQUÉS. Quelqu'un a cherché plusieurs fois à contacter ce portable, sans obtenir de réponse. Toujours depuis le même numéro.

Après l'avoir également lu à voix haute, elle a demandé :

— Celui-ci vous dit quelque chose ?

— Oui. C'est mon numéro de portable.

— Ce téléphone, a conclu Jennings en le brandissant comme s'il s'agissait d'un trophée, appartenait à… comment s'appelait-elle, déjà ?

— Yolanda Mills. C'est effectivement le numéro qu'elle m'a donné pour la joindre.

— Incroyable, non ?

— Il porte bien l'indicatif régional de Seattle ?

— Absolument.

J'essayais de tirer cette nouvelle découverte au clair.

— Alors il y avait réellement des gens de Seattle, et, qui que ça puisse être, ils sont venus jusqu'ici pour pénétrer chez moi ?

— Je suppose que quelqu'un aurait pu acheter un téléphone là-bas et l'expédier ensuite à Milford, a avancé Jennings. Pour autant que je sache, on peut configurer ici même, à l'est du pays, des téléphones avec n'importe quel indicatif régional. Il faudrait le vérifier.

— Donc, si le doute existait avant, ce n'est plus le cas. La femme qui m'a attiré à Seattle était de mèche avec ceux qui ont forcé ma porte.

L'inspecteur Jennings continuait de chercher diverses données sur le petit appareil.

— On dirait qu'il n'a servi qu'à vous appeler, et à recevoir vos appels. Ça ne vous dérange pas que je le garde ? a-t-elle ajouté en le jetant au fond de son sac.

— Bien sûr que non.

— Vous aviez prévu de me parler de ce portable ?

— Comment ?

— Est-ce que vous alliez me mettre au courant ?

— Je venais juste de le trouver. Une fois que j'aurais compris de quel portable il s'agissait, oui, je vous aurais prévenue.

Elle a hoché lentement la tête. Tout cela ne me disait rien qui vaille.

— Qu'est-ce qui se passe ? Vous étiez là il y a encore peu de temps. Pourquoi êtes-vous revenue ?

— Vous connaissez un dénommé Ian Shaw ?

J'ai dégluti.

— Je crois, oui.

— Vous croyez ?

— Il travaille chez Shaw FLEURS. Pour sa tante.

— Donc vous le connaissez.

— Oui, je sais qui c'est.

— Quand sa tante est arrivée ce matin au magasin… À propos, Ian habite un appartement juste derrière. Vous le saviez ?

— J'ai l'impression que vous connaissez déjà les réponses à ces questions.

Un coin de sa bouche s'est retroussé. Elle a continué :

— Sa tante a appelé la police. Ian a un sacré bleu sur la joue. Quelqu'un lui a donné un bon coup de poing.

J'ai gardé le silence.

— Bref, Ian n'avait pas très envie d'en parler, mais sa tante lui a passé un tel savon qu'il a fini par lâcher votre nom. Et Mme Shaw s'est rappelé que vous étiez venu les interroger au sujet de Sydney. Elle n'a pas beaucoup apprécié que vous frappiez son neveu.

— Il y a eu un malentendu.

Jennings m'a adressé un sourire hypocrite.

— C'est précisément ce qu'a dit Ian, figurez-vous ! Un simple malentendu de rien du tout. Il assure ne pas vouloir porter plainte. Mais sa tante a insisté pour que je passe vous voir quand même. Elle m'a chargée de vous avertir de ne plus jamais vous montrer dans le coin.

— Pas de problème.

— Vous voulez me parler de ce malentendu ?

— Si Ian ne porte pas plainte, je ne vois pas l'intérêt, ai-je riposté.

À l'intérieur de la maison, le téléphone a sonné.

— Excusez-moi.

Et j'ai foncé décrocher le poste de la cuisine.

— Oui ?

— Si tu pensais que Bob était en pétard avant, tu devrais le voir maintenant, a annoncé Susanne.

— En pétard pour quelle raison ?

— Son détective vient de se pointer avec du café et des beignets.

— Bob devrait être content. Il sait maintenant que son gars est capable de se rendre utile.

— Tim…

— Ce n'est qu'un vigile à la noix, Suze. Ça prouve à quel point Bob se sent concerné.

— Il se sent très concerné, Tim. Simplement, il ne réfléchit pas toujours.

— Si ça lui tenait vraiment à cœur, il s'expliquerait avec Evan. Ce gamin a quelque chose de louche, Suze.

— Je n'ai pas besoin de toutes ces complications supplémentaires, a soupiré Susanne.

— Je dois te laisser, ai-je répliqué, regardant Jennings à la porte.

Après avoir raccroché, je lui ai demandé :

— Vous avez déjà discuté de Syd avec Evan Janigan ?

— Oui.

— Et alors ?

— Un bon coup de pied au cul lui ferait le plus grand bien. Mais en dehors de ça…

— C'est un voleur. Il a piqué des choses à Susanne.

— Alors elle devrait appeler la police, a rétorqué Jennings. Comme tout le monde.

J'étais en train de ranger des boîtes de conserves et de céréales qui avaient survécu au massacre, lorsque j'ai entendu des voix dans l'entrée.

— Nom de Dieu, qu'est-ce qui s'est passé ici ?

C'était Patty Swain.

— Je suis dans la cuisine, ai-je crié.

Une autre voix, masculine celle-là, a observé :

— Un ouragan, on dirait.

Je me suis tourné vers le séjour, où se tenaient Patty et l'ancien petit ami de Syd, Jeff Bluestein.

Il m'a salué, avant de montrer la pagaille environnante.

— C'est quoi, tout ça ?

Patty regardait autour d'elle, les yeux écarquillés.

— J'arrive pas à le croire. Quel bazar !

— Ça suffit, Patty, a protesté Jeff.

— On est entré par effraction dans la maison et elle a été mise à sac pendant que j'étais à Seattle.

— À Seattle ? a répété Patty.

— J'étais parti y chercher Sydney.

Patty a paru encore plus stupéfaite.

— Syd est à Seattle ?

— En fait, on m'a fait croire qu'elle s'y trouvait afin de m'éloigner suffisamment longtemps pour pouvoir la fouiller de fond en comble.

— Nom de Dieu, a fait Patty en arpentant le séjour.

Puis elle a monté l'escalier, sans cesser de répéter tout du long : « Nom de Dieu. Nom de Dieu. »

— Comment ça va, Jeff ? ai-je demandé.

Jeff Bluestein avait le même âge que Syd. Il faisait à peu près ma taille, un petit mètre quatre-vingts, mais était plus corpulent, avec des cheveux bouclés noirs et des sourcils épais. Il avait la particularité de marcher d'un pas saccadé, comme s'il traînait quelqu'un derrière lui. S'il m'avait toujours fait l'impression d'un brave garçon, Sydney l'avait trouvé lunatique et mou, et je ne crois pas que les trois mois durant lesquels ils étaient sortis ensemble, ou peu importe comment disaient les gosses, aient été une affaire bien sérieuse. Syd avait rompu à la fin de l'été précédent, mais ils étaient restés amis. Jeff avait connu Patty par l'intermédiaire de Syd, et tous deux étaient également amis, rien de plus.

Quand Jeff avait appris la disparition de Sydney, il était aussitôt venu me proposer de monter un site Internet. C'était un as dans ce domaine. Et si cela n'avait rien de remarquable pour un garçon de sa génération, j'avais été suffisamment impressionné pour lui confier les pleins pouvoirs.

Malgré mon offre de le payer pour sa peine, il avait refusé tout argent. « Je veux que Syd revienne, avait-il argué. C'est la seule récompense que je désire. »

— Je vais bien, a-t-il dit en réponse à ma question.

Il semblait pourtant fatigué, mais Jeff n'avait jamais été du genre joyeux drille. C'était un ours, qui se réveillait tout juste de son hibernation, léthargique, essayant de comprendre où il se trouvait.

— J'allais t'appeler, pour m'assurer que le site fonctionne correctement.

— Il fonctionne très bien. J'ai encore vérifié ce matin. Vos mails, tout ça, ça marche.

— Bon. Tu veux boire quelque chose de frais ? Ils n'ont pas entièrement vidé le frigo.

— Je vais voir.

Il a ouvert la porte, obstruant la lumière intérieure avec son corps, et a sorti une canette de Coca.

— Je n'ai pas très bien dormi, a-t-il confessé en la décapsulant.

— Un souci ?

— Juste inquiet pour Syd. Je pensais qu'elle nous contacterait.

J'ai acquiescé.

Quelque part à l'étage, nous avons de nouveau entendu Patty s'exclamer :

— Nom de Dieu !

— Elle en fait un peu trop, a chuchoté Jeff, la tête inclinée dans sa direction.

Je savais que s'il appréciait la compagnie de Patty, sa grossièreté le mettait mal à l'aise. Jamais je n'avais entendu Jeff jurer, ni même lâcher un gros mot.

— Elle a une forte personnalité, c'est sûr, ai-je reconnu.

Jeff balayait la cuisine des yeux, non pas fasciné par le désordre, mais perdu dans ses pensées.

— À votre avis, pourquoi est-ce que Syd ne m'aimait pas ? a-t-il soudain lancé.

D'abord déstabilisé par son usage de l'imparfait, j'ai compris qu'il faisait allusion à l'époque où elle avait rompu avec lui.

— C'est faux. Je sais que Syd t'aime bien.

— Mais elle vous a sûrement expliqué pourquoi elle ne voulait plus sortir avec moi.

Je me suis forcé à sourire.

— Il y a visiblement un tas de choses dont Syd ne m'a jamais parlé. Et pas seulement à propos de sa relation avec toi.

— Je veux dire, elle m'apprécie comme copain, je suppose, a continué Jeff en haussant les épaules. Plein de filles m'apprécient comme copain. Patty, par exemple. Mais ça finit par devenir déprimant, au bout d'un moment.

— Tu es un type bien, Jeff. Il faut parfois du temps pour tomber sur la bonne personne.

À son regard, je voyais bien qu'il ne me croyait pas, mais il était trop poli pour discuter.

— Sûrement, oui, a-t-il marmonné.

Il a sifflé son Coca d'une traite.

— J'espère vraiment que Syd reviendra vite, a-t-il ajouté, le regard lourd.

Après avoir marqué une pause, j'ai repris :

— Jeff, tout ce bazar dans ma maison, l'effraction, c'est lié à Sydney. Elle a sûrement des ennuis.

— Mmm.

— Alors, je te pose la question en tant que père : est-ce qu'il s'est produit un événement quelconque qui l'aurait poussée à fuir ? Quelque chose dont tu aurais pu vouloir me parler mais que tu m'as caché jusqu'ici ?

— Je n'en sais rien, vraiment. Comme je disais, on est juste copains maintenant. Avant, peut-être qu'elle m'aurait tenu au courant.

« Si elle ne m'avait pas largué, j'aurais peut-être été capable de vous aider aujourd'hui », semblait-il penser.

— Si la moindre idée te vient à l'esprit..., ai-je insisté, sans m'appesantir.

— Bon, je dois vous laisser. Je passais juste voir comment ça allait. Vous pourrez prévenir Patty que je devais y aller ?

— Bien sûr.

Une minute après le départ de Jeff, Patty est revenue dans la cuisine.

— Où est Jeff ? Il est retourné au cirque ?

— Quoi ?

— Vous savez bien, ces ours dressés à rouler sur de petits vélos ?

— C'est méchant, Patty.

— Oh, je le lui dis en face. Ça le vexe pas. Il sait que je plaisante.

— Ça n'en est pas moins méchant.

Elle a affiché un air candide.

— Hé, c'est un grand garçon. Faut voir ce qu'il balance sur nous. Sur les filles.

— Par exemple ?

— Qu'on est qu'un ramassis d'immondes salopes. Mais lui aussi, il plaisante. Et il est un peu coincé, vous voyez ? Genre, si vous dites « merde » ou « putain » devant lui, il supporte pas, comme s'il était curé ou je ne sais quoi.

— Pourquoi traiterait-il Syd d'immonde salope ?

— Alors que, moi, ça vous surprend pas qu'il m'appelle comme ça ?

J'ai refusé de mordre à l'hameçon.

— Patty, tu pousses le bouchon trop loin. C'est ton truc. Jamais je ne te traiterais de salope, mais une fille qui entre chez les gens en disant « Nom de Dieu » ne devrait pas s'offusquer de l'avis des autres.

Elle a penché la tête sur le côté.

— Continuez.

— Sydney, en revanche, n'a jamais cherché à cultiver ce type d'image, que je sache.

— Cultiver, ouais, a fait Patty.

— Alors pourquoi Jeff dirait ça d'elle ?

Patty a pris le temps de réfléchir.

— À mon avis, comme elle l'a plaqué, Jeff a peut-être pensé que s'il la débinait, depuis le départ, c'est qu'elle n'était pas forcément faite pour lui.

J'ai hoché la tête.

— Ça se tient.

Ensuite, Patty a entrepris de remettre dans le placard des conserves qui restaient sur le plan de travail. Durant les deux heures suivantes, elle a fait le tour de la maison avec moi, m'aidant à nettoyer, me demandant où allait telle ou telle chose, portant les sacs-poubelle dans les containers à l'extérieur. Nous avons travaillé côte à côte, et même si parfois nous nous marchions sur les pieds ou nous cognions, nous avons fini par prendre le rythme. Patty tenait un sac-poubelle ouvert, je le remplissais de cochonneries. Je poussais l'aspirateur, elle dégageait les meubles du passage.

Nous avons fait une pause pour boire un verre d'eau.

— Ce que tu disais l'autre jour, à propos des lecteurs de DVD dans les monospaces comme signe du déclin de la civilisation…

— Ouais ?

— Tu pourrais être sur une piste intéressante.

Patty a souri. Un vrai sourire franc. Qui m'a un peu rappelé celui de Sydney. Je me suis efforcé de ne pas laisser cette pensée gâcher le moment que nous partagions tous les deux.

Puis, apparemment sorti de nulle part, ou alors pas du tout, elle a lâché :

— Mon père était un connard fini.

Je n'ai posé aucune question.

J'ai appelé Laura Cantrell pour l'informer des dernières nouvelles : Syd toujours introuvable, la maison saccagée. « Quel dommage », a-t-elle observé. Une fois débarrassée de cette effusion compassionnelle, elle s'apprêtait à me demander quand j'avais l'intention de revenir travailler, mais j'ai pris les devants en lui annonçant que je rejoindrais l'équipe de l'après-midi, qui commençait à trois heures.

Dans une certaine mesure, retourner travailler était idiot. Le mystère entourant la disparition de Syd s'était épaissi. J'avais le sentiment qu'il fallait continuer à la chercher, mais je ne savais plus quelle direction prendre. Je me sentais dépassé et impuissant.

Or je ne pouvais pas non plus tourner en rond à la maison. Grâce à Patty, le rangement avait sérieusement progressé. Inutile de rester à attendre un coup de fil ou un mail.

J'ai quitté la maison à deux heures et demie. En chemin, j'ai branché l'iPod de Syd sur le tableau de bord de la voiture.

Le seul plaisir de ma vie ces derniers temps était de découvrir la musique qu'aimait ma fille. Éclectique, c'était le moins qu'on puisse dire. Punk, jazz, rock, tubes pop des années soixante et soixante-dix.

Certaines paroles que chantait Janis Joplin m'obsédaient : « Tout n'est pas comme on le croit à dix-sept ans. »

Lorsque ce morceau s'est terminé, quelque chose de totalement inconnu, et moins professionnel, a démarré : d'abord, des effets reverb de guitare, comme si quelqu'un effectuait des réglages pour se préparer à jouer. Puis quelques toussotements, suivis de rires nerveux, ensuite une voix de jeune femme, railleuse :

— Alors, tu la joues ou quoi ?

Syd.

— O.K., O.K., a riposté un jeune homme. Laisse-moi juste une seconde. Je peux caler les voix par-dessus ce qu'il y a sur l'ordinateur.

— Ouais, ça marche, a dit Sydney.

— Voilà, on est bons. Donc, voici une petite chanson de mon cru que j'aimerais chanter à...

Sydney l'a interrompu en répétant avec une intonation basse et moqueuse :

— Voici une petite chanson de mon cru que j'aimerais…

— Tu veux bien la fermer, oui ? a protesté le garçon.

Sydney a étouffé un ricanement.

— Bon, a-t-il continué, alors cette chanson s'appelle « Histoire de cul » et elle est dédiée à Sydney.

Comme elle se mettait à glousser, il a de nouveau lancé :

— Tu vas la fermer, oui ou merde ?

Sur la commande du volant, j'ai monté le volume.

Le garçon n'a braillé que deux vers. Il avait une voix éraillée, un chuchotement rauque à portée limitée.

— *Nos chemins se sont croisés/Et son sourire m'a hypnotisé.*

— O.K., stop, a fait Syd. Je vais gerber. Et je croyais plutôt que tu allais chanter : *Nos chemins se sont croisés/Et j'ai qu'une envie, la baiser.*

Ils riaient tous les deux à présent.

Sydney et Evan Janigan.

20

J'ai failli emboutir une Ford Windstar en faisant demi-tour pour prendre à fond de train la direction de Bob Motors.

L'extrait sur l'iPod n'allait pas plus loin. Une fois le show « Sydney et Evan » terminé, la sélection passait à une nouvelle chanson de *The White Album* des Beatles, « Rocky Raccoon ». J'ai pressé le bouton de retour en arrière, remis la plage précédente, puis appuyé sur « Pause ».

Le CR-V ne se manie pas tout à fait comme une voiture de sport, aussi, lorsqu'il a heurté le trottoir d'accès au parking, j'ai failli perdre le contrôle. Mais j'ai redressé le volant en l'agrippant d'une main ferme, et repéré Evan tout au bout d'une file de véhicules, armé d'une lance de lavage. J'ai accéléré avant de piler devant lui en faisant crisser les freins.

Il m'a regardé à travers les boucles sombres qui barraient son visage, un bras en l'air, l'extrémité de la lance dégoulinante d'eau.

Je suis descendu de voiture en prenant avec moi le petit baladeur vert métallisé. Même si, sans écouteurs, je ne pouvais pas lui faire entendre sa propre chanson, brandir ostensiblement l'appareil suffirait à exprimer mon propos.

Gagné. Dès qu'Evan l'a vu, sa bouche s'est ouverte en grand.

Par-dessus le claquement des fanions multicolores accrochés à des mâts, j'ai lancé :

— Toi et moi devons avoir une petite discussion, Evan.

— C'est quoi, ce merdier ?

Arrivé à sa hauteur, je lui ai pris la lance des mains et l'ai jetée au sol.

— Alors comme ça, Sydney et toi n'étiez pas si proches, hein ? Vous ne faisiez que prendre vos repas à la même table ?

— Je sais pas quel est votre problème, mon vieux, mais je vous rappelle que vous n'êtes pas mon père.

— Non, mais je suis celui de Sydney, et j'exige de savoir ce qui se passait réellement entre vous deux.

Je m'étais encore rapproché, poussant Evan contre une Kia bleue complètement trempée.

— Je vois pas de quoi vous parlez, a-t-il riposté.

— Tim !

C'était Susanne, postée devant le bureau.

— Tim ! a-t-elle de nouveau crié. Qu'est-ce qu'il y a ?

Je l'ai ignorée, fourrant l'iPod sous le nez d'Evan.

— J'ai passé ces derniers jours à écouter la musique de Sydney, et devine sur quoi je suis tombé ? La petite chanson que tu lui as dédiée.

— Et alors ?

— *Et alors* ? C'est tout ce que tu trouves à dire ?

— Tim !

Susanne s'approchait de nous. L'usage de sa canne lui donnait une démarche maladroite et chancelante.

— Susanne ! lui ai-je ordonné. Reste là-bas !

Bob est sorti à son tour du bureau, les yeux plissés à cause du soleil, tâchant de comprendre la raison de tout ce bruit.

— Mon père va vous casser la gueule, a annoncé Evan.

Il essayait de jouer au dur, mais sa voix déraillait, et ses yeux roulaient de gauche à droite, comme s'il cherchait un moyen de s'échapper.

Presque hors d'haleine, Susanne a posé une main sur mon avant-bras pour tenter de m'écarter.

— Tim, mais qu'est-ce que tu fabriques ?

Je me suis libéré en douceur.

— Il m'a dit qu'il adressait à peine la parole à Sydney. Mais j'ai une preuve du contraire, ai-je expliqué en levant le baladeur.

Evan a jeté un regard en biais à Susanne. Elle l'a fixé, puis s'est retournée vers moi.

— De quoi tu parles ?

— Tu dois écouter ça.

— Pas de quoi en faire un plat ! a grogné Evan.

— Qu'est-ce que c'est ? a repris Susanne.

— Il m'a menti sur son degré d'intimité avec Sydney, ai-je poursuivi. Et je me demande sur quoi d'autre il a menti aussi.

Bob est arrivé, légèrement essoufflé.

— Papa, débarrasse-moi de ce connard, a supplié Evan.

Avec bien plus de force que Susanne, Bob m'a saisi le bras et m'a projeté sur une Nissan. J'ai eu le souffle coupé, mais cela ne m'a pas empêché de bondir en avant pour le ceinturer et le plaquer contre la Kia.

— Arrêtez ! a crié Susanne.

— Espèce de salaud ! a rugi Bob en essayant de me balancer un coup de poing. Tu n'as pas pigé le message, quand je t'ai dit de laisser mon fils tranquille ?

Sa droite m'a heurté la tempe, mais elle manquait de puissance. Cela m'a néanmoins rendu assez furieux pour le frapper à l'estomac.

Pendant ce temps, Evan m'avait sauté dessus par-derrière, refermant les bras autour de mes épaules tout en hurlant et cherchant à m'écarter de son père, qui disposait maintenant d'un meilleur angle de tir. Alors que Bob remettait ça, je lui ai flanqué mon genou gauche dans l'entrejambe. Son poing ne m'a jamais atteint. À la place, il a mis ses mains en coque devant son bas-ventre et s'est plié en deux.

— Oh, bon Dieu ! a-t-il gémi.

— Arrêtez ! a de nouveau hurlé Susanne.

Elle avait dû laisser tomber sa canne à un moment donné, et se retenait à une voiture.

J'ai tenté de me débarrasser d'Evan, mais il se cramponnait de toutes ses forces, cherchant à me faire tomber par terre. J'ai pourtant réussi à dégager un coude pour le lui enfoncer dans le ventre. Il a relâché sa prise, et j'ai pivoté sur moi-même, avant de trébucher et de tomber sur la Nissan.

Alors qu'Evan se précipitait de nouveau sur moi, Susanne s'est interposée en criant :

— Ça suffit ! Ça suffit !

L'iPod de Sydney, qui avait volé au cours de la mêlée, gisait par terre. Je l'ai ramassé puis l'ai glissé dans la poche de mon pantalon.

Tout le monde a choisi ce moment pour reprendre sa respiration.

Bob, le visage rouge et bouffi, a essayé de se redresser en prenant appui sur le capot de la Kia. Mais sa main a glissé sur la carrosserie mouillée, et il a perdu l'équilibre.

— Ça va ? lui ai-je demandé.

— Va te faire voir.

Susanne m'a foudroyé du regard.

— Tu es cinglé ? Qu'est-ce qui te prend ?

— Cinglé, voilà ce que vous êtes, a renchéri Evan en me pointant du doigt.

— Il a écrit une chanson pour Sydney, ai je rétorqué à Susanne.

— Quoi ?

— Ils l'ont enregistrée, et elle l'a mise sur son baladeur. Une chanson qu'il lui a dédiée.

Elle s'est tournée vers Evan.

— C'est vrai ?

Il a haussé les épaules sans répondre.

— Je t'ai posé une question. C'est vrai ?

— C'est juste une chanson, a-t-il marmonné.

Bob retrouvait lentement toute sa hauteur, mais on voyait bien qu'il avait toujours mal. Il m'a fixé droit dans les yeux.

— Je jure que je vais te tuer.

— La ferme, Bob, a ordonné Susanne.

Bob et moi en sommes restés comme deux ronds de flan.

— Ton garçon connaissait bien mieux notre fille qu'il ne l'a dit, lui ai-je annoncé.

— Qu'est-ce que tu racontes ?

J'ai sorti l'iPod de ma poche.

— Écoutons ça.

Après avoir remis le contact de ma voiture, j'ai branché le lecteur à la prise audio du tableau de bord.

Lorsque la voix de Syd s'est élevée, le visage de Susanne s'est froissé comme du papier. Je savais ce qu'elle ressentait. Moi non plus, jusqu'à aujourd'hui, je n'avais pas entendu parler ma fille depuis des semaines.

Les voix de Sydney et d'Evan se sont échappées des haut-parleurs, puis Evan a attaqué sa chanson. Sydney a poursuivi avec la blague sur son désir de la baiser.

À la fin, j'ai proposé à la cantonade :

— Quelqu'un veut réécouter ?

Personne ne le souhaitait. En revanche, Evan y est allé de son commentaire :

— Vous voyez ? C'est même pas une chanson entière. Juste deux malheureuses lignes. On déconnait, c'est tout.

— Nom de Dieu, Tim, a enchaîné Bob. C'est ça qui t'a fait perdre les pédales ?

Manifestement, Susanne voyait les choses autrement.

— Pourquoi est-ce que Syd plaisante en disant que tu as envie d'elle ? a-t-elle demandé à Evan.

Soudain écarlate, il a gardé le silence.

— Je te pose une question ! a crié Susanne.

— Suze, a protesté Bob. Ne t'énerve pas.

— Ta gueule.

— Susanne, pour l'amour du ciel, arrête d'écouter ton abruti d'ex-mari. Tu vois pas ce qu'il fait ? Il se sert d'Evan pour tenter de nous éloigner l'un de l'autre. Il veut te récupérer et s'imagine que le meilleur moyen est de te monter contre nous.

— Tu n'es qu'un pauvre crétin, ai-je déclaré à Bob.

Il m'a envoyé son poing dans la figure. Touché à la mâchoire, j'ai trébuché avant de m'effondrer sur le bitume.

Susanne s'est remise à hurler :

— Arrêtez !

Plantée devant Evan, la jambe droite un peu vacillante, elle a baissé la voix, à présent proche du chuchotement.

— Pour la dernière fois, Evan, je veux savoir ce qui se passait entre ma fille et toi.

— On discutait un peu, a-t-il lâché.

— Et quoi d'autre ? Qu'est-ce que vous faisiez d'autre ?

Evan a lancé un regard désespéré à son père.

— Écoute, franchement, rien de grave. On s'entend bien, c'est tout, O.K. ? On aime discuter. Mais pas quand vous êtes là. On se dit que si nos parents savaient qu'on s'appréciait, ça les ferait flipper. Vous auriez imaginé un truc genre inceste, alors que pas du tout.

Les trois adultes présents ont échangé des regards.

— Rien de grave, quoi, a répété Evan.

— Tu as couché avec ma fille ? a carrément demandé Susanne.

En temps normal, c'est quelque chose que j'aurais sans doute voulu savoir également, mais mon inquiétude concernant ma fille dépassait sa vie sexuelle.

— Je rêve, a esquivé Evan. En voilà une foutue question.

— Et si tu y répondais ? a riposté Susanne.

— On a juste… euh, bon, d'accord, on s'est un peu envoyés en l'air.

— Génial, a rugi Bob.

— Ce n'est pas ma sœur, a ajouté Evan. C'est pas parce que papa et toi couchez ensemble que c'est avec ma sœur que je fricote.

Bob l'a attrapé par la peau du cou.

— Espèce d'imbécile. Mais qu'est-ce qui t'a pris ?

— Tu m'as fait emménager dans la même maison qu'elle, lui a crié Evan en pleine figure, comme si tout était la faute de son père – ce dont j'étais plus ou moins d'accord. Tu croyais que j'allais pas la remarquer, ou quoi ?

Après m'être péniblement relevé, je me suis tourné vers Susanne, mais elle évitait mon regard. Alors je me suis adressé à l'adolescent, d'une voix aussi calme que possible.

— Evan, je ne prétendrais pas que je me fiche de ce que Syd et toi fabriquiez. Si les circonstances avaient été différentes, je t'aurais expédié à l'autre bout du parking à coups de pied au derrière.

Bob, peut-être rassuré par la pondération de mon ton, à défaut de mon propos, a relâché son fils.

— Mais la seule chose qui m'intéresse pour l'instant, ai-je continué, c'est de retrouver Sydney. Chacun ici sait maintenant que tu as été pour le moins malhonnête sur la nature de votre relation. Bien. À présent, on veut savoir si tu as été aussi malhonnête sur l'endroit où elle pourrait se trouver.

— Je jure que…

— La ferme, l'ai-je coupé. Si tu n'es pas franc avec moi, là, j'appelle l'inspecteur Jennings et je lui refile le bébé.

— Parole d'honneur, je ne…

— Dis-lui, a ordonné Bob. Dis-lui ce que tu sais.

Tous les yeux étaient braqués sur Evan.

— Pour commencer, elle n'aimait pas son boulot.

— Quel boulot ? ai-je insisté. Elle travaillait où ? Qu'est-ce qu'elle faisait ?

— Elle m'a dit la même chose qu'à vous. Qu'elle travaillait à l'hôtel.

— Et qu'est-ce qui ne lui plaisait pas à l'hôtel ?

— Elle voulait partir, voir si elle pouvait retrouver son job à la concession.

— Quoi d'autre ?

Avant de poursuivre, Evan a dégluti.

— Elle était aussi inquiète pour un autre truc.

Nous avons de nouveau attendu qu'il crache le morceau.

— Elle pensait avoir du retard.

— Du retard ? ai-je répété.

— Oh non, a fait Susanne.

Et puis, elle s'est écroulée.

21

Bob et moi avons hurlé « Suze ! » en même temps. Mais malgré le coup que je lui avais flanqué dans les noix, il s'est jeté à genoux plus vite que moi. Ensuite, il a ôté son blouson pour l'enrouler et le glisser sous la tête de Susanne.

— Ça va ? a-t-il demandé d'un ton pressant. Suze ?

C'était comme si elle s'était tout simplement affaissée. Sa jambe ou sa hanche avait lâché, et elle était tombée, telle une marionnette soudain privée de ses ficelles. Tout juste avait-elle réussi à allonger une main pour amortir le choc de sa tête sur le sol.

Se tournant vers son fils, Bob a aboyé :

— Appelle une ambulance !

Evan paraissait ne pas savoir quelle décision prendre : emprunter un portable à l'un de nous ou courir au bureau. Avant qu'il parvienne à bouger, Susanne a soufflé :

— Non, non, tout va bien.

— Ne bouge pas, lui a recommandé Bob. Qu'est-ce qui s'est passé ? Une des broches a cédé ou quoi ?

Penché sur elle, il a calé sa tête au creux de son bras.

— Ça va, vraiment. J'ai dû glisser, voilà tout. Je ne crois pas m'être cassé autre chose.

J'étais cloué sur place, le regard fixé, non sur Susanne, mais sur Bob. Son attention était entièrement polarisée sur mon ex-femme. Adossé à une voiture, il l'avait maintenant prise dans ses bras.

— Tu es sûre ? a-t-il insisté d'une voix tremblante. C'était une sale chute.

— Oui, a-t-elle murmuré.

Il m'a semblé voir le menton de Bob frémir, comme s'il luttait pour contenir ses émotions.

— Si j'allais chercher de l'eau ? ai-je proposé.

— J'y vais, a décrété Evan, avant de s'élancer.

— J'ai été idiote, a poursuivi Susanne. J'aurais dû garder ma canne.

— Mais non, a répliqué Bob, sans cesser de la bercer. Ça faisait trop d'un coup, c'est tout.

J'ai ramassé la canne et l'ai tendue à Bob. À son intention autant qu'à celle de Susanne, j'ai déclaré :

— Je suis désolé. J'ai un peu semé la pagaille.

— Tu n'y es pour rien, a pesté Susanne. Ma jambe a lâché, c'est aussi simple que ça. Vous pourriez peut-être cesser vos chamailleries, tous les deux, et m'aider à me relever.

Nous avons obéi. À peine l'avions-nous remise debout qu'Evan arrivait en décapsulant une bouteille d'eau pour Susanne, qui en a bu une gorgée.

— Merci.

Puis elle a empoigné la canne et testé son équilibre.

— Bon, tout va bien.

Un moment de silence s'est écoulé, après quoi Susanne s'est tournée vers Evan.

— Nous n'en avons pas terminé. Je t'écoute.

Moi aussi, je voulais entendre ce qu'il avait à dire à propos de sa dernière remarque, selon laquelle Syd s'inquiétait d'un éventuel « retard ».

Evan gardait la tête basse avec un air de chien battu.

— C'est arrivé une seule fois.

— Une fois suffit, a riposté Bob.

— Mais deux trois jours avant qu'elle disparaisse, a continué Evan, elle est allée acheter un de ces kits pour savoir si elle était tombée enceinte.

— Un test de grossesse, a précisé Susanne, la voix tendue.

— Ouais, c'est ça.

— Et il a indiqué quoi, ce test ?

— Je crois qu'il était positif.

— Oh, Seigneur, a soupiré Susanne.

— Ou négatif, a ajouté Evan. C'est lequel, quand on n'est pas enceinte ?

— Négatif.

— Tu es sûre ? Je pensais que c'était positif de ne pas être enceinte.

Susanne lui a lancé un regard furieux.

— Alors, elle était enceinte ou pas ?

— Je ne sais pas exactement. J'étais pas avec elle quand elle a fait le test. Il faut aller à la salle de bains et pisser sur le…

— Je sais comment ça marche, a coupé Susanne.

— Bref, elle l'a fait et après elle m'a dit que tout allait bien, de ne pas m'inquiéter. Je lui ai demandé : « Tu ne vas pas avoir de bébé ? » et elle a répété de pas m'inquiéter.

— Mais est-ce qu'elle a dit de façon claire qu'elle n'était pas enceinte ?

Evan a vaguement haussé les épaules.

— Je pense qu'elle le sous-entendait. J'ai pas trop insisté, tu comprends ? Au cas où elle m'annoncerait un truc que je n'avais pas envie d'entendre.

Susanne et moi avons échangé un regard. Ce n'était pas le genre d'affaires sur laquelle on émettait des hypothèses à la légère.

— Et c'était quand ? ai-je lancé.

— Juste avant qu'elle s'installe chez vous pour l'été.

— Ça s'est passé où ? a enchaîné Susanne.

Evan a continué à fixer le sol.

— Chez papa. Vous étiez tous les deux ici, ce soir-là.

— Tu fais quand même un sacré zigoto, a constaté Bob. On accueille Susanne et sa fille à la maison, et voilà comment tu te comportes ?

Je suis intervenu.

— Attends, ne nous égarons pas. Plus tard, on pourra avoir une discussion générale sur ce qu'ont fait Sydney et Evan, mais ce qui compte maintenant, c'est de trouver Syd. Quand on l'aura ramenée, qu'on sera sûrs qu'elle est saine et sauve, il sera toujours temps pour les sermons.

Chacun a semblé d'accord, du moins parmi les adultes. J'ai inspiré à fond, deux ou trois fois de suite, avant de m'adresser de nouveau à Evan.

— Revenons à cette histoire de job. Pourquoi ne lui plaisait-il pas ?

— Comme j'ai dit, elle n'est pas vraiment entrée dans les détails. Elle a juste expliqué que ça la rendait triste. Que là-bas, plein de gens refusaient de lui parler. Comme s'ils avaient la trouille en permanence. C'était louche.

— La trouille ? a répété Susanne. Louche ?

Evan a encore haussé les épaules.

— J'en sais rien. C'est ce qu'elle racontait. Elle n'aimait pas trop parler de son boulot quand on était tous les deux. C'est pas comme si on passait tout notre temps ensemble. Tout le monde a des tas de trucs à faire.

— Justement, tu fais quoi, toi ? a riposté Susanne. Quand tu t'enfermes seul dans ta chambre ?

— Allez, Suze, a protesté Bob.

— J'aimerais savoir aussi, ai-je indiqué.

— Tu as déjà reconnu avoir couché avec ma fille, a poursuivi Susanne. Alors autant nous avouer le reste. Pourquoi ne pas commencer par le vol, par exemple ?

— Susanne, il t'a dit qu'il n'avait rien fait, a objecté Bob.

Mais elle ne lui accordait aucune attention, les yeux toujours rivés sur Evan.

Celui-ci s'est tourné vers son père.

— En fait, je t'avais demandé si tu pouvais me dépanner.

— Qu'est-ce que tu me chantes ?

— Je t'ai expliqué que j'avais besoin d'argent.

— Je t'en ai donné, pour avoir bossé un peu ici.

— Je veux dire, plus d'argent que ça.

— Ah oui, je me souviens, a admis Bob. Et j'ai refusé.

— Eh bien, j'avais besoin de liquide.

— Alors tu en as pris dans mon sac, dans la caisse du bureau, et tu as volé ma montre, a complété Susanne.

Pour quelqu'un qui venait de faire un malaise, elle était sacrément remontée.

— Mais je l'ai retirée du mont-de-piété dès que j'ai eu une bonne phase, a plaidé Evan, comme si cela le blanchissait.

— Une bonne phase ? Une bonne phase de quoi ?

Comprenant qu'il venait de commettre une bourde, Evan m'a décoché un regard en coin.

— Une phase de chance ? ai-je alors hasardé.

— Voilà.

Susanne, subodorant que j'avais deviné quelque chose, a voulu en savoir plus.

— C'est-à-dire ?

— Il joue. Il joue en ligne. N'est-ce pas ?

— De temps en temps seulement, a tempéré Evan. Juste pour m'amuser.

— Donc tu voles de l'argent pour régler tes factures de carte de crédit, ai-je conclu.

Evan n'a pas répondu. Son père a mis son grain de sel.

— Je t'ai donné une carte de crédit pour les urgences, pas pour jouer au poker sur Internet.

— Tu dois combien ? ai-je lancé.

— Bof, mille dollars, à peu près.

— À peu près ? a repris Bob.

— Dans les quatre mille, a marmonné Evan.

— Bonté divine, je rêve ! s'est exclamé Bob.

— Evan, ai-je demandé, est-ce que tu as volé de l'argent chez moi ?

Il a vigoureusement secoué la tête.

— Jamais, juré craché. Je n'ai jamais rien pris chez vous. Mais... j'ai un peu emprunté à des potes.

— En plus des quatre mille de ta Visa ? s'est étranglé Bob.

Piteux, Evan a acquiescé avant de lâcher :

— Dans les six cents.

Lui excepté, chacun de nous a décliné une réaction identique, levant les yeux au ciel, l'air chagriné, avec une même pensée : « Les bêtises des gamins n'ont-elles donc aucune limite ? »

Puis Susanne s'est tournée vers moi.

— Je peux te parler une minute ?

Nous avons fait quelques pas en direction du bureau.

— Cette histoire de dettes de jeu, c'est l'affaire de Bob, pas la nôtre, a-t-elle déclaré tout en s'appuyant sur mon bras.

Pas sûr. Je me demandais si la disparition de Sydney pouvait, d'une manière ou d'une autre, avoir un rapport avec les problèmes financiers d'Evan. Mais j'ai laissé Susanne continuer.

— Elle est peut-être partie parce qu'elle est enceinte. Elle avait peur de nous mettre au courant et s'est enfuie pour avoir le bébé.

Je n'y croyais pas, bien que, dans une certaine mesure, apprendre que c'était la raison de sa disparition eût été un soulagement. Au moins, cela voudrait dire qu'il ne lui était rien arrivé de mal. Qu'elle était vivante. J'étais capable d'accueillir à bras ouverts le retour d'une fille enceinte, pourvu qu'il y ait une fille à accueillir.

Et pourtant.

— Pourquoi se sauver maintenant, dans ce cas ? ai-je objecté. Si elle est enceinte, elle n'est qu'au début de sa grossesse. Donc elle va être partie huit mois ? En admettant qu'elle se soit enfuie pour avoir un bébé, pourquoi ne pas attendre encore un peu ?

— Je sais. Alors elle est peut-être partie pour régler le problème. Se faire avorter.

— Ça fait des semaines qu'elle a disparu, Suze. Combien de temps ça lui prendrait ? Et tu ne crois pas que, même terrorisée, même gênée, elle n'aurait pas fini par rassembler son courage et réclamer notre aide ? Pour une chose pareille, elle ne serait pas venue te trouver, à défaut de moi ?

Les yeux de Susanne ont commencé à s'emplir de larmes.

— Peut-être que non, si elle m'en voulait. Parce qu'on a emménagé chez Bob et Evan. Elle se dirait que c'est ma faute, si elle est enceinte.

Je pensais que ce n'était pas entièrement faux, mais je l'ai gardé pour moi.

— Cela n'explique pas d'autres choses. Ce van qui surveille votre domicile, par exemple. La voiture abandonnée de Syd. Ou le piège pour m'envoyer à Seattle. La mise à sac de ma maison.

Susanne a secoué la tête avec lassitude.

— Le van, c'est probablement juste mon imagination. À force d'être aussi tendue, je vois des trucs qui n'existent pas, tu comprends ?

— Peut-être.

— Et il se peut que ce soit des gamins qui sont entrés chez toi. Du vandalisme banal et idiot.

Je n'ai pas pris la peine de mentionner le téléphone ramassé devant la maison, ni comment cette découverte resserrait le lien entre tous ces éléments.

— Quant à cette histoire de Seattle, a-t-elle poursuivi, ce n'était sans doute qu'une mauvaise blague. Tu sais que les tarés ne manquent pas. Quelqu'un a pu tomber sur le site et avoir envie de te jouer un sale tour.

Comme ce serait réconfortant de croire ce que Susanne voulait croire, à savoir que notre fille se trouvait quelque part, enceinte mais hors de danger, attendant simplement le moment propice pour rentrer à la maison.

— Je pourrais demander à l'inspecteur Jennings de vérifier les centres de planning familial, les cliniques d'avortement, ce genre d'endroit. Au cas où quelqu'un y aurait vu Sydney.

Susanne a hoché la tête en reniflant.

— D'accord.

— Ça vaut le coup d'essayer.

— Excusez-moi.

C'était Bob, flanqué d'un Evan penaud. Susanne et moi les avons dévisagés tous les deux sans un mot.

— Evan aimerait vous dire quelque chose, a ajouté Bob.

Evan s'est éclairci la gorge avant d'articuler :

— Je suis désolé.

Son père a opiné plusieurs fois en souriant. Susanne et moi avons échangé un regard.

— Eh bien, c'est formidable, ai-je déclaré. Tout baigne maintenant, pas vrai ?

22

J'ai laissé un message à Kip Jennings en allant à Riverside Honda, où je suis entré peu après trois heures. Une fois derrière mon bureau, j'ai allumé l'ordinateur. Fidèle à ma routine des dernières semaines, j'ai vérifié l'arrivée d'éventuelles infos à propos de Syd sur son site. N'en trouvant aucune, je suis passé à ma boîte vocale professionnelle. Trois personnes voulaient savoir combien elles pourraient tirer de leurs véhicules d'occasion. J'ai relevé chaque numéro afin de les rappeler.

Le problème, c'est qu'il me fallait tout de même gagner ma vie. J'avais des factures à payer, à commencer par un aller-retour à Seattle.

Dans le box voisin, la tête penchée, Andy Hertz inscrivait des chiffres sur un carnet jaune.

— Salut, Andy.

Cela ne lui ressemblait pas de se montrer impoli.

— Hé, a-t-il répliqué en relevant le nez. Bon retour parmi nous.

— Quoi de neuf ?

— Pas grand-chose.

— Tu as vendu des voitures ?

— Bof, a répondu Andy. Ton idée de contacter les gens qui cherchent à bazarder leurs véhicules n'a rien donné.

Puis la mémoire lui est revenue.

— Tu as trouvé Sydney ?

— Non.

Je suis retourné à mon bureau, incapable de penser à autre chose qu'à ma fille. Mais ayant déjà réussi auparavant à exécuter mécaniquement des tâches alors qu'elle occupait tout mon esprit, je m'y suis mis. J'ai ressorti mon inventaire de pistes récentes – des personnes qui avaient essayé des modèles, demandé des brochures, fait des offres modiques et étaient reparties. Après une profonde inspiration, j'ai commencé à composer les numéros.

Si ça ne répondait pas, je ne laissais pas de message. Les chances qu'on rappelle un vendeur de voitures étaient sensiblement les mêmes que de gagner l'Indy 500[1] en Prius. Il fallait avoir les gens directement au bout du fil.

Un riche agent de change de Stamford m'a informé qu'il se tâtait encore pour acheter ou non la Honda S2000 sur laquelle il salivait depuis des semaines. Je l'ai mis sur la liste À RELANCER. Un couple âgé de Derby avait changé d'avis et résolu de ne plus acheter de voiture, maintenant qu'on avait diagnostiqué une cataracte au mari.

Puis j'arrivais à Lorna et à Dell. Le couple qui avait étudié absolument tous les véhicules du marché sans parvenir à fixer leur choix sur aucun. Leur indécision m'avait rendu quasi cinglé, mais certaines ventes réclamaient plus d'efforts que d'autres.

D'un coup d'œil à la pendule, j'ai vu qu'il était quatre heures passées. Autant tenter le coup. Lorna risquait d'être rentrée de l'école où elle enseignait.

En effet, elle a décroché.

— Allô ?

J'ai adopté ma voix de vendeur de voitures, qui n'est pas éloignée de ma voix habituelle, mais plus sirupeuse.

— Bonjour, Lorna. Tim Blake, de Riverside Honda.

— Oh, comment allez-vous aujourd'hui ?

— Très bien, merci. Et vous ?

— Impeccable. On adore la voiture.

---

1. Célèbre course automobile qui se tient chaque année depuis 1911 à Indianapolis.

J'ai failli lui demander de répéter, mais j'ai réussi à rester calme.

— Tant mieux. J'ai été absent quelques jours, comme vous savez. Qu'est-ce que vous avez acheté, pour finir ?

— Un Pilot, a répondu Lorna. On a passé tout ce temps à regarder des berlines, et puis on s'est dit qu'on aurait peut-être besoin d'un peu plus de place. Vous vous sentez mieux ?

Apparemment, j'avais été malade.

— Oui, beaucoup mieux. J'espère qu'on s'est bien occupé de vous durant mon absence ?

— Oh oui. Comme on vous cherchait, cet adorable Andy nous a pris en main.

— Formidable. N'hésitez pas à passer faire un petit coucou quand vous viendrez pour la révision.

Et j'ai raccroché.

Voici comment c'est censé fonctionner : si un client avec qui vous êtes en négociation depuis un moment se décide enfin à acheter, et se présente pendant que vous êtes en congé, le vendeur qui le prend en charge partage la commission avec vous. Enfin, à condition que ce ne soit pas un enfoiré.

Passant la tête de l'autre côté de la cloison, j'ai lancé à Andy :

— Dis donc, tu ne voudrais pas boire un café et prendre l'air, vite fait ?

Il a levé les yeux, un peu crispé.

— Maintenant ?

— Oui. Un petit café me ferait du bien avant de continuer mes coups de fil.

Après être allés remplir un gobelet à la cafetière collective, nous sommes sortis derrière le bâtiment, où les grands chênes d'une propriété voisine diffusaient une ombre agréable.

— Beau temps, a observé Andy.

— Oh oui, ai-je répliqué en buvant une gorgée de café brûlant.

— Laura cherchait vraiment la bagarre ces jours-ci. Elle a mis la pression à tout le monde pour que les chiffres augmentent. Mais parfois, les affaires tournent simplement au ralenti. Qu'est-ce qu'on peut y faire, hein ?

— Rien, hélas. Ça arrive.

— Eh oui, a-t-il renchéri, comme si nous étions juste deux potes en train de bavarder de choses et d'autres.

— Alors, tu m'en parles ou pas ?

— Mmm ? a fait Andy.

— Tu vas me parler du Pilot que tu as vendu à Lorna et à Dell ?

Andy a lâché un rire nerveux.

— Ah ? Bien sûr, j'allais le faire.

— Vraiment ? Pourtant, tu paraissais l'avoir oublié quand je t'ai demandé comment ça s'était passé en mon absence.

— Ça m'était sorti de l'esprit, c'est tout. T'inquiète pas, je vais partager la commission avec toi.

— Écoute-moi bien, Andy. Tu es encore relativement récent dans la boîte, donc je vais te faire une fleur aujourd'hui, mais si jamais tu t'avises de me refaire un coup pareil, je te claque un capot de bagnole sur la main.

— O.K., O.K., promis. Ça ne se reproduira plus. Tu vas me dénoncer à Laura ?

— Non. Laura est directrice commerciale. Elle se contrefiche de qui touche les commissions tant que les voitures sont vendues. Elle nous laisserait régler ça nous-mêmes, et c'est ce que je fais en ce moment. Compris ?

— Compte sur moi.

J'ai jeté mon gobelet encore plein dans un vieux bidon qui servait de poubelle et je suis retourné à l'intérieur. Un homme traînait autour de mon bureau. Alors que je pénétrais dans le showroom, la fille de la réception a attiré mon attention :

— Ce monsieur a demandé à te parler.

Plutôt svelte, il avait la trentaine, des cheveux blond-roux, des vêtements chic. Je me suis approché, la main tendue.

— Tim Blake. Vous me cherchiez ?

Il a acquiescé en me serrant la main.

— Eric Downes. J'ai eu votre nom par un gars avec qui je travaille et qui vous a acheté une voiture, il y a quelques années.

— Qui ça ?

— Daniel quelque chose… Je ne connais pas son nom de famille, a-t-il ajouté avec un rire emprunté. Ignorer le nom de famille d'un collègue, tout de même !

Deux ou trois Daniel me revenaient spontanément à l'esprit, mais peu importe celui dont il s'agissait.

— Ce n'est pas grave. Qu'est-ce que je peux pour vous ?

— Je songeais sérieusement à un coupé Civic.

— Le coupé ordinaire, ou la version Si ?
— Oh, la Si.
— Jolie voiture, ai-je enchaîné. Boîte manuelle six rapports, cent quatre-vingt-dix-sept chevaux, jantes en alliage. Elle est puissante, tout en ayant une consommation raisonnable.
— Eh oui, tout le monde pense à ça, aujourd'hui. J'ai potassé le descriptif en ligne, observé celles qui passaient dans les rues, mais c'est la première fois que je viens dans une concession. À vrai dire, j'ai aussi regardé la Mini, et une GTI. La Volkswagen. Mais j'ai d'abord eu envie de tester la Si. Vous en avez une en stock ?
— Pas dans le hall, mais j'en ai une en démo sur le parking.
— En fait, ce que j'aimerais vraiment, c'est en essayer une. Il faut d'abord que je dépose une caution, pour ce genre de choses ?
— Non, bien sûr que non. Je peux vous arranger un petit tour, si vous voulez. J'ai juste besoin d'une copie de votre permis de conduire, ensuite je vous accompagnerai avec plaisir pour vous montrer les particularités de la voiture.
Non qu'Eric Downes puisse charger du fumier dans une Civic Si. Mais je n'allais pas commettre deux fois la même erreur.
Il a consulté sa montre, comme s'il avait rendez-vous, puis a haussé les épaules avant de dire :
— Et puis zut, après tout. Allons-y.
Pendant que je faisais le nécessaire pour qu'un de nos employés saisonniers conduise le coupé en démo devant la porte, j'ai vu Andy entrer furtivement et se glisser dans son siège, sans lever les

yeux. Ce n'était pas un mauvais gars. Il lui restait simplement beaucoup de choses à apprendre. À moins, bien entendu, que son ambition soit de devenir un faux derche. Dans ce cas, il avait un train d'avance.

Shannon, la réceptionniste, a photocopié le permis d'Eric Downes et j'ai rendu l'original à son propriétaire, qui étudiait d'autres modèles de voitures exposés dehors. Deux minutes plus tard, la Civic Si rouge arrivait.

— Qu'est-ce que vous conduisez pour le moment ? ai-je demandé.

— Une Mazda. J'ai eu de la veine avec, mais là, j'ai envie de changer.

— Vous voudriez qu'on vous la reprenne ?

— En fait, j'arrive en fin de leasing, a-t-il objecté.

J'ai entamé mon petit laïus.

— On appelle cette couleur le rouge rallye.

Après lui avoir désigné quelques particularités extérieures de la Honda, le becquet arrière, l'insigne Si, j'ai ouvert la portière, invitant Eric à s'installer derrière le volant. Puis je l'ai rejoint sur le siège voisin.

— Pas mal, a-t-il commenté en caressant le volant gainé de cuir.

Ensuite je lui ai signalé le système de navigation et le dispositif audio, les traversins latéraux des sièges baquets type voiture de course.

— Démarrez-la maintenant.

Il a mis le moteur en route, donné deux ou trois coups d'accélérateur pour écouter les montées en régime, débrayé puis manipulé le levier de vitesse pour se faire une idée de leur position.

— Je peux fumer là-dedans ? a-t-il dit, prêt à piocher une cigarette dans sa poche.

— Une fois qu'elle vous appartiendra, ai-je répondu en souriant. Mais pour l'instant, non, si vous voulez bien.

— Pas de problème.

— Allons dans cette direction, ai-je proposé en pointant la droite. Ensuite on prendra l'autoroute, histoire de voir ce qu'elle vaut sur voie rapide.

J'ai allumé l'écran de navigation afin de suivre nos déplacements.

— Vous avez déjà eu une voiture avec un de ces gadgets intégrés au tableau de bord ?

— Ouaip, a fait Eric.

Il n'avait pas l'air très impressionné.

Pendant qu'il attendait une brèche dans la circulation, j'ai regardé par hasard le parking inoccupé de l'autre côté de la rue. D'ordinaire, il était vide, ce qui explique sans doute pourquoi le van Chrysler bleu foncé aux vitres teintées qui s'y trouvait a attiré mon attention. Mais j'ai bien vite cessé d'y penser. Rien qu'à Milford, il en circule quelques milliers.

Eric a passé la première et s'est engagé sur la nationale 1. Toutefois, au lieu de prendre à droite comme je l'avais suggéré, il a tourné à gauche, en faisant hurler les pneus. C'est une des premières choses que l'on apprend dans la vente de voitures : les itinéraires d'essais de conduite comportent le moins de virages à gauche possible. Pas question qu'une personne non familiarisée avec le véhicule coupe la file qui vient en sens inverse. Le risque double quand il s'agit d'une voiture à levier de vitesse au lieu d'une automatique.

— Non, ai-je protesté. Je pensais que nous...

— J'ai envie d'aller par là.

Eric a écrasé l'accélérateur et poussé les vitesses jusqu'à la sixième, zigzaguant d'une file à l'autre, dépassant en trombe des automobilistes à la conduite plus conventionnelle. D'un coup d'œil à l'affichage digital du tableau de bord, j'ai constaté que la voiture flirtait avec les cent kilomètres-heure.

— Eric, je sais que cette voiture dépote un maximum et qu'on n'a pas l'impression de rouler aussi vite que vous le faites, mais à mon avis, vous devriez lever un peu le pied avant qu'on récolte une amende, ou pire.

Eric m'a jeté un regard en coin accompagné d'un bref sourire, mais qui n'avait rien de chaleureux.

— Pourquoi ne profitez-vous pas de la balade pour vous détendre, a-t-il rétorqué, et me dire où peut bien se trouver votre satanée fille ?

23

Comme je restais muet, trop abasourdi pour réagir, Eric a repris la parole :

— Elle est agréable à conduire, je vous l'accorde. On n'attendrait pas ça d'une Civic, du moins pas moi. J'aime bien son toucher de route, la sensation au volant. Certaines bagnoles ont une direction molle, vous ne trouvez pas ? Moi j'aime avoir l'impression de faire corps avec la voiture, vous voyez ce que je veux dire ?

Il m'a lancé un nouveau coup d'œil.

— Hé ? Vous me suivez ?

— Qui êtes-vous ? ai-je fini par articuler, cramponné à la poignée en alu brossé de la portière.

Mon cœur, qui s'était déjà emballé lorsque Eric avait appuyé sur le champignon, cognait à présent comme un sourd.

Nouveau sourire.

— Je suis Eric.

— Qu'est-il arrivé à Sydney ?

— Coucou ? Timmy, mon vieux, vous avez entendu ce que je vous ai demandé il y a deux secondes ? Je *vous* ai demandé de *me* dire où est votre fille.

— Je l'ignore totalement.

— Devinez quoi ? J'ai tendance à le croire, a répliqué Eric. Nous avons vu votre site Web, et savons que vous la cherchez. Et nous vous avons surveillé, ainsi que la maison de votre femme, mais sans repérer votre fille. Peau de balle et balai de crin. Alors j'ai pensé à vous poser la question directement, à vous donner une chance de nous dire où elle se trouve avant que nous envisagions d'autres plans d'action.

— Qui ça, « nous » ?

Sans répondre, il a rétrogradé, tourné brutalement à gauche en passant à l'orange, puis accéléré à fond dans une rue résidentielle. Nous roulions toujours à cent kilomètres-heure mais cette fois dans une zone limitée à cinquante.

— Quel type de suspensions a ce joujou ?

— Quel type d'ennuis a Sydney ? ai-je riposté.

— Un sacré paquet d'ennuis. Elle est dans la merde jusqu'au cou, vous comprenez ?

— Expliquez-moi. Expliquez-moi le problème. Si je peux le régler, vous satisfaire, ma fille rentrera à la maison et on pourra oublier tout ça. S'il s'agit d'argent, dites-moi juste combien et je m'en occuperai.

— Vous voulez faire de moi un client heureux, c'est ça l'idée ? Je vous apprends ce que votre fille a fait, et vous me mettez un traitement antirouille gratuit en prime ?

Tout en rigolant, il a évité d'un violent coup de volant une voiture stationnée. J'ai agrippé plus fort la poignée et enfoncé par réflexe le pied droit dans le tapis de sol, sur une pédale de frein imaginaire. La crosse d'un revolver dépassait de la poche intérieure de sa veste.

— Est-ce que vous savez si Sydney va bien ? ai-je demandé. Elle a été en contact avec vous ?

Parvenu à une autre petite rue, Eric a freiné et viré si brusquement à droite que la voiture a failli faire un tête-à-queue. Il me jetait un bref regard toutes les cinq secondes, mais gardait la plupart du temps les yeux sur la route.

— Je crois que vous ne saisissez toujours pas, a-t-il rétorqué. Nous n'avons aucune nouvelle de votre fille. Sinon, on aurait pu goupiller quelque chose, arriver à une sorte d'arrangement avec elle, vous voyez ? Ce qui va devenir très difficile si vous n'êtes pas en mesure de me dire où elle est. Parce que nous ne demandons qu'à tirer un trait sur cette affaire.

— Quelle affaire ?

Eric a soupiré.

— Vous voulez mon avis ? Je pense que vous ne vous êtes pas donné assez de mal. Si elle avait été ma fille, je l'aurais cherchée vingt-quatre heures sur vingt-quatre, au lieu de rester là, à essayer de vendre des bagnoles japonaises avec ma veste à carreaux, mes cheveux bien lissés en arrière, ma petite ceinture bien ajustée.

Pourquoi employait-il le passé ? Pourquoi parlait-il comme si mes recherches étaient terminées ?

— Quelle sorte de père à la con vous avez été, de toute façon ? a-t-il ajouté.

— Pourriture !

Malgré la clim qui me soufflait en pleine figure, je bouillais de rage. Si ce type n'avait pas été assis derrière le volant, je l'aurais empoigné par le cou.

Eric m'a coulé un nouveau regard avant de le ramener devant lui. Puis, sans quitter la route des yeux, il m'a balancé à une vitesse fulgurante le revers de sa main sur le nez.

La douleur a été instantanée, et foudroyante. La plupart des gens traversent leur vie sans jamais recevoir de coup de poing dans le nez, et jusqu'à maintenant, j'en faisais partie. J'ai hurlé avant de porter les mains à mon visage. Du sang coulait.

— Essayez de ne pas en mettre sur le siège, a raillé Eric. Pas question que j'achète cette voiture s'il est taché.

— Espèce de salaud !

Le sang gouttait sur mon pantalon tandis que je cherchais dans ma poche de quoi éponger mon nez.

— Restez poli, Timmy, sinon je risque de ne pas acheter cette bagnole. Dites-moi, elle est fournie avec une garantie correcte, ou il faut acheter une de ces prolongations d'assurance à la noix ? Parce que personnellement, je trouve que c'est une vaste escroquerie.

J'ai fermé un instant les yeux en grimaçant de douleur. Ensuite, tout larmoyant, j'ai étudié l'écran de navigation. Nous traversions Stratford en direction du nord et de la route Merritt Parkway. Eric a sorti une cigarette, l'a glissée entre ses lèvres avant de l'allumer avec un briquet en argent.

— Je sais à quoi vous pensez, a-t-il poursuivi en recrachant la fumée. À tenter d'attraper le volant, par exemple, pour montrer que vous êtes un coriace, pour jouer les héros, ce genre de choses. Eh bien, je suis plus fort que vous à ces conneries. Vous passez vos journées assis dans votre petite concession, à distribuer des brochures, à remplir des formulaires, à essayer de convaincre des gens d'acheter des options dont ils n'ont pas besoin, et vous ne tombez sûrement pas sur un type comme moi tous les jours. Quelqu'un qui peut vous amocher vraiment salement, mon vieux.

Et le hic, c'est que je ne suis pas tout seul. Nous sommes tout un tas de mecs. Alors n'entreprenez rien de stupide. Si vous faites une bêtise, vous mettrez non seulement votre vie en péril, mais aussi celle de votre fille, pigé ?

J'ai tamponné mon nez avec un mouchoir en papier.

— Ouais.

— En fait, il est temps de changer d'approche. D'y aller plus direct, plus franco. Le plan Seattle était une bonne idée sur le moment, a-t-il observé avec un sourire, mais depuis, les choses se sont accélérées, vous voyez ce que je veux dire ?

Pour tout commentaire, je l'ai regardé en coin.

— Je peux vous poser une question ? a-t-il repris. Une question sérieuse ? Est-ce que les flics ont trouvé cette coke, au moins ?

Comme j'acquiesçais lentement, il s'est claqué la cuisse en pouffant.

— J'ai gagné le pari. Les autres disaient que non, qu'elle était trop bien cachée, mais j'ai répondu : « Putain, si on la pose sur la table, quel flic va croire qu'aucun des vandales qui ont mis en pièces la maison n'est tombé dessus ? » Vous me suivez ?

— Oui.

— J'ai une autre question : comment ça se fait que vous vous baladez comme ça ? Pourquoi les flics ne vous ont pas arrêté ?

— Ils n'ont pas gobé le truc.

— Merde, a-t-il lâché en cognant le volant.

Durant quelques instants, il a secoué la tête avec colère, puis a paru se résigner.

— Pourquoi avez-vous planqué de la cocaïne chez moi ?

— Franchement ? Le coup de la coke est venu après. On voulait surtout vous faire quitter la ville un moment, se débarrasser de vous. Gagner du temps. Peut-être que votre gamine se pointerait durant votre absence. Négocier avec elle serait bien plus facile si son papa n'était pas là pour la protéger. Et puis, j'ai eu comme une inspiration. J'ai imaginé de mettre votre maison à sac, y planquer de la coke. J'ai pensé qu'à votre retour, vous vous seriez retrouvé avec un tas de problèmes à gérer, dont celui de devoir expliquer à la police la présence de cette came chez vous.

Sa colère est revenue.

— Sales abrutis de flics ! On leur a tout préparé sur un plateau d'argent ! La maison saccagée comme si quelqu'un l'avait fouillée à la recherche de quelque chose, les poulets tombent sur la coke, commencent à vous mettre la pression. C'était simple, non ? J'arrive pas à croire qu'ils soient si cons !

— Ils auraient été moins cons s'ils avaient marché ?

— Ça me fout complètement en l'air, a-t-il fulminé. J'étais de bonne humeur jusqu'à maintenant.

— Pourquoi vouloir vous débarrasser de moi, me faire arrêter par la police ? Qu'est-ce que je vous ai fait ?

— Vous ne lâchiez pas le morceau. Toujours à aller ici et là, à bassiner tout le monde avec vos questions, à chercher votre môme. Vous êtes une source d'emmerdes en puissance. Un sacré boulet, a-t-il ajouté en frappant encore le volant. Au fait, vous n'auriez pas trouvé un téléphone, par hasard ? Il pourrait avoir glissé de la poche de quelqu'un.

— Si.

Il a ricané.

— Bof, pas très grave. On n'en a plus besoin.

Nous avions atteint la Merritt Parkway, dont Eric a pris la bretelle d'accès, avant d'accélérer et de lancer la Civic dans la circulation.

— Voyons comment ce joujou va se comporter. Ça monte à combien ?

Je réfléchissais tout en continuant de tamponner mon nez.

— Hé ? a fait Eric. Je parie que je sais ce qui vous trotte dans la tête.

Sans rien dire, je l'ai regardé en biais.

— Vous vous demandez pourquoi votre fille ne vous a pas contacté, ni même les flics. Je me trompe ?

— Possible, ai-je admis au bout d'un moment.

— Le fait est que, selon moi, votre fille n'a pas grand intérêt à parler à la police, a-t-il poursuivi.

— Comment ça ?

— Si vous voulez mon avis, le plus malin pour elle serait de prétendre que rien de ceci n'est arrivé.

— Je ne comprends pas.

— Je m'en doute.

— Qu'est-ce que vous attendez de ma fille ? Qu'est-ce qu'elle a fait ?

— Ce n'est pas le petit ange que vous croyez. Ça, il faut que vous le compreniez.

Je n'étais pas certain de vouloir en savoir plus. Il le fallait pourtant.

— Qu'a-t-elle fait ? Elle vous a volé quelque chose ?

— Oh, Timmy, si seulement il s'agissait de ça, vous ne pensez pas qu'elle vous aurait déjà contacté ?

Je n'ai rien répondu.

— Je veux dire, elle doit péter de trouille. Entre autres. Mais d'après moi, elle a honte.

Durant un kilomètre ou deux, aucun de nous n'a desserré les dents. J'ai épongé encore un peu de sang.

C'est Eric qui a brisé le silence.

— On va prendre la prochaine sortie, se dégoter un chouette endroit dans les bois pour continuer notre petite discussion. En fait, j'ai eu une autre inspiration en venant vous voir aujourd'hui, une idée au cas où vous ne sauriez pas où se trouve votre fille. J'ai imaginé créer une sorte d'événement qui devrait la convaincre de rentrer à la maison. Du coup on n'aura même pas à la chercher. Il nous suffira d'attendre qu'elle se montre. Vous me suivez ?

— Non.

— Vous connaissez ce bouquin ? Celui qui conseille de se fier à son instinct ? Comme quoi suivre l'idée qui vient subitement est en général un meilleur plan que celui sur lequel on réfléchit depuis des mois et des mois ? Vous l'avez lu ?

— Oui.

— Eh bien, c'est ce qui m'est arrivé. Un de ces moments de lucidité où on se dit : « Bon sang, mais c'est bien sûr ! » Parfois, vous savez, les idées les plus simples sont les meilleures.

— Je ne vois toujours pas où vous voulez en venir.

Avec un grand sourire, Eric a jeté sa cigarette par la fenêtre.

— Si vous étiez une petite fugueuse, vous ne rentreriez pas à la maison pour l'enterrement de votre papa ?

La prochaine sortie me mènerait à ma mise à mort. Eric Downes allait sortir cette arme de sa poche et me tuer au milieu des bois.

Sur le coup, je n'ai vu qu'une option valable se présenter : d'un geste brusque, j'ai tiré le frein à main.

— Meeeeerde ! a hurlé Eric alors que la Civic ralentissait brutalement et faisait une embardée. Il a agrippé le volant tandis qu'une voiture nous dépassait en klaxonnant, manquant de peu l'arrière de la nôtre.

Pendant ce temps, j'ai débouclé ma ceinture d'une main, ouvert la portière de l'autre et me suis catapulté au-dehors.

Nous ne roulions alors sans doute guère à plus de dix ou quinze kilomètres-heure, mais sauter d'un véhicule, à n'importe quelle vitesse, reste un acte démentiel. Excepté, peut-être, quand le gars derrière le volant s'apprête à vous flinguer.

J'ai essayé de garder l'équilibre en touchant le sol, mais j'ai perdu pied sur le gravier, exécuté une culbute et une pirouette simultanées, performance qui m'aurait sûrement valu un 7,2 aux jeux Olympiques de patinage artistique, et j'ai atterri pile dans l'herbe haute du bas-côté. J'ai ensuite enchaîné avec une double roulade avant de me redresser sur les genoux, puis tenté de m'orienter, et vu la Civic arrêtée environ trente mètres plus loin.

Des voitures la dépassaient à toute allure dans des hurlements de klaxons. Un chauffeur a même brandi son majeur par le toit ouvrant.

La portière de la Civic s'est ouverte à la volée, et Eric en a bondi, revolver à la main. Il a couru à l'arrière du véhicule, balayant le bord de la route du regard, mais je m'étais jeté à plat ventre par terre. Je le distinguais tout juste entre les brins d'herbe, mais j'avais la relative certitude que lui ne pouvait pas me voir.

Il scrutait à présent la circulation, et avait l'air de cogiter dur. Si des automobilistes voyaient au bord de la route un type agiter un flingue, l'un d'eux prendrait à coup sûr son portable pour passer un coup de fil.

Eric savait qu'il devait décamper. Ce n'était pas le moment de me pourchasser.

Il s'est rué vers le siège du conducteur, a claqué la portière. La Civic a démarré en projetant des gravillons.

Je me suis relevé, épousseté. Sans doute à cause de la douleur toujours vive de mon nez, je n'ai remarqué aucun des autres maux et blessures que l'on récolte en sautant d'une voiture en marche.

J'ai sorti mon téléphone et appelé la concession.

— Andy, aux ventes, ai-je demandé.

Quelques secondes après, il prenait la communication.

— Andy Hertz.

— C'est Tim.

— Ah, salut.

— J'ai besoin d'un taxi.

24

J'aurais pu demander à Andy, qui se sentait toujours coupable pour la commission oubliée, de me décrocher la lune, mais dans l'immédiat, j'avais seulement besoin qu'il vienne me chercher en voiture. Je lui ai donné des indications, et, une vingtaine de minutes plus tard, il me récupérait quelque part sur Merritt Parkway.

— Qu'est-ce qui t'est arrivé, nom d'un chien ? s'est-il exclamé tandis que je montais dans son Accord climatisée.

J'ai tourné le rétroviseur pour m'examiner. Mon nez et ma joue gauche étaient tuméfiés et ornés de petits lambeaux de mouchoir en papier imbibés de sang. Mes vêtements, poussiéreux et tachés par l'herbe quand je m'étais éjecté hors de la voiture.

— Qu'est-ce que tu fabriques ici, au milieu de nulle part ? a-t-il poursuivi.

— Ramène-moi, Andy.

— Et qu'est-ce qui est arrivé à la Civic Si dans laquelle tu es parti ? Elle a été volée ?

— Roule, d'accord ?

— Tu veux que je t'emmène à l'hôpital ?

Pivotant vers lui, j'ai répliqué d'un ton patient :

— Plus de questions, Andy. Ramène-moi, c'est tout.

Il a obéi, ce qui ne l'a pas empêché de me regarder toutes les cinq secondes. En l'attendant, j'avais passé un coup de fil à Kip Jennings, et, mon téléphone toujours à la main, j'espérais qu'elle me rappellerait d'un instant à l'autre.

Alors que nous approchions de Riverside Honda, j'ai jeté un coup d'œil à l'ancien parking du 7-Eleven, où j'avais remarqué le van Chrysler quand Eric – ou quel que soit son nom – et moi avions démarré notre tour d'essai.

Le van n'y était plus. Mais juste à côté de l'endroit où il avait été garé, se trouvait la Civic rouge.

— Arrête-toi là, ai-je ordonné à Andy.

Il est entré dans le parking abandonné et je suis descendu de l'Accord. La Civic était restée ouverte, avec les clés dessus. En ouvrant la portière côté passager, j'ai vu des éclaboussures sombres de sang sur le tissu des sièges. Puis j'ai pris la clé, et profité d'une brèche dans la circulation pour traverser la rue, laissant Andy regagner seul la concession en voiture.

Alors que je pénétrais dans le hall d'exposition, mon portable a sonné.

— Oui ?

— Jennings à l'appareil.

— Un type vient d'essayer de me tuer, ai-je expliqué, la voix tremblante.

— Vous êtes blessé ?

— Il s'est fait passer pour un client potentiel, nous sommes allés sur l'autoroute essayer une voiture. Il voulait savoir où était Syd et il s'apprêtait à me descendre avec son arme…

— Où êtes-vous ?

— À la concession.

— Vous allez bien ?

— Oui. Enfin, non, mais globalement si.

— Il y a combien de temps ?

Aucune idée. J'ai consulté ma montre.

— Il est arrivé ici il y a plus d'une heure, il m'a largué sur la Merritt Parkway il y a environ trois quarts d'heure.

— Donnez-moi cinq minutes, a-t-elle dit avant de raccrocher.

J'ai entendu les sirènes au bout de trois.

Jennings examinait la photocopie du permis de conduire d'Eric Downes.

— C'est un faux, a-t-elle déclaré.

— Comment le savez-vous ?

— Faites-moi confiance.

— Montrez…

J'ai étudié la photo sur le permis. Si l'homme avait à peu près les mêmes forme de visage et couleur de cheveux que celui qui avait tenté de me tuer, ce n'était pas lui. Plus je regardais, plus je me rendais compte qu'il ne lui ressemblait même pas.

— Ce n'est pas ce type-là, ai-je reconnu. Il m'a tendu le permis, mais je n'y ai pas jeté le moindre coup d'œil avant de le passer à Shannon pour qu'elle le photocopie. Il m'aurait refilé le permis de ma propre mère que je n'aurais rien remarqué.

Jennings n'a pas pris la peine de relever les failles évidentes de notre système.

— Il disait qu'ils étaient à la recherche de Syd, ai-je ajouté.

— Qui ça, « ils » ?

— Je ne sais pas.

Pendant que je lui racontais mon aventure, une équipe de policiers s'affairait autour de la Civic rouge de l'autre côté de la rue.

— Vous avez des caméras de surveillance ici ? a-t-elle poursuivi en parcourant le showroom des yeux. Cela nous donnerait un aperçu de sa physionomie.

— On ne les allume que lorsque la concession est fermée.

— Super, a commenté Jennings.

Puis elle s'est penchée pour observer mon nez de plus près.

— Vous devriez aller aux urgences.

— Je ne crois pas qu'il soit cassé.

J'avais appliqué dessus, aussi longtemps que ça restait tenable, un pack de glace que Laura Cantrell avait déniché dans le frigo de la cafétéria.

Jennings m'a posé un nombre incalculable de questions. Non seulement sur l'apparence de l'homme, mais aussi sa voix, sa façon de parler, ses vêtements, ses particularités physiques.

— Il savait tout de l'histoire de Seattle. Il a admis avoir pénétré dans ma maison. Ils ont caché la coke en pensant que vous m'arrêteriez.

— Et pour quel motif agiraient-ils ainsi ?

— D'après lui, je serais une source de problèmes en puissance. Parce que je persiste à chercher Syd.

— De problèmes pour qui ? À part le gars de la boutique de fleurs ?

— Si j'ai bien compris, à peu près tous ceux qui tiennent un commerce à proximité de l'hôtel.

L'inspecteur me scrutait d'un regard pénétrant.

— Il y en a eu d'autres ? a-t-elle demandé.

— D'autres quoi ?

— D'autres malentendus ? Comme celui que vous avez eu avec Ian Shaw ?

— Non.

Jennings ne semblait pas convaincue. Alors qu'elle s'apprêtait à me poser une autre question, son téléphone a sonné. Elle s'est écartée de quelques pas.

J'en ai profité pour gagner le bureau de Laura Cantrell avec mon pack de glace tiède et détrempé.

— Merci, ai-je dit en le lui tendant.

Elle l'a saisi avec précaution, cherchant un endroit où le poser sans risquer d'abîmer des papiers importants, avant de choisir un exemplaire froissé de *Tendance Auto.*

— Je prends un congé, ai-je annoncé.

— Tim…

— Je vais chercher Sydney et je ne reviendrai pas tant que je ne l'aurai pas trouvée. S'il le faut, je mettrai ma maison en vente pour me maintenir à flot financièrement.

— Je suppose que vous faites ce que vous devez faire, mais je ne pourrai pas vous garder votre boulot éternellement.

— Je n'en attendais pas tant de votre part.

— Bon sang, Tim, je sais que vous traversez une mauvaise passe, mais ce n'est pas une raison pour être infect.

— Je passerai mes contacts à Andy. Il peut récupérer mes clients. D'ailleurs il a déjà pris une longueur d'avance.

— J'allais vous en parler.

— Je m'en fiche, Laura.

Je me détournais pour quitter la pièce quand Laura a lancé :

— C'est un peu délicat, Tim, mais…

— Quoi donc ?

— Vous utilisez actuellement un véhicule de société.

Je voulais voir si elle était capable de me réclamer les clés en me regardant dans les yeux. Le contraire aurait été un comble.

— Je veux bien vous dépanner du mieux que je peux, mais je peux difficilement justifier qu'une voiture soit confiée à un employé en congé, a-t-elle ajouté.

Bien que Riverside Honda offrît un vaste choix de véhicules d'occasion, je n'avais aucune envie d'en faire profiter mon employeur.

— Vous me laissez un jour ou deux ?

— Bien sûr, a répondu Laura.

— Je vais passer un coup de fil à Bob, ai-je indiqué avec un demi-sourire intérieur. Je parie qu'il pourra me proposer quelque chose.

Son portable rangé, l'inspecteur Jennings attendait près de mon bureau. Elle a repris son interrogatoire.

— Répétez-moi pourquoi vous pensez que ce type allait vous tuer.

— Pour forcer Syd à revenir. J'imagine que dans son esprit, si je mourais, elle l'apprendrait d'une façon ou d'une autre et se sentirait obligée d'assister à mon enterrement.

Comme Jennings gardait le silence, j'ai demandé :

— Quoi ?

— Cela favoriserait l'idée selon laquelle Syd est vivante.

J'ai cillé.

— Vous avez une raison de croire le contraire ?

— C'était le labo qui m'appelait. On a les résultats ADN du sang sur la voiture de votre fille.

Je me suis senti faiblir.

— Il appartient à deux personnes différentes, a-t-elle complété. L'une est votre fille.

La tête me tournait déjà. Jennings m'a fait asseoir dans mon fauteuil puis s'est installée en face de moi.

— Une partie du sang sur le volant et la poignée de la portière est celui de Sydney, a-t-elle précisé.

— Ça ne signifie pas pour autant qu'elle soit morte. Juste qu'elle a perdu un peu de sang. Elle a pu se couper un doigt, par exemple.

— C'est vrai.

Je me suis efforcé de me concentrer, remontant un peu en arrière.

— Vous m'avez dit qu'une partie du sang prélevé sur le volant était celui de Syd.

— Oui. Ces dernières années, nous avons constitué une assez bonne base de données de criminels soupçonnés ou avérés. Y compris décédés. Quand on récolte un échantillon ADN, on commence par le confronter aux éléments en notre possession, des fois qu'on ait un coup de bol.

Un coup de bol...

— L'autre sang appartenait à Randall Tripe, a-t-elle poursuivi.

— Et je suis censé connaître ce nom ?

— Je l'ai mentionné l'autre fois, souvenez-vous. Il était impliqué dans un tas de trucs allant de l'usurpation d'identités au trafic d'êtres humains. Il a été retrouvé mort dans une benne à Bridgeport le lendemain du jour où vous avez signalé la disparition de Sydney. Tué d'une balle dans la poitrine.

— Ça ne tient pas debout, ai-je objecté. La voiture de Sydney a été découverte à Derby. Cela fait une sacrée trotte depuis Bridgeport.

— La ou les personnes qui ont balancé son corps dans cette benne pourraient l'avoir extrait de la voiture à Derby. Mais à mon avis, il y a deux façons d'expliquer la présence des deux sangs. Primo : le sieur Tripe, blessé, avait du sang de votre fille sur les mains et est parti avec sa voiture. Deuzio : Sydney Blake, blessée, avait du sang du sieur Tripe sur les mains et est partie dans sa propre voiture.

— Sauf qu'on sait que Tripe est mort.

— Bingo. Voilà pourquoi je penche pour la seconde explication.

— Mais si Sydney avait du sang de Tripe sur les mains…

— Ça donne à réfléchir, n'est-ce pas ?

J'ai repensé à ce qu'avait dit le prétendu Eric. Que Sydney n'était pas entrée en contact avec nous parce qu'elle avait honte de quelque chose qu'elle aurait fait.

Il faisait nuit lorsque je suis rentré chez moi.

Après une journée pareille, j'étais complètement sur le qui-vive, tel un mulot qui traverse la forêt de nuit en s'interrogeant sur le nombre de hiboux à l'affût au-dessus de sa tête. Je ne cessais de vérifier mon rétroviseur, de guetter des camionnettes, de scruter le visage des piétons, de fouiller les buissons des yeux, de rechercher des phares allumés au lieu d'être éteints, des phares éteints au lieu d'être allumés.

J'avais demandé à Jennings si j'avais droit à une sorte de protection policière, à quoi elle avait répondu qu'elle appellerait les services secrets. Son sarcasme devait signifier que les effectifs policiers de Milford ne comprenaient pas assez d'agents pour faire des rondes. Aussi étais-je mon propre garde du corps, mais je ne me sentais pas vraiment à la hauteur.

Arrivé devant chez moi, tout m'a paru en ordre.

J'ai allumé la lumière. La maison semblait presque avoir retrouvé son aspect d'avant mon expédition à Seattle. Les objets étaient revenus à leur place, la moquette avait été aspirée, les sols balayés. J'ai refermé la porte à double tour derrière moi.

Mon nez me lançait, ma tête était sur le point d'éclater. Il m'a fallu quelque temps pour dénicher le Tylenol, rangé dans le mauvais placard après cette séance de nettoyage.

J'ai avalé deux comprimés avec de l'eau du robinet, puis réfléchi à la marche à suivre. J'avais pris la décision de consacrer chaque heure de mes journées à retrouver Syd. Il me restait maintenant à établir comment les mettre à profit.

J'aurais bien voulu savoir comment progressait l'enquête parallèle d'Arnie Chilton. Peut-être qu'à cette heure-ci, il était sur la piste d'un Boston donut à la crème.

Ce n'est qu'une fois seul dans la cuisine que je me suis rendu compte combien j'étais fatigué. J'étais même à bout de forces.

La meilleure chose à faire, tant pour moi que pour Syd, était d'aller au lit sans attendre, prendre une bonne nuit de repos, et de m'y remettre le lendemain à la première heure, frais et dispos.

J'ai terminé mon verre d'eau, l'ai déposé dans l'évier. Et puis, sans doute pas réellement convaincu de devoir monter me coucher, je me suis assis à la table de la cuisine.

Là, j'ai posé un moment la tête sur mes bras croisés, tournée de façon à ce que mon nez blessé ne frotte pas contre ma manche.

Peut-être n'avais-je pas besoin d'aller au lit tout de suite. Peut-être que si je me reposais quelques minutes, cela suffirait à recharger mes batteries. Je pourrais alors passer le reste de la soirée à concevoir un plan pour retrouver Syd. Même si le pseudo-Eric ignorait où elle était, en connaître davantage sur lui m'indiquerait probablement dans quoi Syd avait été mêlée, et alors...

Je ne sais combien de fois le téléphone a sonné avant que je ne l'entende. Je me suis réveillé en sursaut, et j'ai jeté un coup d'œil à la pendule. Il était plus de minuit. Cela faisait près de trois heures que je dormais sur la table de la cuisine. D'un pas hésitant, je me suis dirigé vers l'appareil.

Après avoir empoigné le combiné, complètement groggy, j'ai articulé :

— Allô ?

Il y avait du bruit en arrière-fond. De la musique, des gens qui criaient. Et ensuite une voix.

Une voix de fille.

Qui disait : « Au secours. »

25

— Syd ? me suis-je exclamé. Syd, c'est toi ?

En pleurs, à l'autre bout de la ligne :

— Il faut venir me chercher.

Elle mangeait un peu ses mots. La musique derrière l'empêchait d'entendre clairement ses paroles.

— Syd, où es-tu ? Dis-moi ! Je viendrai te chercher. Dis-moi juste où tu es.

L'émotion me submergeait, j'avais l'impression d'avoir le corps tout entier au bord des larmes.

— C'est pas Syd.

— Hein ?

— C'est moi, Patty, a-t-elle expliqué en reniflant. Vous pouvez venir me chercher ? S'il vous plaît.

— Patty ?

— Vous pouvez venir ?

— Que se passe-t-il, Patty ? Tu es blessée ?

— Je me suis fait mal.

— Qu'est-ce qui t'est arrivé ?

— Suis tombée.

— Tu as bu, Patty ?

— Queques verres, peut-être, j'sais pas. Mais ça va.

— Patty, tu devrais appeler ta mère. Elle viendra te chercher. Si tu veux, je peux lui téléphoner à ta place.

— Monsieur B., à cette heure-ci, elle sera encore plus bourrée que moi.

— Tu as de l'argent pour un taxi ? Dis-moi où tu es et je t'en envoie un pour te ramener chez toi.

— J'vous en prie, venez juste me chercher.

J'ai entendu la voix d'un garçon s'adresser à elle :

— Merde, qu'est-ce t'as fait à ta jambe ? Arrête de foutre du sang partout et viens avec nous.

— Casse-toi ! lui a jeté Patty.

— Suce-moi, pétasse, a rétorqué le garçon, relayé par des rires gras et masculins.

Elle n'avait pas besoin de me le demander encore une fois. La situation ne me disait rien qui vaille. J'irais la chercher.

— Patty ?

— Mmhh ?

— Dis-moi où tu es. Immédiatement.

— Je suis dans, euh... Hé, a-t-elle crié à quelqu'un, on est où ici ?

L'autre a braillé une réponse qui ressemblait à « En Amérique ! »

— Très drôle ! a hurlé Patty, avant d'interpeller une autre personne, puis de revenir à moi. Bon, vous voyez la route qui longe la plage ? Broadway ? East Broadway ?

Ça se trouvait à cinq minutes, maxi, de chez moi.

— Oui, bien sûr. À quelle hauteur de la rue ?

— Ben, y a un tas de maisons.

Il n'y avait que ça là-bas, tout du long.

— Tu ne vois aucun panneau, Patty ?

— Non, attendez, si. Gardner Street ?

Je savais où elle était.

— J'arrive tout de suite. Ne bouge pas.

Attrapant mes clés, je suis monté dans la voiture.

La nuit était devenue lourde et humide, mais au lieu de mettre la ventilation, j'ai baissé les vitres. L'air frais m'aiderait à me réveiller. Le trajet jusqu'à East Broadway ne m'a pris que quelques minutes. J'ai lentement remonté la rue. De nombreux jeunes gens marchaient sur le trottoir, quelques-uns déambulaient au milieu de la chaussée, certains une bouteille à la main. Visiblement, une grande fête avait eu lieu quelque part, sans doute dans une des résidences d'été, en l'absence des parents.

Je roulais au pas. Non seulement parce que j'essayais de repérer Patty, mais pour n'écraser personne.

J'ai ralenti encore en atteignant Gardner Street, puis je me suis arrêté. Une vingtaine de gosses, voire plus, se massaient derrière une des grandes villas donnant sur la plage. Toutes les lumières étaient allumées et de la musique forte s'échappait de l'intérieur. À l'extrémité de la rue, un véhicule de police se frayait un passage.

J'ai repéré Patty sur le trottoir, flanquée d'un grand type penché sur elle, et qui lui parlait à l'oreille. Elle tournait la tête sur le côté, comme si elle ne voulait rien avoir à faire avec lui. Je me demandais pourquoi elle ne s'éloignait pas, tout simplement, quand j'ai vu que le garçon la tenait par le bras.

— Patty !

Elle ne m'entendait pas. Le gars lui hurlait dessus.

Ouvrant ma portière, un pied sur la chaussée, j'ai crié :

— Hé ! Laisse-la partir !

Sans lâcher Patty, le garçon a levé les yeux. Sa tête dodelinait un peu, et il avait du mal à fixer son regard sur moi.

— Patty ! ai-je de nouveau crié.

Elle a libéré son bras et s'est avancée dans ma direction. Le garçon l'a suivie d'une démarche d'ivrogne.

— Allez, viens avec moi, disait-il, assez fort pour que je l'entende.

Patty s'est retournée vers lui, a fait un mouvement saccadé du poing pour mimer la masturbation.

— Débrouille-toi tout seul.

— Va te faire foutre, a-t-il riposté.

Elle avait les cheveux en bataille, et en la voyant s'approcher, j'ai constaté qu'elle boitait franchement. Elle portait un short noir ultra-moulant, sous lequel ses jambes éclataient de blancheur, sauf autour de son genou droit, sombre et légèrement brillant.

— Salut, monsieur B., a-t-elle lancé, une fois arrivée à ma voiture. Whoa, joli travail, votre nez !

— Monte, ai-je ordonné.

Planté au milieu de la rue, le garçon nous observait d'un regard brumeux.

— Dégage, lui ai-je aboyé avant de claquer ma portière.

Patty a trottiné jusqu'au côté passager, s'est un peu débattue avec la poignée puis s'est glissée à l'intérieur. Elle sentait l'alcool.

— À la maison, James, a-t-elle ironisé.

J'ai fait demi-tour et suis reparti vers le centre-ville. Bien que ne sachant pas où vivait Patty, je voulais m'éloigner de tous ces jeunes en vadrouille.

— Tu habites où, Patty ?

La question a paru la dessoûler quasi instantanément.

— Merde, non. On ne peut pas aller à la maison. Emmenez-moi chez vous.

— Patty, je dois te ramener chez toi.

— Si je rentre dans cet état, maman me tuera.

— Je croyais t'avoir entendue dire que ta mère serait *a priori* déjà dans les vapes.

— Avec un peu de chance. Mais si elle est encore réveillée, elle va piquer une crise en me voyant comme ça.

D'une main hésitante, elle a touché son genou.

— Qu'est-ce que ça fait mal. Presque autant que votre figure, je parie.

Après avoir allumé le plafonnier, j'ai jeté un coup d'œil à son genou. Il était en effet salement amoché.

— Qui t'a fait ça ?

— C'est cet enfoiré de Ryan, ou peu importe son nom.

— Tu pourrais avoir besoin de points de suture. Je vais t'emmener aux urgences, pour qu'ils regardent.

L'hôpital de Milford ne se trouvait qu'à une minute de voiture.

— Oh non, pitié, me faites pas ce plan-là. Après ça va être tout un cirque ! Ils risquent même d'appeler les flics, vu que j'ai pas l'âge de boire. Et j'aurais droit au mégasermon des familles. Ils sont même fichus de m'inculper.

— Un sermon te ferait le plus grand bien.

Patty m'a regardé du coin de l'œil.

— Vous me prenez pour une pauvre naze, pas vrai ?

— Non. Mais tu fais souvent de mauvais choix.

— Voilà qui est censé me remonter le moral, non ? Je ne suis pas idiote, mais je fais des choix idiots. Eh bien, faire tout le temps des choix idiots, c'est pas un signe d'idiotie, ça ?

— Qui était ce gars qui t'agrippait le bras ?

Elle a haussé les épaules.

— J'en sais rien. Juste un type qui voulait que je lui taille une pipe.

Arrivé à Bridgeport Avenue, j'ai bifurqué en direction de l'hôpital.

— Je sais où vous allez, a protesté Patty. Je n'entrerai même pas. Et si vous me ramenez à la maison, je me barrerai. Laissez-moi dormir chez vous cette nuit.

Ce n'était pas une bonne idée. Mais en même temps, je n'allais pas laisser une ado ivre morte se balader seule dans les rues. Alors au lieu de continuer jusqu'à l'hôpital, ou d'exiger de Patty qu'elle me donne l'adresse de sa mère, je l'ai conduite chez moi.

Après avoir garé la voiture, j'ai voulu aider Patty à descendre, mais elle s'était déjà extirpée de son siège tant bien que mal ; en revanche, à cause de l'alcool et de son genou blessé, elle titubait. Elle a glissé un bras sur mon épaule et je l'ai soutenue jusqu'au porche.

Une voiture qui remontait la rue a ralenti en approchant de la maison, comme si le conducteur avait l'intention de s'arrêter devant. C'était une Ford Focus gris métallisé, celle de Kate Wood, j'en étais certain.

Elle est restée assez longtemps à la hauteur de la maison pour me voir distinctement porter à demi une jeune fille vers ma porte, puis elle a accéléré et poursuivi sa route.

— Oh, zut, ai-je lâché.

— Quoi ? a fait Patty.

— Rien. Je m'en occuperai plus tard.

Je l'ai aidée à monter à la salle de bains qu'utilisait Syd et lui ai ordonné de retirer ses chaussures, puis de s'asseoir sur le rebord de la baignoire, les pieds à l'intérieur.

— Tu peux rester assise sans tomber ?

— Je suis en pleine forme, a-t-elle répondu d'une voix lasse. Je tiens super bien l'alcool.

On percevait là-dedans une pointe de fierté.

— Je vais chercher la trousse de secours.

À mon retour, elle n'avait pas bougé, mais elle faisait encore moins que ses dix-sept ans. Pieds nus, tête basse, ses cheveux striés de mèches multicolores pendouillant devant ses yeux, et avec son genou ensanglanté, on aurait dit une petite fille après une chute de vélo sous la pluie.

Elle a levé des yeux humides sur moi.
— Ça va ? ai-je demandé.
— J'arrête pas de penser à Sydney.
— Moi aussi.
— Tout le temps. Qu'est-ce qui est arrivé à votre visage ?
— J'ai fait essayer une voiture à quelqu'un et ça a mal tourné.
— La vache. La voiture s'est pris un arbre, ou un truc de ce genre ?
— Pas exactement. Pour l'instant, occupons-nous de te rafistoler.

J'ai fait couler de l'eau tiède, et réussi à nettoyer son genou. Puis, à l'aide de serviettes propres, j'ai tamponné la plaie le plus délicatement possible. Les serviettes se sont rapidement teintées de sang. Ensuite, j'ai désinfecté et appliqué un pansement.

— Vous vous débrouillez pas mal, a remarqué Patty, légèrement appuyée contre moi.
— Ça fait longtemps que je n'ai pas soigné un genou écorché. La dernière fois, c'était quand Syd était tombée en faisant du patin à roulettes.

Patty est restée un moment silencieuse, perchée sur le rebord de la baignoire. Je sentais le poids de son corps contre le mien. Une fois sa blessure propre, je n'avais plus l'énergie de me relever, aussi me suis-je assis par terre, adossé au placard.

— Vous avez toujours été vraiment chic avec moi, a-t-elle observé.
— Pourquoi ne le serais-je pas ?
— Parce que je ne suis pas comme Sydney. Je ne suis pas une gentille fille.

— Patty…

— Je suis mauvaise. Je fais toutes les mauvaises choses possibles.

— Oui. Mais ça ne fait pas de toi une mauvaise gosse.

— Nous voilà revenus à l'histoire des mauvais choix, a-t-elle constaté d'un ton moqueur.

— Si tu cherches à me convaincre de ne pas t'apprécier, c'est raté. Je pense que tu es une personne spéciale, Patty. Originale. Mais il te reste peu de temps pour te prendre en main. Continue à te fourrer dans des situations comme celle de ce soir, et tu t'écarteras du droit chemin sans pouvoir le retrouver.

Elle a médité un instant.

— Je sais que vous me méprisez.

Comme je commençais à objecter, elle m'a arrêté d'une main tremblante, poursuivant :

— Mais vous ne le faites pas d'une manière qui me donne l'impression d'être nulle.

— Tu n'es pas nulle, Patty.

— Parfois, je me sens nulle.

Puis, sans me regarder, elle a demandé :

— Et si Syd ne revient pas ?

— Je refuse de penser à ça, Patty. À partir de demain, je vais consacrer tout mon temps à la chercher.

— Et votre boulot ?

— Je pourrai toujours vendre des voitures. Tandis que je ne sais pas combien de temps j'ai pour retrouver ma fille.

Patty a ramassé une des serviettes imprégnées de sang et s'est essuyé les pieds avant de les sortir de la baignoire.

— Tu devrais appeler ta maman et l'avertir que tu es ici, que tu vas bien, ai-je repris.

Un petit sourire a traversé son visage.

— Vous croyez que toutes les familles sont comme la vôtre.

— Qu'est-ce que tu veux dire ?

— D'après vous, toutes les mères se font du souci.

Je ne trouvais rien à répondre.

— Je sais comment ça se passe pour Sydney. Elle fait comme si c'était chiant, que ses vieux l'appellent quand elle est en retard, qu'elle doive vous tenir au courant de l'endroit où elle est, bref, que vous fassiez attention à elle, ce genre de choses. Parfois, surtout quand elle est avec moi, elle fait comme si tout ça lui cassait les pieds, mais à mon avis, c'est uniquement pour éviter que j'aie les boules, parce que, moi, personne ne guette mon retour la nuit, personne ne se demande où je suis, ne vient me tirer de fêtes débiles comme celle de ce soir. Moi, tout le monde s'en fout, vous comprenez ?

— Je suis désolé, Patty.

— Une fois, mon père – c'était avant qu'il mette les voiles – a failli me tuer.

— Qu'est-ce qu'il a fait ?

Notre fardeau a beau peser déjà lourd, on peut toujours soulager un peu celui des autres…

— En général, c'était pas son truc de m'emmener à la crèche, d'accord ? Mais ce jour-là, maman avait un rendez-vous très tôt, alors mon père devait me déposer, sauf qu'il a oublié. Je devais avoir trois ans, j'étais à l'arrière de la voiture, et je suppose que je me suis endormie, bref, au lieu de passer par la crèche, il a continué jusqu'à son travail. Il faisait super chaud.

— Oh non…

— Et le voilà qui va bosser. Il faisait, genre, vingt-sept degrés dehors, mais cent mille dans la voiture. Quand je me suis réveillée, je devais être complètement déshydratée et tout, mais mon super chouette papa a mis au moins deux heures à se souvenir de moi. Alors il est venu en courant me sortir de là et m'a ramenée à l'intérieur du bâtiment. J'étais presque tombée dans les pommes. Il m'a fait boire de l'eau, et là, la première chose qu'il m'a dite c'est : « Pas un mot à ta mère. » Mais elle l'a quand même appris, parce qu'une dame m'avait vue dans la voiture, et elle avait appelé les pompiers. Ç'a été le début de la fin de leur soi-disant mariage.

— Quelle histoire épouvantable.

— Vous savez pourquoi il a fait ça ? a poursuivi Patty.

J'ai soupiré.

— Tu sais, ça arrive. On se retrouve dans une sorte d'état second, on suit une routine, et te déposer sortait de l'habitude. Il fonctionnait en pilotage automatique. Je suis certain que ce n'était pas intentionnel.

— Bon, d'accord, peut-être qu'il l'a pas fait exprès. Il ne s'est pas levé ce jour-là en décidant qu'il allait tuer sa fille, je sais bien, mais dans un coin très obscur de son esprit, il se fichait de ce qui m'arrivait, parce que de toute façon ce n'est même pas mon vrai père.

Je ne me sentais pas la force de soulager cette enfant de sa douleur ; de toute façon, elle ne pourrait jamais s'en défaire complètement. Pour le moment, je ne voulais rien savoir des aventures extraconjugales de sa mère, ni si elle avait été adoptée, ou ce genre d'histoire. La vérité, c'était que si je laissais ma tête toucher le tapis de bain, je pouvais m'endormir aussi sec sur le sol de la salle d'eau.

— Vous avez déjà trompé Mme B. ? a repris Patty.

— C'est assez personnel, comme question.

Son visage s'est fendu d'une grimace.

— Donc vous l'avez fait. Je vous croyais différent. Je croyais que vous étiez un mec respectable et tout.

— La réponse est non. J'ai toujours été fidèle à Mme B. – Susanne – pendant qu'on était ensemble.

— Vous vous fichez de moi.

— Non. Je ne me « fiche pas de toi ».

Puis je me suis levé à grand-peine.

— Patty, il faut que je dorme un peu. Et tu dois aller te coucher, toi aussi. Prends la chambre de Syd. Mais demain matin, je veux quand même que tu appelles ta mère.

— Vous avez entendu mon portable sonner ? Vous avez entendu quelqu'un se demander où j'étais ?

— Non.

Tandis que je me dirigeais vers la porte, Patty m'a lancé :

— J'ai une super bonne idée.

Je me suis arrêté. Un instant, j'ai pensé qu'elle avait soudain une idée de l'endroit où se trouvait Syd.

— Laquelle ?

— Pourquoi je ne viendrais pas habiter ici ? La journée, pendant que vous cherchez Syd, je pourrais surveiller la maison, et personne viendrait y remettre le bazar. Je pourrai répondre au téléphone. Je garderais un œil sur le site Web, et vous préparerais à manger quand vous rentrez.

Ses yeux brillaient. Un sourire plein d'espoir illuminait son visage.

— Je ne peux pas faire ça, Patty. C'est très gentil, mais je dois refuser. Ce ne serait pas correct.

— Où est le problème ? Vous avez peur que les gens croient que vous me sautez, si je vis ici ?

Malgré toute l'affection que je lui portais, Patty m'épuisait. J'avais fait mon maximum pour elle ce soir.

— J'ai déjà une fille pour qui m'inquiéter, ai-je rétorqué. Je n'en ai pas besoin d'une seconde.

Durant un long instant, elle a soutenu mon regard. Mes paroles semblaient avoir ouvert en elle une nouvelle blessure, plus profonde que celle de son genou.

— Bon, O.K., a-t-elle lâché, glaciale.

Elle a ramassé ses chaussures, m'a frôlé en se dirigeant vers la chambre de Sydney, et a ajouté :

— Je ne voulais pas dire que ça devait durer éternellement.

— Patty, ai-je répliqué d'un ton ferme sans être désagréable, demain matin, je serai ravi de te conduire où tu voudras, mais tu devras partir.

Ce qu'elle a fait. Avant que je me lève.

26

J'ai dormi jusqu'à sept heures et demie. Avant de me rendre à la salle de bains, j'ai jeté un coup d'œil dans la chambre de Syd. La porte était grande ouverte. Le lit vide, et fait. Je n'étais même pas certain que Patty l'ait occupé.

Après lui avoir dit qu'elle devait s'en aller au matin, j'avais gagné ma chambre et fermé la porte. Puis presque aussitôt sombré dans le sommeil. Il était fort possible, je m'en rendais compte maintenant, qu'elle soit partie à ce moment-là.

Je suis descendu à la cuisine, mais il n'y avait nulle trace d'elle. Le seul verre dans l'évier était celui avec lequel j'avais avalé des comprimés de Tylenol la veille au soir.

— Bon, très bien, ai-je marmonné.

La porte d'entrée était déverrouillée. Sans clé, Patty n'avait eu aucun moyen de refermer derrière elle après être sortie.

Sur le chemin de la douche, j'ai vérifié sur l'ordinateur si quelqu'un avait cherché à me contacter au sujet de Syd. Et bien entendu, comme chaque fois que je m'installais devant l'écran, ce que j'espérais le plus, c'était trouver un message de Sydney elle-même.

Ce matin, comme la plupart du temps, il n'y avait rien.

Mais le téléphone a sonné juste avant huit heures. C'était Susanne.

— Salut. J'étais en train d'attendre devant le téléphone, dans l'espoir de bonnes nouvelles.

— J'aurais bien aimé en avoir.

Je l'ai informée des derniers événements : que j'avais quitté mon travail, le temps de retrouver Syd ; que le sang relevé sur la voiture de notre fille lui appartenait bien, ainsi qu'à un truand découvert mort à Bridgeport ; qu'un type impliqué dans le saccage de ma maison était passé à la concession, en quête de Syd, et avait tenté de me tuer.

— Quoi ? s'est écriée Susanne. Et c'est maintenant que tu me mets au courant de tout ça ?

Les excuses ne me manquaient pas, selon moi. J'étais épuisé. Traumatisé. Bouleversé. Mais je doutais qu'aucune ne marche.

— Désolé. Si j'avais eu de bonnes nouvelles, je t'aurais appelée.

— Cet homme qui voulait te tuer, qui cherchait Syd, qui était-ce ? Les policiers sont à ses trousses ? S'ils l'interrogent, ils vont bien apprendre pourquoi Syd a disparu, non ?

— Ils s'en occupent. Il faut d'abord le retrouver. Le permis de conduire dont il s'est servi était faux.

— Oh, a-t-elle fait, brutalement déçue.

— Et de ton côté, quoi de neuf ?

À l'autre bout du fil, secouée par tout ce que je venais de lui apprendre, surtout mon agression, Susanne essayait de se ressaisir.

— Bob joue les grands inquisiteurs auprès d'Evan, a-t-elle fini par annoncer.

— Bien.

— Il doit plus d'argent qu'il ne l'a avoué. Il a réussi à se procurer une fausse carte de crédit par un copain, dont il refuse de donner le nom, pour ses jeux d'argent sur ordinateur.

— Une fausse carte ?

— Qui porte les données de la carte d'une autre personne, tu vois ? Il l'a utilisée pendant quelques jours, jusqu'à ce que le propriétaire de la vraie s'aperçoive de prélèvements suspects sur son compte et l'annule. Alors Evan a recommencé à se servir de la sienne. Il a même piqué deux ou trois fois celle de Bob dans son portefeuille.

— Bob va peut-être découvrir quelque chose qui relie les problèmes d'Evan à Sydney. Son fils doit peut-être de l'argent à quelqu'un, qui a menacé de faire du mal à Syd s'il ne le remboursait pas. J'essaie de me raccrocher à n'importe quoi, Suze.

— Je sais.

— À propos de Bob.

— Oui ?

Les mots me coûtaient.

— Écoute, dis-lui... dis-lui que je regrette mon comportement envers Evan.

— O.K.

— Il doit comprendre qu'on vit tous des moments très difficiles.

— Bien sûr.

— Et je crois... je crois qu'il est bien pour toi.

— Pardon ?

— Quand tu es tombée, il... Je pense qu'il t'aime vraiment, Suze.

Au silence de Susanne, j'ai eu l'impression qu'elle aussi peinait à trouver les mots.

J'ai changé de sujet.

— Autre chose. J'ai besoin de parler voiture avec Bob.

— C'est-à-dire ?

— Laura me reprend la mienne. Il m'en faut une.

— Tu as besoin que Bob te fournisse une voiture ? Il va adorer ça.

Après avoir raccroché, un détail de la veille m'est revenu. J'ai composé le numéro de Kate Wood, celui de son portable, pensant qu'elle était probablement déjà en route pour le travail.

Elle a répondu aussitôt. Manifestement, elle conduisait. Le volume d'un bulletin radio d'info-trafic a été baissé.

— Salut, c'est Tim.

— Je sais.

— Tu es passée en voiture hier soir.

— Possible.

— Je dois t'expliquer ce que tu as vu.

— Je n'ai rien vu du tout, a répliqué Kate.

— Il s'agissait de Patty, la copine de Syd.

— Ah. Tu les prends au berceau, maintenant.

— Elle était blessée. Elle s'est fait mal au cours d'une fête près de la plage, qui a un peu dégénéré, et elle m'a appelé pour que je vienne la chercher.

— Bien sûr.

— Bref, j'ai soigné son genou, ensuite je lui ai proposé de rester dormir dans la chambre de Syd, mais je pense qu'elle est partie juste après que je suis allé me coucher.

— Plutôt marrant, tu ne trouves pas ? a lancé Kate.

— Qu'est-ce qui est marrant ?

— Que tu te donnes la peine de me téléphoner pour me raconter ça, alors que c'est soi-disant fini entre nous. Tu ne m'appelles jamais d'habitude.

— Kate, je pensais simplement qu'il valait mieux que tu le saches.

— Tu m'étonnes. Les pièces commencent à s'assembler en ce qui te concerne, tu sais, Tim.

— Je ne vois pas de quoi tu parles.

— Je ne suis pas idiote. Je suis capable de comprendre certaines choses.

— D'accord, Kate, comme tu voudras. Je pensais qu'une explication s'imposait, mais visiblement, tu te fais un autre film dans la tête, et j'imagine que je ne peux pas y changer grand-chose. Alors bonne journée.

Et j'ai raccroché.

J'ai mis du café en route et je me suis préparé un sandwich aux œufs brouillés, bien baveux. Je parcourais les titres du *New Haven Register*, ramassé sur mon perron, lorsque la sonnette a retenti. Toujours pieds nus, je suis allé ouvrir, non sans méfiance.

C'était Arnie Chilton. En voyant mon nez, il a lorgné dessus.

— Qu'est-ce qui vous est arrivé ?

— Bien le bonjour, ai-je rétorqué.

— Sérieusement, qu'est-ce qui vous est arrivé ? C'est Bob qui vous a fait ça ? Je sais qu'il vous prend pour une tête de nœud.

— Non. J'ai eu une prise de bec avec quelqu'un d'autre.

— Oh.

Puis il s'est souvenu du motif de sa visite.

— Bob a raison, en fait. Vous êtes vraiment une tête de nœud.

— Et moi qui vous pensais mauvais enquêteur.

— C'était dégueulasse de m'envoyer chercher du café et des beignets, a-t-il continué.

Il semblait moins fâché que blessé. À vrai dire, j'éprouvais un certain remords.

— Désolé. Je crois que je m'en prenais plus à Bob qu'à vous.

— Vous vous êtes servi de moi et vous m'avez ridiculisé.

— Oui, je pense que vous avez raison, ai-je admis, avant d'ouvrir la porte en grand. Vous voulez un café ?

— D'accord.

Il m'a suivi dans la cuisine.

Après lui avoir servi une tasse, je me suis assis en face de lui et j'ai repris mon sandwich.

— Vous avez mangé ?

— Ouais, a-t-il répondu, soufflant sur son café. Alors selon vous, étant un ancien vigile, je suis forcément un abruti ?

— Non. Simplement sous-qualifié. Sans vouloir vous offenser.

Arnie a paru sur le point de dire quelque chose, puis il s'est ravisé et a porté sa tasse de café à ses lèvres.

— Vous êtes juste passé me traiter de tête de nœud ? ai-je demandé.

— Ça, c'était le premier point de la liste. Je voulais aussi vous poser quelques questions.

— Donc vous êtes toujours sur le coup.

— Je compte rester dessus jusqu'à ce que j'aie payé ma dette à Bob.

— Il n'a pas annulé votre accord ?

Je m'étais interrogé sur la possibilité que Bob puisse virer Arnie uniquement pour me casser les pieds. Mais, à supposer que le bonhomme n'ait même qu'une infime chance de trouver quoi que ce soit au sujet de Syd, cela punirait aussi Susanne.

— Non, a répliqué Arnie, surpris. Je suis une personne honorable, vous savez. On me charge d'un truc, je le fais.

J'ai englouti le dernier morceau de mon sandwich.

— Très bien.

— Bon. Ce petit ami de Sydney ? Ce gamin nommé Jeff Bluestein ?

— Oui. Il est passé hier.

— Qu'est-ce que vous savez de lui ?

— De Jeff ?

— Ouais.

J'ai haussé les épaules.

— Pas grand-chose. Il est calé en informatique, et m'a aidé à monter le site Web. Plutôt taiseux, comme garçon. Il manque pas mal de confiance en lui.

— Vous êtes au courant qu'il s'est fourré dans la mouise, non ? a poursuivi Arnie Chilton.

Soudain, je lui ai accordé toute mon attention.

— Quel genre de mouise ?

Le petit homme bichait comme un pou.

— Jeff travaillait à temps partiel comme serveur au Dalrymple, un resto-grill familial pas cher de Bridgeport. Eh bien, il a été chopé à pirater les cartes de crédit de clients. Ils lui donnaient la carte, et avant de l'insérer dans l'appareil du restaurant pour encaisser, il la faisait passer par ce qu'on appelle un sabot.

— Un sabot ?

— Pas plus gros qu'un paquet de clopes. Vous glissez la carte dedans et ça stocke toutes les données.

— D'accord.

— Ensuite, vous transférez les données sur les bandes magnétiques de nouvelles cartes, fausses celles-là.

— Petit salopard, ai-je marmonné, repensant à une discussion toute récente.

— Bref, Jeff, il faisait ça, le patron l'a repéré et l'a flanqué dehors sur-le-champ.

— C'était quand ?

— Oh, il y a des mois de ça. L'été dernier, probablement.

— Et il n'a pas été inculpé ?

— Le gérant allait l'attaquer en justice, mais il s'est dit que ça lui ferait une mauvaise pub. Si les gens apprennent qu'on arnaque les clients dans votre établissement, ils évitent de venir. En plus, Jeff, c'était juste un gamin, après tout, et son père, qui travaille à une des stations de radio où le Dalrymple passe ses pubs, est venu voir le gérant et a juré que son fils ne referait plus jamais une chose de ce genre, qu'il allait lui foutre une trouille monstre, et que si le restaurant portait plainte, ça risquait de ruiner la vie du môme. Il a sorti le grand jeu, vous voyez ? Et pour finir, il a promis un tas de pubs gratuites au restaurant à l'heure de grande écoute.

— Arnie, comment avez-vous découvert tout ça ?

Il a pris un air penaud.

— Le gérant du Dalrymple est mon frère.

Je n'ai pas pu m'empêcher de rire.

— Vous vous fichez de moi.

— Je lui dois plus ou moins de l'argent aussi. J'y suis souvent, pour faire du ménage. Avant il avait plein d'autres personnes qui travaillaient là pour trois fois rien, mais plus maintenant. Je case ça entre deux enquêtes, a-t-il ajouté avec un petit sourire.

— Celle-ci étant la première.

Arnie a acquiescé, avant de poursuivre :

— En fait, je racontais à mon frère que Bob m'avait demandé d'essayer de retrouver votre fille, et par hasard, j'ai mentionné qu'elle avait eu un petit ami appelé Jeff, et le voilà qui me sort qu'un gamin nommé Jeff avait travaillé là, et toute l'histoire que je vous ai racontée.

— Le monde est petit, ai-je observé.

— Je suis presque sûr qu'il s'agit du même gars.

— Vous en avez déjà parlé à Bob et à Susanne ?

— Négatif. J'allais le faire aujourd'hui ou demain. En réalité, je vais d'abord rentrer dormir un peu. Je suis resté tard hier soir, à boire des coups avec mon frère.

— Vous avez interrogé Jeff ?

— Non, pas encore.

— Ça ne vous ennuie pas si je m'en occupe ?

— Au contraire. À vrai dire, c'est un peu pour ça que j'ai voulu vous mettre au courant. Ces jeunes, ils me flanquent la frousse, quelque part. Certains vous rentrent carrément dedans, et je suis pas très doué pour gérer ça.

Bien que baraqué, Jeff ne me semblait pas un garçon très menaçant, même pour Arnie.

— Je vois ce que vous voulez dire, ai-je néanmoins répliqué.

— Vous pensez que cette histoire pourrait avoir un rapport avec ce qui est arrivé à votre fille ?

— Je ne sais pas.

— Mon frère, il a eu à régler un paquet de problèmes avec le restaurant, croyez-moi. Comme celui de son personnel immigré, et vous savez ce qui se dit au sujet des travailleurs illégaux dans ce pays ?

— Il m'arrive de regarder l'émission de Lou Dobbs[1], oui.

Un détail fourni par Kip Jennings sur Randall Tripe me revenait : il avait été impliqué, entre autres, dans un trafic d'immigrés clandestins.

— Arnie, vous avez déjà entendu parler d'un gars nommé Tripe ? Randall Tripe ?

— Hein ?

— Laissez tomber. Continuez votre histoire.

— Bref, mon frère trouve qu'il n'a pas besoin de ce type de problèmes, vous comprenez ? Il veut gérer une boîte réglo. Mais à une époque, il embauchait des gens comme ça, sans papiers, au noir. Pour la vaisselle, nettoyer les tables, ce genre de trucs. Je vais vous dire, pour rien au monde je ne voudrais travailler dans la restauration.

À présent, il paraissait plus détendu.

— Je suis désolé pour le coup des donuts, ai-je déclaré.

Il a haussé les épaules, comme si cela n'avait aucune importance.

— Je peux vous poser une dernière question, Arnie ?

— Allez-y.

— Puisque c'est Bob qui vous a engagé, pourquoi venir me raconter ça à moi ?

Nouveau haussement d'épaules.

— Le problème avec Bob, c'est que, pour lui, être propriétaire d'un tas de voitures d'occasion le

1. Ancien animateur et éditorialiste sur CNN, connu pour avoir notamment dénoncé l'immigration clandestine des Mexicains aux États-Unis.

met au même niveau que le pape ou un type de ce genre. Vous avez beau vous comporter comme un crétin, Bob peut se montrer pire que ça parfois.

Sydney, seize ans. Il y a environ un an, seulement.

Elle a passé son permis de conduire, et veut maintenant prendre la voiture toute seule. Elle a davantage l'opportunité de le faire chez sa mère que chez moi. Susanne a des heures de travail plus conventionnelles que les miennes, et il y a donc plus souvent une voiture à sa disposition pour s'entraîner en fin de journée. Quand Sydney habite avec moi, et qu'il arrive que je sois à la maison le soir, j'hésite encore à la laisser se servir de la voiture. J'attribue ça au fait que j'ai moins eu l'occasion de m'habituer à l'idée qu'elle puisse rouler seule sur la route.

Ceci se passe avant qu'elle obtienne son job d'été à la concession, où elle se montre plutôt douée pour piloter prestement une voiture inconnue dans le parking, la conduire à l'atelier et la placer sur le treuil.

Cette semaine-là, j'ai une Civic. Sydney dit qu'elle veut faire un aller-retour chez sa mère avec pour récupérer des devoirs qu'elle a oubliés. Seule.

— Allez, insiste-t-elle.

Je cède.

Environ une heure plus tard, on frappe à la porte. Je tombe sur Patty, souriant nerveusement. Ça fait deux mois que Syd et elle sont amies.

— Je peux entrer ? demande-t-elle.

— Syd n'est pas là. Elle est allée chercher quelque chose chez sa mère.

— Je peux entrer quand même ?

Une fois à l'intérieur, Patty étend les mains devant elle, comme si elle aplatissait un nuage, et attaque :

— Bon, la première chose qu'il faut que vous sachiez, c'est que Syd va bien.

Je sens un gouffre s'ouvrir sous mes pieds.

— Continue.

— Mais ce truc est arrivé, et elle n'y est pour rien.

— Qu'est-ce qui s'est passé, Patty ?

— En revenant de chez sa mère, Sydney est passée me prendre et on a décidé d'aller acheter une glace chez Carvel.

Le glacier se trouve juste en bas de la côte, à deux pas de la maison. Patty a dû marcher depuis là-bas. Elle poursuit :

— Alors elle se gare, et a déjà quitté la voiture, quand ce mec, un connard absolu qui roule dans une vieille caisse toute déglinguée, recule en plein dans la portière.

— Aucune de vous deux n'était dans la voiture ?

— Comme je vous disais, on a vu le truc arriver pendant qu'on achetait nos glaces. Le mec s'est carrément barré sans qu'on puisse relever une plaque ni rien. Mais ce n'était pas du tout de la faute de Syd.

J'enfile mon manteau.

— Vous n'allez pas vous mettre en colère contre elle ? reprend Patty.

— Je veux juste être sûr qu'elle va bien.

— Oh, nickel. Elle s'inquiète surtout de vous. Que vous piquiez une crise.

Plus tard, j'interroge Syd :

— C'est ce que tu croyais ? Que j'allais piquer une crise ?

— Je ne sais pas.

— Pourquoi as-tu envoyé Patty ?

— Eh bien, elle s'est proposée, pour commencer. Et j'ai pensé, pourquoi pas, parce que depuis que maman et toi avez divorcé, enfin, même avant votre divorce, chaque fois qu'il y a un truc qui tourne autour de l'argent, c'est genre, gaffe, ça va barder.

— Syd...

— En plus, une portière cabossée, ça va coûter une fortune, non ? Et tu ne voudras pas la faire passer sur l'assurance, parce que ça fera augmenter tes primes. Moi, je la paierais bien mais j'ai pas d'argent, alors tu vas en réclamer la moitié à maman, qui dira : « C'est ta voiture, tu l'as laissée la conduire, c'est à toi de payer », et tu seras furieux, du coup ce sera comme quand tu avais la concession et que tout marchait de travers, que maman et toi vous disputiez tous les soirs, qu'elle disait que tout ça était censé m'offrir une meilleure vie, et que j'avais l'impression que sans moi, vous ne vous disputeriez pas tout le temps...

Le lendemain, je demande à Susanne de me retrouver pour déjeuner.

— On fait la paix.

— D'accord, dit-elle.

Et, par la suite, elle a tenu parole.

27

Après le départ d'Arnie, j'ai appelé Patty sur son portable. Tout d'abord, je voulais m'assurer qu'elle allait bien, qu'elle était rentrée sans problème chez elle – ou ailleurs. Elle n'a pas décroché. Peut-être a-t-elle pensé en voyant mon numéro : *Va te faire voir.* Certes, je m'étais montré plutôt ferme à son égard la veille, mais certains m'accuseraient sans doute de ne pas l'avoir été assez. Boire de l'alcool sans en avoir l'âge légal, traîner tard dehors, ne pas prévenir sa mère, il y avait largement matière à sermon.

Toutefois, je trouvais que ce n'était pas mon rôle. Si je me sentais obligé de vérifier que Patty était saine et sauve, ce n'était pas à moi, surtout en ce moment, de reprendre sa vie en main.

Pour Jeff, en revanche, j'avais deux numéros, fixe et portable. J'ai composé le premier, tombant sur une femme.

— Madame Bluestein ?

— Oui.

— Tim Blake à l'appareil.

— Ah mon Dieu, bonjour.

J'avais découvert que les gens s'abstenaient de me demander comment ça allait, comme ils le faisaient avant la disparition de Syd.

— Est-ce que Jeff est là ?

— Pas pour l'instant. C'est au sujet du site ?

— J'avais deux trois questions à lui poser, des points techniques auxquels je ne comprends rien.

— Oh, moi non plus. Il passe son temps sur les ordinateurs et je n'ai pas la moindre idée de ce qu'il fabrique.

— J'ai son numéro de portable. Je vais l'essayer.

Ce que j'ai fait après avoir raccroché.

— Ouais ?

— Jeff, c'est M. Blake.

— Ouais ?

— Il faut que je te voie.

— Ouais ? Je veux dire, bien sûr, pas de problème. Qu'est-ce qui se passe ? Le site est tombé en panne ou quoi ?

— Non, rien de ce genre. Je veux juste te parler de quelques autres bricoles.

— Bon.

— Qu'est-ce que tu fais ?

— Hein ?

— Là, tout de suite. Qu'est-ce que tu fais ?

— Je suis dans le train. Avec des copains, on va en ville pour la journée.

Par « ville », je supposais qu'il entendait Manhattan.

— Vous allez à New York ?

— Ouais. Juste comme ça.

— Tu reviens quand ?

— Ce soir, j'imagine. On va à SoHo, au magasin Kid Robot.

Je n'avais aucune idée de ce dont il s'agissait.

En tout cas, je n'avais pas envie d'aborder l'objet de notre discussion au téléphone. J'ignorais si sa mésaventure du Dalrymple avait un rapport quelconque avec Syd, mais je voulais lui en parler en tête à tête. Les rares capacités d'intimidation dont je disposais risquaient de ne pas fonctionner aussi bien par téléphone.

— Demain, alors, sans faute.

— Sans faute, a acquiescé Jeff.

Mais il ne semblait pas emballé du tout.

— Tu veux m'acheter une voiture ? a raillé Bob, plus tard dans l'après-midi.

— Prends ça comme une façon de faire amende honorable.

Nous nous trouvions sur son parc d'exposition, avec des fanions qui flottaient au-dessus de nos têtes.

— C'est faux, à ce propos, ai-je poursuivi.

— Quoi donc ? Tu ne veux pas acheter de voiture ?

— Non, que j'essaie de semer la zizanie entre Susanne et toi. Elle compte toujours pour moi. Je l'aime toujours, mais… plus de la même manière. Et je ne cherche pas à m'interposer entre vous deux.

— Quel baratineur, a répliqué Bob.

— Bon, qu'est-ce que tu as à me proposer ?

Il a pointé du doigt une New Beetle bleu délavé d'une dizaine d'années, une des premières de la série rétro lancée par Volkswagen.

— Qu'est-ce que tu penses de ça ?

— Tu plaisantes, ai-je rétorqué.

— Non. Elle a peu de kilomètres, un prix honnête et ne consomme pas trop.

— C'est une « voiture anniversaire », pas vrai ?

Bob a fait semblant de ne pas comprendre. C'est ainsi que les gens du métier désignaient un véhicule qui avait passé une année complète en exposition sans être vendu.

— Une voiture anniversaire ?

— Allez, Bob. Ça fait des mois que je vois cette bagnole traîner là. Tu n'arrives pas à t'en débarrasser. Il y a une flaque d'huile dessous, et les deux pneus avant sont lisses.

— Elle a des vitres teintées, a-t-il objecté. Et un chargeur de six CD dans le coffre. Vas-y, démarre-la.

Et il m'a tendu une épaisse clé-télécommande.

J'ai mis le contact, allumé les phares, puis fait le tour de la Beetle en laissant le moteur tourner.

— Les phares ne marchent pas. Et tu entends comme elle cogne ?

— Elle a juste besoin de chauffer un peu, a plaidé Bob.

— Et tu espères en tirer quatre mille cinq cents dollars ?

— C'est une bonne affaire. La meilleure de mon parc. Et dans ta fourchette de prix, a-t-il ajouté.

— Je t'en donne trois mille huit si tu remplaces les pneus avant, les phares, et que tu trouves l'origine de la fuite. Ça marche ?

Bob a poussé un long soupir exaspéré.

— Tu peux toujours courir !

— Tu devrais balancer ça dans tes pubs, Bob.

Après avoir éteint le moteur, j'ai actionné le levier qui permettait de basculer le siège. Il m'est resté dans la main. Je l'ai brandi sous le nez de Bob.

— Trois mille neuf, a-t-il proposé.

— Et tu changes les pneus et les phares, ai-je complété en jetant le levier cassé sur le tapis de sol.

— Marché conclu. N'importe quoi pour me débarrasser de cette caisse.

Je me suis rendu dans le bureau, où Susanne faisait de la paperasse. Elle a levé les yeux, incapable de les détacher de mon nez.

— Bob croit t'avoir fourgué la Beetle ? a-t-elle demandé.

— Oui. Il m'a fallu négocier sec pour le convaincre qu'il ne me faisait pas une fleur.

— Je vais garder ton chèque de côté. Il mettra des semaines avant de s'apercevoir qu'il n'a pas été déposé. D'ici là, tu n'auras peut-être plus besoin de la voiture, tu seras retourné à la concession et tu pourras la rendre.

— Mais je te paierai les pneus et les phares neufs. Pas question que tu y ailles de ta poche.

— Je te dirai le montant.

— Tu es chic, Suze.

— Trouve notre fille.

En quittant le bureau, j'ai vu une berline bleu foncé arriver de la rue, avec deux hommes à l'avant. La voiture a pilé, puis les deux portières se sont ouvertes en même temps. Les hommes sont sortis, et le passager a désigné l'extrémité du parking, où Evan se trouvait de nouveau en train de laver des véhicules.

Tous deux étaient jeunes, un an ou deux de plus qu'Evan. Ils se sont dirigés vers lui.

Dès qu'il les a remarqués, Evan a posé sa lance à eau et s'est figé. Visiblement, il hésitait à se mettre à courir, calculant ses chances d'échapper aux deux zozos.

J'ai passé la tête par la porte du bureau et ordonné à Susanne :

— Trouve Bob en vitesse.

Puis je me suis élancé à la suite des deux types. Ils marchaient d'un pas déterminé et chargé de menace. Plus ils se rapprochaient, plus Evan semblait se ratatiner.

Ils l'ont coincé entre une Land Rover et une Chrysler 300 rangées contre un grillage.

— Coucou, Evan, a fait le premier.

— Salut. J'ai essayé de vous joindre.

— Sans blague ? J'ai pas reçu d'appel. Et toi, a-t-il ajouté en se tournant vers le second. Tu as eu un appel ?

— Nan, a répondu l'autre.

— Ça me dépasse qu'on continue à sortir ce genre d'excuse, a repris le premier. Tu vois mon téléphone, là ? Il permet de laisser des messages. Ça te dit quelque chose ? Il indique même qui m'a appelé. Et tu sais quoi, enfoiré ? Tu m'as pas appelé.

— J'allais le faire, a argué Evan.

— On devrait peut-être prendre ton téléphone et te le faire bouffer.

— Qu'est-ce qui se passe ici ? ai-je demandé en arrivant derrière eux.

Les deux hommes ont fait volte-face.

— T'es qui, mec ? a craché le second.

— Il y a un problème ?

— Juste une affaire privée, a rétorqué le premier.

Son acolyte et lui ont croisé les bras d'un air mauvais.

— Evan ? ai-je poursuivi.

Pour une fois, il paraissait content de me voir.

— Hé, monsieur Blake.

— Qu'est-ce qui se passe ?

— Rien de grave.

Je me suis tourné vers le premier gars.

— Combien il vous doit ?

Il a incliné la tête sur le côté, apparemment épaté que j'aie saisi l'essentiel de la situation.

— Cinq cents, a-t-il annoncé.

J'ai sorti mon portefeuille.

— Voilà cent soixante dollars tout de suite. Revenez demain à la même heure, il aura le reste. D'accord, Evan ?

Celui-ci a hoché la tête.

Le jeune type m'a arraché les billets des doigts.

— Il a vachement intérêt à avoir le reste demain.

Les deux zozos m'ont légèrement bousculé en me dépassant puis sont repartis vers leur voiture tandis que Bob arrivait en courant, le souffle court.

J'ai interrogé Evan :

— Dette de jeu ?

Il a nié d'un air penaud.

— Ça fait maintenant trois semaines que je leur dois du fric pour de l'herbe.

Hors d'haleine, Bob nous avait enfin rejoints.

— Alors ? C'étaient qui ces mecs ?

— Préviens-moi quand la Beetle est prête, lui ai-je lancé.

Durant le reste de l'après-midi, j'ai tourné en rond, au propre comme au figuré.

J'ai sillonné Milford, Bridgeport, poussant jusqu'à Derby. J'ai fait les refuges pour jeunes, les petits fast-foods, les commerces de proximité, montrant la photo de Syd à qui voulait bien la regarder.

Chou blanc partout.

Sur le chemin du retour, je suis passé dans un ShopRite acheter un poulet rôti et une barquette de salade de pommes de terre. Une fois à la maison, debout devant le plan de travail de la cuisine, j'ai ingurgité des morceaux de poulet détachés avec les doigts et mangé la salade de patates directement dans la barquette, mais avec une fourchette quand même. Le poulet presque terminé, il m'est venu à l'esprit qu'avoir sauté le déjeuner expliquait mon comportement d'homme des cavernes.

Aucun message ne m'attendait sur le répondeur ni sur le site de Syd.

J'ai tenté à nouveau de joindre Patty. Je ne lui avais pas parlé depuis que je l'avais tirée de cette fête et ramenée ici pour soigner son genou.

C'est-à-dire la veille, seulement ?

Le portable de Patty a sonné avant de tomber sur la boîte vocale. Réflexion faite, je n'ai pas laissé de message.

Après avoir nettoyé la cuisine, je me suis écroulé sur le canapé et j'ai mis les infos. Je n'ai même pas tenu jusqu'à la météo, et me suis endormi comme une masse.

Il faisait nuit lorsque je me suis réveillé. J'ai éteint la télé puis je suis monté dans ma chambre. Mon sac de voyage, celui qui m'avait accompagné à Seattle et au Just Inn Time avant de regagner finalement la maison, traînait sur un siège. Je ne l'avais pas encore complètement vidé.

Quelque chose a tilté dans ma tête, et j'ai entrepris de fouiller dedans.

— Où est… ?

J'ai vidé tout le contenu sur le lit – une ou deux paires de chaussettes, des sous-vêtements, un polo.

— Zut…

Ensuite je me suis rendu dans la chambre de Syd, au cas où j'aurais oublié avoir remis à sa place ce que je cherchais.

J'ai balayé la pièce des yeux, en vain.

— Bon sang, Milt, où es-tu ? ai-je demandé tout haut.

Empoignant mes clés de voiture, je suis sorti vérifier le coffre, la banquette arrière, sous les sièges. Mais la peluche préférée de Syd ne se trouvait nulle part.

— L'hôtel ! me suis-je alors dit.

N'ayant pas la force d'y retourner maintenant, j'ai mentalement noté d'y faire un saut la prochaine fois que je passerai devant.

Bien qu'il semblât logique d'aller me coucher, je me sentais affreusement contrarié. Certes, il était tard, mais je devais plutôt faire quelque chose d'utile. Passer des coups de fil, visiter d'autres centres d'accueil, rouler jusqu'à…

Un bruit.

Dehors. Une sorte de bruit sourd.

Peut-être une simple portière qui claquait.

Mais si je l'entendais, ce n'était sans doute pas un voisin. Sûrement quelqu'un dans mon allée, ou devant la maison.

M'efforçant de ne faire aucun bruit moi-même, je suis redescendu au rez-de-chaussée, et m'apprêtais à jeter un œil par la fenêtre quand la sonnette a retenti.

Mon cœur a fait un bond.

Je me suis approché de la porte pour regarder à travers le carreau attenant. Un homme se tenait sur le seuil, un objet cubique, de la taille d'une batterie de voiture, dans la main droite. J'ai déverrouillé.

— Monsieur Blake, a salué l'homme.

— Monsieur Fletcher.

— Vous vous rappelez.

— Je n'oublie jamais quelqu'un qui profite d'un essai de véhicule pour livrer du fumier.

— Ouais, a fait Richard Fletcher, et il a tendu le bras qui portait le paquet.

C'était un pack de six Coors.

Je l'ai accepté. Comme les canettes étaient tièdes au toucher, il a expliqué :

— La première fois que je suis passé, je sortais juste du magasin, et elles étaient fraîches. Mais elles se sont réchauffées depuis.

— Vous êtes déjà venu ?

— Deux fois, dans la journée. J'ai déniché votre adresse grâce à la carte que vous m'aviez donnée. En cherchant par votre numéro de fixe dans l'annuaire.

— Vous feriez aussi bien d'entrer, ai-je proposé, avant d'ouvrir plus largement la porte.

Je l'ai précédé dans la cuisine, lui ai indiqué une chaise, et j'ai extirpé deux canettes du pack. Puis je me suis installé en face de lui en décapsulant la mienne.

Tous deux avons bu une gorgée de bière.

— Elle aurait été meilleure fraîche, a constaté Fletcher.

— Tant pis.

— Je ne cherche pas vraiment à acheter un nouveau camion.

— Je le pensais bien.

— J'avais donné ma parole à un gars pour lui livrer du fumier, mais mon camion a refusé de démarrer. Le gars m'avait promis quarante dollars.

— Je comprends.

— Je n'avais pas de quoi en louer un, a poursuivi Fletcher. Ni personne à qui en emprunter.

— Bien sûr.

— Alors, voilà pourquoi j'ai fait ça.

J'ai opiné en silence.

— La prochaine fois, je pourrais essayer la concession Toyota.

— Je vous en serais reconnaissant, ai-je répliqué avec un sourire.

Il m'a rendu mon sourire.

— Bon, c'est ce que j'étais venu dire.

Un instant, il a cherché ses mots.

— Désolé, je ne voulais pas causer de tort.

Après une nouvelle gorgée de bière tiède, j'ai demandé :

— Comment s'appelle votre fille ?

— Sofia.

— C'est un joli prénom.

Nous avons chacun repris une lampée.

— Je ferais bien d'y aller, a-t-il déclaré ensuite. Je ne crois pas pouvoir finir cette canette. Autrefois j'étais capable d'en boire une demi-douzaine, mais maintenant, c'est à peine si j'arrive à en terminer une.

Je me suis levé pour le raccompagner. Dans l'allée, nous nous sommes serré la main.

— Quand je gagnerai au Loto, je vous achèterai une voiture, a-t-il ajouté.

— C'est la moindre des choses.

Alors que je faisais demi-tour pour rentrer, il y a eu au loin un crissement de pneus, le ronflement d'un moteur de voiture.

Le son s'est amplifié. Un véhicule approchait dans la rue, très, très vite.

Juste au moment où je tournais la tête, un bruit sec a claqué. Avant que Fletcher n'arrive sur moi, j'ai eu la vision fugitive d'un van déboulant à toute vitesse.

Tandis que Fletcher m'empoignait par la ceinture et me projetait sur le gazon froid, j'ai entendu de nouveaux claquements, suivis de bris de verre.

— Baissez-vous ! a aboyé Fletcher dans mon oreille.

J'ai néanmoins réussi à entrevoir le van qui accélérait, puis disparaissait.

Fletcher m'a enfin lâché. Je me suis relevé, pour constater que la vitre arrière de ma voiture avait été fracassée par des coups de feu.

— Je pensais que la bière ne suffirait peut-être pas, mais je crois que nous sommes quittes, maintenant, a fait valoir Fletcher.

28

J'ai foncé à la maison pour appeler la police. Lorsque je suis revenu, Richard Fletcher avait presque atteint sa Pinto jaune, au bout de l'allée. Il m'a fallu courir pour le rattraper avant qu'il ne mette le contact.

— Où allez-vous ?

— Je rentre chez moi.

— La police est en route. Ils vont vouloir vous parler. Vous êtes un témoin.

— J'ai rien vu, a-t-il rétorqué. Je rame déjà assez pour m'en sortir et élever ma fille, sans avoir besoin d'être mêlé au pétrin dans lequel vous êtes fourré, quel qu'il soit. Si vous dites à la police que j'étais ici, je nierai en bloc.

Il a tourné la clé. Le moteur a toussé trois fois avant de démarrer. Fletcher m'a salué d'un dernier hochement de tête, puis la Pinto a descendu Hill Street en crachant et hoquetant.

Il n'a pas fallu longtemps pour que la rue ressemble à une convention de forces policières. Il y avait au moins une douzaine de véhicules devant la maison, gyrophares projetant une lumière stroboscopique rouge sur les habitations et les arbres alentour. Un peu plus loin, un fourgon d'une chaîne d'informations télévisées en continu attendait. Les trottoirs grouillaient de voisins, qui chuchotaient entre eux, essayant de comprendre ce qui s'était passé, tandis que les agents cernaient la scène d'un ruban jaune.

Ils allaient et venaient également dans toute la maison. À force, ils devaient la connaître par cœur.

Plantée sur la pelouse avec moi, Kip Jennings a demandé :

— Donc, vous vous trouviez ici, en train de parler à qui, déjà ?

— Richard Fletcher. Il habite Coulter Drive.

— Et où est-il ?

— Il est rentré chez lui.

— Ce type vous sauve d'une fusillade, et repart ensuite tout simplement chez lui ?

— Ben oui.

— Qu'est-ce qu'il faisait ici, pour commencer ?

— Il est venu m'apporter un cadeau de réconciliation. Il avait emprunté un camion à la concession sous prétexte de l'essayer, et s'en est servi pour livrer du fumier. Comme je lui ai réclamé des explications, il est passé ce soir avec un pack de Coors. La fusillade a eu lieu au moment où il allait partir.

— Il vous a piégé ?

— Non, je ne crois pas. Il m'a sauvé la vie. S'il ne m'avait pas saisi à bras-le-corps, je serais raide mort à l'heure actuelle. Mais il assure que si vous l'interrogez, il niera avoir été présent sur les lieux, ai-je précisé. Il n'a pas besoin d'ajouter des embêtements à ceux qui encombrent déjà sa vie.

— Voyez-vous ça, a raillé Jennings, avant de changer de cap : vous dites avoir vu le véhicule ?

— Quand il a filé, oui. Un van. Je l'ai juste aperçu. Ça pourrait être le même van qui était garé en face de la concession, celui du type qui voulait me tuer.

— Il va peut-être continuer jusqu'à ce qu'il réussisse.

Un policier en uniforme est sorti de la maison pour s'approcher d'elle.

— Il y a quelque chose là-haut que vous devriez venir voir.

Jennings m'a regardé, comme si je savais forcément de quoi il parlait. J'ai haussé les épaules, puis les ai suivis à l'étage. Le policier s'est arrêté devant la salle de bains.

— On a trouvé ça.

Il désignait des serviettes ensanglantées, en boule sur le sol près des toilettes.

Jennings m'a dévisagé.

— C'est votre sang ?

— Non, mais…

— Il va falloir emballer ça, a-t-elle ordonné à son agent. L'équipe médico-légale est arrivée ?

— À l'instant, oui.

Elle s'est retournée vers moi.

— Je croyais que personne n'avait été touché, selon vous.

— Je peux vous expliquer de quoi il s'agit. Inutile de faire quoi que ce soit. Sur le plan médico-légal, je veux dire.

— Venez avec moi.

Nous sommes descendus à la cuisine, nettement plus calme que le reste de la maison.

— Allez-y, je vous écoute.

— Vous connaissez Patty Swain, la copine de Sydney ?

Le visage de Kip Jennings, la plupart du temps impassible, a exprimé une sorte d'étonnement. L'espace d'une fraction de seconde, ses yeux ont semblé s'écarquiller.

— Oui.

— Elle m'a appelé hier soir, tard. Elle assistait à une fête sur le boulevard de la plage, avait beaucoup bu, et s'était blessée.

— Continuez.

— Elle m'a demandé de venir la chercher.

— Et pourquoi vous avoir appelé, vous ?

— Je suppose qu'elle avait l'impression de n'avoir personne d'autre.

— Pour quelle raison ? a insisté Jennings.
— Son père est parti depuis des années, et – ce n'est pas moi qui le dis, mais Patty elle-même, ainsi que Syd, à l'époque – sa mère est plus ou moins alcoolique. D'après Patty, sa mère aurait été incapable de venir la chercher.
— Donc vous y êtes allé.
J'ai lâché un soupir.
— Oui. J'étais claqué, mais bon, elle n'appelait pas de très loin non plus. Alors j'ai pris la voiture, trouvé Patty et je l'ai ramenée ici. C'était plutôt glauque là-bas, les gars devenaient un peu agressifs, vous voyez ? Je lui ai proposé de la conduire chez elle, mais il n'y a pas eu moyen. Son genou était assez amoché.
— Qu'est-ce qui lui était arrivé ?
— Elle était tombée sur des morceaux de verre.
— Et vous l'avez soignée ?
— Je l'ai fait monter dans la salle de bains, j'ai nettoyé sa blessure et essuyé le sang avec des serviettes, que j'ai ensuite jetées dans un coin, et je les ai complètement oubliées en partant ce matin.
Jennings affichait une expression des plus sérieuses.
— Quoi ? ai-je repris. Où est le mal ? Lâchez vos experts sur ces serviettes si ça vous chante, mais c'est tout ce qui s'est passé.
— Et son genou une fois nettoyé ?
— Eh bien, j'ai mis un pansement dessus, puis de nouveau proposé à Patty de la ramener chez elle, mais comme elle ne voulait pas, je lui

ai dit qu'elle pouvait dormir dans la chambre de Sydney.

— Vraiment.

— C'était peut-être idiot de ma part, ai-je admis. Mais elle jurait que si je la conduisais chez sa mère, elle ficherait le camp, et l'idée d'une ado à moitié ivre en vadrouille toute seule au milieu de la nuit ne me plaisait pas.

— Évidemment.

— À dire vrai, je ne sais même pas si elle a passé la nuit ici. Je suis directement allé me coucher, et à mon réveil ce matin, elle était déjà partie. Le lit semblait intact, et la porte d'entrée n'était plus fermée à clé.

— À quelle heure vous êtes-vous levé ?

— Vers sept heures et demie.

— Elle vous a parlé de quelque chose en particulier ?

— Comment ça ?

— N'importe quoi, je ne sais pas.

J'ai haussé les épaules.

— Un peu de son père. Elle n'a pas l'air de beaucoup tenir à lui, et il semblerait que ça fait des années qu'elle ne le voit que rarement. Elle m'a aussi parlé de sa mère, de son alcoolisme. Elle a aussi proposé d'habiter ici, de s'occuper de la maison, jusqu'au retour de Syd.

— Ça vous a semblé bizarre ?

— C'est possible. Patty a passé énormément de temps dans cette maison depuis qu'elle et Syd sont amies. Je lui ai répondu que ça ne marcherait pas. Et qu'elle devait s'en aller à la première heure ce matin. Du coup, je l'ai peut-être mise en colère, et elle est partie juste après que je me suis couché.

— Quelqu'un peut confirmer votre histoire ?

— Pourquoi ? C'est nécessaire ?

— Simple question.

Kate Wood. Elle pouvait confirmer la première partie, m'ayant vu entrer dans la maison avec Patty. Mais Kate était-elle quelqu'un que j'avais envie d'impliquer dans cette affaire ? Est-ce que ça arrangerait les choses ?

— Écoutez, ai-je répondu d'un ton hésitant, il y a bien une personne, mais je dois vous prévenir qu'elle est un peu… un peu spéciale.

— Ah oui ?

— Une femme que je fréquentais, nommée Kate Wood. Elle est passée en voiture quand je faisais entrer Patty dans la maison. Et plus tard, je lui ai téléphoné, pour lui expliquer la situation.

— Pourquoi avez-vous éprouvé le besoin de faire cela ?

Parce que ça paraissait louche.

— Je ne sais pas exactement. J'ai pensé qu'elle aurait pu se faire de fausses idées. Kate voulait sans doute venir discuter un moment…

— Dans quel but ? Vous avez bien dit que vous ne la voyez plus ?

— Oui, c'est vrai. Mais elle estime peut-être, je ne sais pas, qu'il nous reste quelques détails à régler.

— Il y a autre chose dont vous voudriez me parler ? Quelque chose que vous auriez sur le cœur ?

— Pardon ? Non. Enfin, si. J'aimerais savoir ce que vous faites pour retrouver Syd. Vous me posez tout le temps des questions, sans avoir jamais rien à m'annoncer de votre côté – hormis la présence du sang de Sydney sur sa voiture, bien sûr. Aujourd'hui, j'ai sillonné les environs, montré la photo de Syd à des centaines de gens. Et vous, à combien de personnes l'avez-vous montrée ?

Un instant, Jennings a soutenu mon regard.

— Nous poursuivrons cette conversation dans une minute.

Elle a quitté la cuisine tout en sortant son portable de sa poche. Le temps d'obtenir son interlocuteur, elle était dehors, où je ne pouvais pas l'entendre.

Je me suis adossé au réfrigérateur, essayant de comprendre ce qui s'était produit au cours de cette dernière heure.

Sydney restait introuvable.

Des gens qui voulaient savoir où elle était cherchaient à me tuer.

Appelle-moi, Syd. Dis-moi où tu es. Dis-moi ce qui se passe.

Jennings est revenue peu après, rempochant son téléphone.

— J'aimerais qu'on reprenne tout ça depuis le début. Quand vous avez ramassé Patty à cette fête, et l'avez ramenée chez vous.

— C'est quoi, le problème ?

— Elle a disparu, a expliqué Kip Jennings.

29

Voici ce que m'a appris Kip Jennings.

Patty travaillait à temps partiel dans une boutique d'accessoires de mode du centre commercial, deux ou trois fois par semaine. Ce matin-là, elle était attendue à dix heures, et personne n'a vraiment réagi en ne la voyant pas encore à la demie. Patty faisait preuve d'une attitude plutôt cavalière pour certaines choses comme le respect des horaires.

Mais, à onze heures, ils ont commencé à se demander si elle n'avait pas oublié qu'elle figurait sur le planning, et tenté de la joindre. N'obtenant pas de réponse sur son portable, ils ont essayé chez elle. Sans plus de résultat.

L'une des employées savait que la mère de Patty, Carol Swain, travaillait au service commercial d'une miroiterie, sur Bridgeport Avenue, et ils l'ont contactée. Elle n'avait pas vu sa fille depuis la veille, et, s'il n'était pas inhabituel que Patty rentre tard, sa mère s'était néanmoins étonnée de ne pas la trouver à la maison le matin même. Qu'elle ne se montre pas au travail non plus – bien que souvent en retard, Patty finissait toujours par s'y rendre – voilà qui sortait tout à fait de l'ordinaire.

Lorsque Carol Swain est rentrée chez elle en fin de journée, Patty n'était toujours pas là. Elle a alors appelé à son tour sa fille *via* son portable. Ne parvenant pas à la joindre, elle a envisagé de téléphoner aux amis de Patty, avant de devoir admettre qu'elle n'en connaissait pas. Patty ne lui disait pas un traître mot de ses fréquentations. Comme Carol expliquait cela à une de ses relations, avec qui elle allait parfois boire un coup après le travail, celle-ci a demandé : « Carol ? Il ne t'est pas venu à l'esprit que ta fille pourrait avoir des ennuis, en fait ? »

Vers six heures du soir, la mère de Patty a donc appelé la police. Presque en s'excusant : « Probablement rien de grave. Vous connaissez les gamines d'aujourd'hui. » Mais est-ce qu'une ado ressemblant à sa fille ne se serait pas fait renverser à un carrefour, par exemple ?

La police a répondu que non. Et proposé à Carol Swain de déposer un avis de personne disparue.

« Mince, je ne veux pas non plus en faire une affaire d'État, a-t-elle répliqué après un instant de réflexion.

— On ne peut pas vous aider à retrouver votre fille si vous ne déclarez pas sa disparition, l'a-t-on avertie.

— Oh, et puis après tout, pourquoi pas ? a fini par admettre Carol Swain. »

Jennings a terminé son récit en précisant :

— Je viens de passer un ou deux coups de fil, et Patty n'est pas réapparue.

— J'ai essayé de la joindre plusieurs fois aujourd'hui, ai-je indiqué. Elle n'a pas répondu.

— À l'heure actuelle, il semblerait que vous soyez la dernière personne à l'avoir vue.

Cela semblait plus qu'une simple observation.

— Que voulez-vous dire ?

— Monsieur Blake, comme vous me paraissez un type plutôt correct, je m'efforce d'être franche. On a découvert dans votre maison des serviettes ensanglantées que vous affirmez avoir utilisées pour soigner une jeune fille que personne n'a vue depuis près de vingt-quatre heures.

— J'ai été parfaitement honnête avec vous, ai-je riposté.

— Je l'espère. Nous avons à présent deux adolescentes disparues, et vous êtes mêlé aux deux affaires.

Le lendemain matin, j'ai appelé Susanne au travail.

— Est-ce que Bob a fini de préparer la Beetle ?

— Oui. Pneus neufs, phares neufs.

— Et la fuite d'huile ?

— Ne me demande pas de faire des miracles, Tim.

— J'ai besoin qu'on vienne me chercher.

— Tu as déjà rendu ta voiture ?

— Je ne l'ai plus.

Mais c'était la police qui l'avait, et non Laura Cantrell.

— Je m'en occupe, a promis Susanne.

Estimant peu probable qu'elle m'envoie Bob, j'espérais qu'elle viendrait elle-même.

Mais j'ai été surpris de voir arriver Evan au volant de la Beetle. Le bruit de ferraille qui s'échappait de sous le capot ne présageait rien de bon. L'empattement court de la voiture lui a permis d'exécuter un demi-tour serré dans la rue, et de positionner la portière côté passager juste devant moi.

— C'est quoi, ces rubans de police autour de votre maison ?

— Tu vas être capable de rembourser ces types quand ils viendront réclamer le reste de l'argent ?

— Ouais, a-t-il répliqué en jetant un dernier coup d'œil à ma maison avant de démarrer.

— Grâce à ton père ?

— Ouais, a-t-il répété, avant de s'éclaircir la gorge. Merci pour hier.

— J'ai envisagé de les laisser te flanquer une correction, tu sais.

— Pourquoi ?

— Peut-être qu'une bonne raclée te ferait du bien. Ça te mettrait du plomb dans la tête.

Il a fixé la route.

— Peut-être, oui.

— Tu te drogues, tu voles, tu es accro aux jeux en ligne, ai-je poursuivi. Et tu as couché avec ma fille.

Il m'a regardé en coin.

— Elle a sans doute vu quelque chose en moi que vous ne voyez pas, a-t-il argué.

— Sûrement.

J'ignorais si Evan essayait de bien se tenir à cause de moi, en tout cas, il mettait son clignotant, respectait la limitation de vitesse et évitait les changements de file intempestifs.

— Tu as vu Patty, la copine de Syd, ces derniers jours ?

— Hein ? Non, pourquoi ?

J'ai éludé en secouant la tête. Répondre à ses questions ne m'intéressait pas, tant qu'il n'avait pas répondu aux miennes.

— Tu t'es servi d'une fausse carte de crédit pour jouer.

— Ouais.

— Comment ça fonctionne ? Si tu gagnes, l'argent ne retourne pas sur le compte du type dont tu as piqué le numéro de carte ?

— Je n'ai pas vraiment étudié le truc en détail. C'est le jeu proprement dit qui importe, pas de toucher de l'argent.

Dans l'esprit d'un joueur, c'était en effet assez logique.

— Où as-tu eu cette carte ?

— Je veux causer d'ennuis à personne, a-t-il objecté.

— Par Jeff Bluestein, n'est-ce pas ?

Nouveau coup d'œil d'Evan.

— Comment vous… ?

Puis il s'est interrompu.

— Je viens seulement de le deviner, ai-je expliqué en m'enfonçant dans mon siège. Il est le premier de ma liste aujourd'hui.

Evan a illico paru se couvrir de sueur.

— Ne lui dites pas que j'ai parlé, hein ?

Durant un moment, j'ai gardé le silence. Pour écouter.

— Tu ne trouves pas que le moteur fait un drôle de bruit ? ai-je fini par lancer.

Une fois chez Bob Motors, j'ai pris place derrière le volant. Susanne est sortie du bureau, appuyée sur sa canne, tandis qu'Evan s'éclipsait.

— Qu'est-ce que tu lui as encore dit ?

— Rien, ai-je répondu.

Comme toujours, je lui ai assuré que si je découvrais quoi que ce soit, je la tiendrais au courant. Même si, parfois, je choisissais de lui cacher certaines choses. Comme ce qui était arrivé chez moi hier soir.

— Qu'est-ce que je peux faire ? a-t-elle demandé.

— Être là.

— Tu vas faire quoi, maintenant ?

— Fouiner.

Ainsi que je l'avais annoncé à Evan, je comptais commencer par Jeff. Je savais où il vivait, pour y avoir de temps en temps déposé Syd avant que l'un ou l'autre ne décroche son permis.

Je me suis garé devant chez lui, j'ai escaladé le porche à grandes enjambées puis sonné. La mère de Jeff a ouvert la porte et souri.

— Bonjour.

Son sourire semblait forcé, comme si elle n'avait pas du tout envie de me voir. Je crois que dès le départ, elle n'avait pas aimé que son fils m'aide. J'étais un homme à problèmes, et laisser son fils fréquenter un homme pareil ne pouvait rien lui apporter de bon.

— Jeff dort encore.

— Réveillez-le, si vous voulez bien. Il sait que je voulais le voir ce matin.

Sans bouger du seuil, Mme Bluestein a objecté :

— S'il s'agit juste de quelques questions techniques sur le site, ça ne peut pas attendre un peu ?

— Je crains que non.

— Une minute, a-t-elle grommelé en laissant la porte moustiquaire se rabattre.

C'était une maison de plain-pied, et je l'ai vue traverser une salle de séjour, longer un couloir avant d'entrer d'un pas hésitant dans une pièce sur la droite. Une trentaine de secondes plus tard, elle est revenue.

— Donnez-lui encore une demi-heure, d'accord ? Il est très endormi.

Passant devant elle, j'ai emprunté le couloir à mon tour.

— Dites donc ! a protesté Mme Bluestein, sur mes talons. Vous permettez ?

J'ai ouvert la porte de la chambre et aperçu Jeff blotti sous ses couvertures. Sans aucun effort pour baisser le ton de ma voix, je l'ai interpellé :

— Jeff.

— Hmmm ?

— Lève-toi, on doit parler.

Il a cligné plusieurs fois des yeux afin d'ajuster sa vision, puis s'est recroquevillé.

— Il est franchement tôt.

— Habille-toi. On va aller prendre un petit déjeuner.

— Monsieur Blake ! a crié sa mère. Il était avec des amis et il est rentré tard hier soir.

Penché sur Jeff, j'ai collé la bouche contre son oreille, encaissant son haleine matinale.

— Sors de ce plumard et viens discuter, ou je t'interroge sur le Dalrymple devant ta mère.

À vrai dire, j'ignorais si elle était au courant de ce qui s'était passé, mais à en juger par la façon dont il a aussitôt bondi, j'aurais parié que non.

— Monsieur Blake, insistait-elle. Je vous prie de partir immédiatement.

Je me suis écarté de Jeff, qui rejetait déjà ses couvertures.

— C'est bon, maman. J'ai juste oublié qu'on avait rendez-vous.

— Vous voyez ? ai-je lancé avec un bref sourire à Mme Bluestein, avant d'ajouter à l'intention de Jeff : Je t'attends dehors. Dans cinq minutes.

— Ouais.

Mme Bluestein a essayé de savoir si cela concernait autre chose que le site, mais j'ai esquivé toutes ses questions. J'ai regagné la Beetle, et aurais trompé l'attente en écoutant la radio, si le bouton ne m'était pas resté dans la main.

Jeff est sorti au bout de quatre minutes, et m'a rejoint dans la voiture.

— Qu'est-ce que tu veux ?

— Hein ?

— Comme petit déjeuner.

— J'ai pas vraiment faim, a-t-il répliqué.

— On va au McDo, alors.

Je nous ai conduits à celui qui était le plus proche, où j'ai commandé un McMuffin à l'œuf, avec du café et une galette de pommes de terre sautées. Alors que nous prenions place l'un en face de l'autre dans un box, j'ai remarqué que Jeff lorgnait mes pommes de terre.

— Tu les veux ?

— Je sais pas.

— Tiens, prends-les.

Il ne s'est pas fait prier.

— Comment vous avez su, pour le Dalrymple ? a-t-il ensuite demandé.

— Ce n'est pas important pour l'instant. Mais je veux que tu me racontes toute l'histoire.

— Pourquoi ?

— Parce que.

— En quoi ça vous regarde ?

— Je ne le saurai qu'après t'avoir entendu. En rien, peut-être, mais peut-être que si.

Il a pris une bouchée de pommes de terre.

— Ça n'a rien à voir avec Sydney, si c'est pour ça que vous m'interrogez.

— Dis-moi ce que tu as fait.

— Pas de quoi en faire tout un plat. Personne n'a réellement été arnaqué. Les boîtes de cartes de crédit ne font pas payer les gens pour des trucs qu'ils n'ont pas achetés.

Ne me sentant pas d'attaque pour un sermon sur le fait que le vol entraîne l'augmentation des prix, je n'ai pas relevé.

— Tu pratiquais ça depuis un moment avant que le patron te surprenne, n'est-ce pas ?

— Pas si longtemps que ça, mais ouais, quelque temps.

— Et si ç'avait été quelqu'un d'autre qui t'avait pincé, les choses seraient différentes aujourd'hui, non ? On se parlerait sûrement par téléphone à travers une vitre.

— Je sais que c'était une idée stupide, a-t-il reconnu, la mine lugubre. Je l'ai fait pour gagner plus d'argent.

— Explique-moi exactement comment tu t'y prenais.

Il a baissé la tête d'un air honteux, mais pas au point de l'empêcher de terminer d'abord ma galette de pommes de terre. Pour ma part, j'ai bu une gorgée de café.

— J'avais ce petit machin, dans lequel on glisse une Visa, une MasterCard ou une American Express, et qui garde toutes les données, comme les chiffres de la carte, tout ça. Ça pouvait stocker les infos de tonnes de cartes.

— Qui te l'a donné ? Qui voulait que tu le fasses ?

— Je ne sais pas.

J'ai posé mon McMuffin et me suis penché par-dessus la table, assez près pour que nos têtes se touchent.

— Jeff. Je ne rigole pas, là. Je veux des réponses, tu entends ?

— Vous ne m'avez jamais aimé, n'est-ce pas ? Quand Syd et moi on sortait ensemble, cela vous plaisait pas.

— Ne joue pas à ce petit jeu avec moi, Jeff. Tu sais peut-être tirer sur la corde sensible de ta mère, la faire culpabiliser, mais je m'en fiche. Est-elle seulement au courant de tout ça ? Ton père le lui a dit ?

— Comment vous savez que mon père est au courant ?

— J'en déduis que ta mère ne l'est pas, elle. Tu veux que je retourne lui raconter ce que tu as fait ?

— Non, a-t-il murmuré.

— Le hic, c'est que tu n'es plus le seul dans la mouise. Il y a aussi Evan, par exemple.

— Qu'est-ce qui se passe avec Evan ?

— Son petit problème de jeu en ligne, eh bien tout le monde est au courant maintenant. Il a volé de l'argent pour payer ses dettes. Et il a utilisé au moins une fausse carte de crédit fournie par toi.

— Oh merde, a lâché Jeff. Il ne devait en parler à personne.

— Tu lui as aussi donné de l'argent ?

— Il m'est arrivé de lui en prêter. Il m'a jamais remboursé.

— Quelle surprise, ai-je ironisé avec un hochement de tête las. Écoute, je ne cherche pas à t'attirer des ennuis supplémentaires.

— Vous ne comprenez pas. Je pourrais me retrouver dans un pétrin bien plus gros.

— C'est-à-dire ?

— Le mec, celui qui me payait pour frauder les cartes au départ, il filait un peu les chocottes. Genre faux cul, voyez ?

— Son nom ?

— Je ne me le rappelle pas.

— Comment tu le contactais ?

— Il m'avait donné un numéro de portable.

— Comment ça, faux cul ?

— Ben, c'est l'impression qu'il dégageait. Comme si ça coûterait salement cher de le doubler.

— Il a dû être furieux que tu te fasses prendre ?

— Je n'ai eu qu'une seule fois de ses nouvelles après ça. Il était fumasse, mais en apprenant que je ne serais pas inculpé, et que mon père avait obtenu du patron au Dalrymple d'oublier l'affaire, je suppose qu'il a préféré ne pas foutre la merde.

— Et ton père ? Il n'a pas voulu savoir qui était ce type ?

— Pensez, il était fou de rage. Mais il ne voulait pas que maman l'apprenne, parce que ça l'aurait fait complètement flipper, alors il a décidé qu'il valait mieux laisser tomber.

— Bon, et le type en question ? À quoi ressemblait-il ?

Jeff a haussé les épaules.

— Un mec, c'est tout.

Il fallait vraiment lui tirer les vers du nez.

— Grand, maigre, gros, noir, blanc ?

— Blanc, a acquiescé Jeff, comme si cela suffisait.

— Gros ?

— Non, il tenait plutôt la forme. Les cheveux assez clairs, je crois. Et bien sapé. Il fumait.

— Quel âge ?

— Assez vieux.

— Vieux comment ? Soixante, soixante-dix ans ?

Jeff s'est concentré.

— Non, je dirais dans les trente.

— Il te payait combien ?

— Eh bien, en me donnant le machin, là, qu'il appelait le sabot, il a promis de me filer cinquante dollars par carte passée dedans. Mais il voulait surtout que ce soit des haut de gamme, des Gold, ce genre-là. Alors en une seule soirée, je pouvais me faire mille dollars. Au Dalrymple, ils payaient le salaire minimum, plus les pourboires, seulement certains soirs, ils étaient bons, d'autres non, même si j'ai toujours dit à maman qu'ils étaient gros pour qu'elle ne se demande pas d'où je tenais tout ce fric. Du moins, le temps que ça a duré, a-t-il ajouté après une pause.

Pas difficile de comprendre l'attrait de la combine pour un gamin en quête d'argent facile.

— Mais ce fameux soir, a poursuivi Jeff, quand Roy…

— Roy ?

— Roy Chilton, le gérant. Quand il m'a vu glisser une fois de trop la carte dans le sabot, il a tout de suite compris de quoi il retournait, et il s'est déchaîné contre moi.

— Pourquoi as-tu fait ça, Jeff ? Tu es un bon garçon.

De nouveau, il a haussé les épaules.

— Je voulais un ordinateur portable.

J'ai pensivement observé la circulation au-dehors avant de demander :

— Sydney connaissait la combine ?

— Sûrement pas ! Je ne lui en ai jamais parlé. En fait, j'aimais autant que personne soit au courant. Syd savait que j'avais ce job au Dalrymple, mais quand j'ai été viré, j'ai raconté que j'avais laissé tomber par terre la commande de toute une famille.

En effet, je me souvenais vaguement de Syd mentionnant que Jeff avait perdu son travail, mais sans préciser la raison.

— Vous ne dites plus rien, a observé Jeff. Vous m'en voulez ?

Posant les mains à plat sur la table, j'ai fermé un moment les yeux. Lorsque je les ai rouverts, il m'observait d'un air méfiant, se demandant sans doute si quelque chose clochait chez moi.

— Tu n'étais probablement pas le seul à faire ça pour ce type, ai-je repris. Ça fait un paquet de fausses cartes, un paquet de personnes arnaquées pour un paquet d'argent.

— Un jour, il a fait une allusion, comme quoi c'était pour donner un coup de pouce à des gens qui venaient d'arriver dans le pays, pour qu'ils puissent s'acheter des trucs.

J'ai médité un instant là-dessus.

— Tu as toujours le numéro de portable de ce gars ?

Jeff a fait signe que non.

— Et tu es sûr de ne pas te rappeler son nom ?

Après avoir hésité quelque temps, il a avoué :

— En fait, il m'a donné son nom une fois, mais ensuite, en répondant au téléphone, il a dit : « Gary à l'appareil. »

— Et Gary n'était pas le prénom qu'il t'avait indiqué ?

— Non, c'en était un autre…

Jeff a froncé le nez, comme si la réponse flottait dans l'air et qu'il lui suffirait de humer pour l'attraper.

— Ça pourrait être Eric.

— Eric, ai-je répété.

— Je crois bien, oui.

— Comment tu t'es mis en cheville avec lui la première fois ?

— Quelqu'un m'a dit que si je cherchais un moyen de gagner un peu de thune supplémentaire, je n'avais qu'à appeler ce gars. Alors j'ai pensé que je pourrais changer de job, ou faire l'autre à côté de mon travail au Dalrymple. Finalement, les deux marchaient ensemble.

— Qui ? ai-je demandé. Qui t'a dit ça ?

— S'il vous plaît, monsieur Blake. Je ne veux attirer d'ennuis à personne.

S'il n'avait pas cité le nom d'Eric, l'absence totale de lien entre les problèmes de Jeff et Sydney m'aurait encore paru possible. Mais à présent, j'avais le sentiment qu'il existait un rapport très fort.

— Crache le morceau, Jeff. Qui t'a passé le tuyau sur ce type ?

Mal à l'aise, Jeff s'est frotté le nez. Puis jeté à l'eau.

— Vous le connaissez. Il vend des voitures au même endroit que vous. Andy.

— Andy Hertz ? ai-je complété, tiquant.

— Ouais. Mais lui dites pas que j'ai cafté.

Je suis resté silencieux, essayant de rassembler les morceaux. Jeff m'a fixé pour lancer :

— Hé monsieur Blake, vous avez croisé Patty dernièrement ?

30

Tout en ramenant Jeff chez lui, j'ai demandé :

— Comment connais-tu Andy Hertz ?

— L'an dernier, quand Sydney travaillait à la concession, elle est devenue amie avec tout le monde. Parfois, quand on se retrouvait, Syd, Patty, moi et d'autres copains, Andy nous accompagnait. Il était plus vieux que nous, mais du genre cool, et en plus il pouvait acheter de la bière à notre place.

— Trop chouette.

— Ouais. C'est un gars sympa.

— Et donc, Andy vous a tous expliqué comment vous faire du rab d'argent ?

— Non, juste à moi. Je veux dire, le seul à qui je sais qu'il en a parlé, c'est moi. Un jour j'en suis venu à discuter avec lui en tête à tête, du fait que je cherchais un boulot, et il m'a dit avoir le numéro d'un type qu'il avait croisé une fois ou deux par hasard, et qui pourrait me dégoter quelque chose.

— Ah oui ?

— Ouais.

— Tu as raconté à Andy ce qui s'est passé ?

— Comme je vous ai dit, je voulais que personne ne sache, alors non, je lui ai pas raconté. Mon père m'a interdit d'en parler à qui que ce soit. Pour commencer, je n'ai même jamais informé Andy que j'avais contacté son gars.

Je faisais mon possible pour me concentrer sur les voitures devant moi. Le sang battait à mes tempes. Je mourais d'envie d'avoir une petite conversation avec Andy Hertz.

— Ça va, monsieur Blake ?

— Très bien.

— Vous n'allez pas tout balancer à Andy, hein ? a-t-il poursuivi d'un ton inquiet.

Sans répondre, je lui ai décoché un regard en coin.

Malgré sa taille, il semblait se tasser au fond de son siège. L'habitacle façon bocal à poisson de la Beetle lui laissait plein d'espace au-dessus de la tête. Jeff est resté un moment silencieux, puis il a marmonné :

— Je me demande si j'ai fait quelque chose qui a mis Patty en pétard. D'habitude elle me rappelle.

J'ai déposé Jeff – sa mère attendait à la porte, et pour ce qu'on pouvait en supposer, n'en avait pas bougé pendant tout ce temps-là – et alors que je repartais avec l'intention de mettre le cap sur Riverside Honda et d'échanger quelques mots avec Andy, mon portable a sonné.

— Monsieur Blake ? Où êtes-vous ?

L'inspecteur Jennings.

— En route vers mon travail, ai-je répondu.

— J'ai besoin que vous veniez au poste de police.

— Ça peut attendre ? Il faut que j'aille à la concession parler à…

— J'ai besoin que vous veniez maintenant, a-t-elle coupé.

La panique m'a envahi.

— Qu'est-ce ce qui se passe ? C'est Sydney ? Vous l'avez retrouvée ?

— J'aimerais simplement que vous veniez, a répété Jennings.

Je voulais lui apprendre que je tenais peut-être une piste sur Eric, dont le vrai prénom était sans doute Gary, mais j'ai décidé d'attendre d'être arrivé au poste.

— Je serai là dans quelques minutes.

Elle m'a cueilli au seuil de l'immeuble.

— Merci d'être venu tout de suite.

— Qu'est-ce qui est arrivé ? Vous avez trouvé Syd ?

— Venez avec moi.

Je l'ai suivie le long d'un couloir carrelé, puis dans une pièce aux murs nus, meublée d'une table et de chaises.

— Asseyez-vous.

J'ai pris place sur une des chaises.

Elle avait laissé la porte ouverte, et quelques secondes plus tard, un homme massif, d'une cinquantaine d'années, à la coupe de cheveux militaire, nous a rejoints.

— Voici l'inspecteur Adam Marjorie, a annoncé Jennings. Il… participe à présent à l'enquête.

Marjorie n'avait pas l'air du genre à aimer qu'on plaisante sur son nom de famille. Le ton de Kip laissait entendre qu'il était plus haut placé dans la chaîne alimentaire du service, et qu'il intervenait pour montrer comment faire les choses.

— De quoi s'agit-il ? ai-je demandé.

— L'inspecteur Marjorie et moi aimerions revenir sur les incidents d'avant-hier soir.

Pas ceux de la veille, quand on m'avait tiré dessus ?

— Que voulez-vous savoir ?

— Nous voulons vous poser quelques questions sur Patty Swain, a répondu Marjorie, dont la voix était basse et râpeuse.

Je commençais à me faire une idée de la situation. Je me trouvais dans une salle d'interrogatoire. Voilà donc de quoi il s'agissait. Et ce Marjorie allait tenir le rôle du méchant flic.

— J'ai dit tout ce que je pouvais à l'inspecteur Jennings, ai-je assuré, avant de me tourner vers elle : N'est-ce pas ?

Sauf erreur, si Marjorie jouait le mauvais flic, le rôle supposé de Jennings coulait de source, non ?

— Racontez-nous encore ce coup de fil que vous avez reçu d'elle, a-t-elle rétorqué.

J'ai répété mon histoire. Patty réclamant que je vienne la chercher, son genou blessé lors d'une chute sur du verre cassé. J'ai également fourni des détails sur le garçon qui l'asticotait et la retenait par le bras. Jennings a pris quelques notes à ce propos, mais Marjorie ne semblait pas plus intéressé que ça.

Il a contourné la table pour s'approcher à deux pas de moi.

— Vous diriez qu'elle se trouvait dans quel état quand vous l'avez emmenée chez vous ?

— C'est-à-dire ?

— Elle se rendait compte de ce qui se passait ? Elle était lucide ? Consciente ?

— Oui. Oui aux trois questions.

— Vous en êtes certain ? a-t-il insisté.

— Évidemment. Quel est le problème ?

Mon regard passait de l'un à l'autre.

Après s'être installée de l'autre côté de la table, Jennings a pris le relais.

— Vous avez dû pratiquement la porter dans votre maison, n'est-ce pas ?

— Elle boitait. À cause de son genou.

— Donc vous étiez en contact physique avec elle.

— Hein ? Oui, forcément. Pour l'aider à entrer dans la maison sans qu'elle tombe. Elle avait bu, aussi.

— Où avait-elle trouvé l'alcool ? a enchaîné Marjorie. Vous le lui aviez procuré ?

— C'est ça. Les ados ont tellement de mal à s'acheter de l'alcool qu'ils doivent passer par moi.

— Commence pas à faire ton malin, connard, a-t-il riposté.

Estomaqué, j'ai dévisagé Jennings.

— C'est qui, ce type ?

L'inspecteur Marjorie n'a pas apprécié. Il s'est penché assez près pour que son haleine me brûle le visage.

— Je suis le type qui trouve bizarre qu'un mec de ton âge ramène une jeune fille ivre chez lui, tard le soir, sous prétexte de l'aider. Qu'est-ce que tu as fait avec elle une fois à l'intérieur ?

— Je n'y crois pas !

De nouveau, je me suis tourné vers Jennings, pensant naïvement voir en elle une alliée, mais rien dans son expression n'indiquait qu'elle fût de mon côté.

— Je vous conseille de répondre à la question, a-t-elle dit.

— Patty n'avait pas besoin de moi pour se procurer de l'alcool. Elle était allée à une fête sur East Brodway. N'importe qui a pu lui en donner. En fait, le temps que je la ramène chez moi, elle avait dessoûlé. Toujours un peu paf, mais relativement cohérente.

— Il y avait pas mal de sang sur ces serviettes, a souligné Marjorie.

— Son genou saignait. La plupart des coupures étaient assez superficielles, mais une ou deux étaient plus profondes. Allons, qu'est-ce que vous sous-entendez ? Que j'ai fait quelque chose à Patty, et ensuite laissé des serviettes pleines de sang dans la salle de bains, où vous pouviez les découvrir à la première occasion ?

Jennings a reculé sur sa chaise et croisé les bras.

— Nous avons parlé à Mme Wood, a-t-elle annoncé.

— Bon.

— Selon elle, vous l'avez appelée le lendemain, au sujet de ce qu'elle avait vu.

— Elle est passée en voiture devant la maison pendant que Patty et moi entrions. Elle devait avoir l'intention de s'arrêter, mais en constatant que je n'étais pas seul, elle a continué son chemin. Donc le lendemain, je lui ai téléphoné.

— Pourquoi ? Vous ne la fréquentez plus, n'est-ce pas ?

— Non.

— Alors pourquoi lui devriez-vous une explication ?

— Je craignais qu'elle ait mal interprété la situation.

— Ainsi, vous étiez inquiet. De ce qu'elle aurait pu penser de cette scène, du fait que vous portiez une jeune fille chez vous ? Vous trouviez que cela nécessitait une explication. Qu'elle risquait naturellement de se méprendre.

— Je ne la portais pas, ai-je rectifié. Je l'aidais à marcher.

— Mme Wood l'a vu autrement, a objecté Marjorie.

Excédé, j'ai secoué la tête.

— Elle roulait à bonne vitesse, de nuit. Elle n'a pas vu les choses telles qu'elles se sont passées réellement.

— D'accord, a lentement répliqué Jennings, la voix un instant hésitante, comme si elle rassemblait ses idées. Racontez-nous encore votre premier contact avec cette Yolanda Mills de Seattle. Celle qui affirmait avoir repéré votre fille là-bas.

Quel rapport entre Yolanda Mills et Patty ?

— C'était un mail. Elle avait repéré le site que j'avais lancé pour Syd. Du moins, c'est ce qu'elle prétendait. Mais toute l'histoire était un coup monté. Nous en avons déjà discuté, ai-je ajouté en la fixant dans les yeux. Vous savez que c'était un piège pour me faire quitter la ville.

— Ensuite, vous lui avez répondu par mail aussi ?

À croire qu'elle n'avait pas entendu un traître mot de ce que je venais de dire.

— C'est exact. Je voulais savoir où la joindre, et j'ai reçu en retour un numéro de téléphone, que j'ai appelé.

— Et vous avez parlé à quelqu'un, a-t-elle complété.

— Oui. J'ignore qui c'était. Bien entendu, il n'y avait personne de ce nom lorsque je me suis rendu sur place.

— Je sais, a confirmé Jennings, qui paraissait vouloir en arriver quelque part. Kate Wood était chez vous quand vous avez reçu le premier mail de cette Mills, n'est-ce pas ?

J'ai acquiescé.

— Ensuite, elle se trouvait devant votre ordinateur lorsque le second est arrivé, c'est juste ?

De nouveau, j'ai confirmé.

— Où étiez-vous à ce moment-là ?

— Comment ça ? J'étais là, moi aussi.

— Dans la même pièce que Mme Wood ?

Il m'a fallu me remémorer cette soirée pour répondre.

— Non, en bas, dans la cuisine.

— Et vous faisiez quoi ? a demandé Marjorie.

— J'appelais des centres d'accueil, des foyers pour fugueurs à Seattle. Je me servais de mon téléphone mobile tandis que Kate passait des coups de fil à l'étage, avec le fixe.

— D'où sortiez-vous les numéros ?

— J'avais descendu l'ordinateur portable de Syd. La maison est équipée en Wi-Fi, ce qui permet de l'utiliser partout.

Les deux inspecteurs ont échangé un regard, avant de le ramener sur moi.

— C'est donc pendant que vous étiez en bas, sur le portable, a repris Jennings, que Mme Wood vous a crié que vous aviez reçu un nouveau mail de Yolanda Mills.

— En effet.

Où diable voulaient-ils en venir ?

— Et qu'est-ce qui s'est passé ensuite ?

— Je suis monté en courant, j'ai lu le mail, puis composé le numéro qui y figurait et parlé à cette femme.

— Bien. Mme Wood se trouvait alors avec vous ?

— Oui.

— Et elle a entendu la conversation, d'une manière ou d'une autre ? Elle écoutait sur un autre poste ?

— Non.

— Vous diriez qu'elle était en mesure de suivre les deux parties de l'échange ?

— Je ne comprends pas le but de ces questions.

— Contentez-vous d'y répondre, voulez-vous ? a rétorqué Jennings.

— Devrais-je réclamer un avocat ? L'autre soir, vous avez dit que je risquais d'avoir besoin de contacter un avocat.

Marjorie est intervenu :

— Vous pensez que c'est le cas en ce moment ?

— Je me le demande.

— Pourquoi un type qui n'a rien à cacher aurait besoin d'un avocat ? Je veux dire, si vous avez quelque chose à cacher, on arrête tout et vous en faites venir un, si vous préférez.

— Je n'ai rien à cacher, ai-je riposté, tout en sachant qu'il serait crétin de ma part de laisser cette situation se prolonger.

— Vous acceptez de répondre à la dernière question ?

— Je crains bien ne… C'était quoi, déjà ?

— Est-ce que Mme Wood pouvait entendre les deux parties de la discussion que vous prétendez avoir eue avec Yolanda Mills ?

Prétendez ?

— Euh, je ne sais pas. Probablement pas.

Au tour de Jennings à présent :

— Parlez-moi du téléphone.

— Quel téléphone ?

— Celui dans votre poche quand je suis passée chez vous, l'autre matin.

— C'était le téléphone qui a servi pour m'appeler de Seattle. Du moins, il portait un numéro de Seattle.

— C'est exact.

— Si vous le savez, pourquoi me poser la question ?

— Depuis combien de temps aviez-vous ce téléphone ?

— Je venais de le trouver, un instant avant votre arrivée. Par terre. L'homme qui a essayé de me tuer l'a même mentionné.

— Ben voyons, a fait l'inspecteur Marjorie.

— Écoutez, si vous m'aviez laissé une seconde, je vous l'aurais remis, ai-je plaidé.

— On n'a trouvé aucune empreinte dessus, en dehors des vôtres, a négligemment indiqué Jennings.

Marjorie arpentait maintenant la pièce d'un pas lent, et l'espace a soudain paru rétrécir, les murs se rapprocher.

— Mme Wood faisait juste un saut, ou vous l'attendiez ?

Voilà que Kate revenait sur le tapis.

— De quand parle-t-on, là ? ai-je demandé.

Il a secoué la tête, comme si j'étais un abruti incapable de suivre la moindre conversation.

— Pareil que tout à l'heure. Du soir où vous avez reçu toutes ces nouvelles de Seattle.

— Nous avions eu un échange téléphonique plus tôt dans la journée. Elle devait apporter des plats chinois.

— Vous lui avez dit de venir tout de suite ?

Une fois de plus, j'ai essayé de me souvenir.

— Non, une heure et demie plus tard. Et je suis parti faire un tour en voiture. Comme cela m'arrive souvent, ai-je ajouté avec un gros soupir, pour chercher Sydney.

Puis, me rappelant où j'étais allé cette fois-là :

— En cours de route, je me suis arrêté chez Richard Fletcher.

— Qui est-ce ?

J'ai jeté un coup d'œil à Jennings, qui connaissait déjà l'histoire.

— Il avait pris un camion à la concession sous prétexte de faire un essai sur route, mais en réalité, il voulait juste s'en servir pour livrer du fumier.

— C'est pas plutôt vos bobards qu'il allait livrer ? a rétorqué Marjorie. Parce que pour moi, c'est du pareil au même.

— Nous l'avons déjà interrogé, a déclaré Jennings. À propos de la fusillade chez vous.

— Et ? ai-je lancé, plein d'espoir.

— Exactement comme vous l'aviez annoncé. Il nie vous avoir rendu visite. Affirme n'être au courant de rien. Il est resté toute la soirée chez lui avec sa fille, laquelle soutient la même version.

— Ce n'est qu'une gosse. Bien sûr qu'elle dira ce que son père lui demande de dire.

— Pour le moment, on n'a que votre parole contre la sienne.

J'allais protester, mais Marjorie m'a coupé l'herbe sous le pied.

— Vous possédez une arme, monsieur Blake ?

— Une arme ? Non. Aucune.

— Je ne parle pas d'une arme déclarée. N'importe quelle arme.

— Je n'ai pas d'arme, ai-je répété. Et je n'en ai jamais eu.

— Vous n'êtes jamais allé chasser avec votre père, gamin ?

— Non.

Marjorie n'a pas semblé convaincu.

— J'apprécierais vraiment que vous m'expliquiez à quoi tout cela rime, ai-je poursuivi. Je ne comprends rien.

— Yolanda Mills n'a jamais existé, n'est-ce pas ?

— Non. Je croyais ce point à peu près établi. Elle a été inventée par ces gens, la bande de mèche avec le type qui avait l'intention de me tuer, et qui a probablement tiré sur ma voiture. Ils voulaient m'éloigner de la ville afin de planquer de la cocaïne chez moi. Ils ont mis la maison sens dessus dessous pour faire croire qu'on l'avait fouillée à la recherche de la drogue mais sans la trouver. La combine était que les flics la découvrent, et m'arrêtent. Du coup, je n'aurais plus été dans leurs pattes.

— Dans les pattes de qui, au juste ?

— Je l'ignore.

L'inspecteur Marjorie a hoché la tête avec un sourire entendu.

— Ma fille a disparu, et pour vous, tout ça n'est qu'une vaste blague ?

— Ah oui ? a-t-il riposté. Je pense que c'est une blague ? Vous me balancez une histoire tout droit sortie de *La Quatrième Dimension* et c'est moi qui raconte des blagues ? Très bien, alors permettez-moi de vous poser une question extrêmement sérieuse, monsieur Blake. Avez-vous inventé Yolanda Mills ?

Ça m'a fait l'effet d'un coup de massue sur la tête.

— Pardon ?

— Vous avez très bien entendu.
J'ai fixé Kip Jennings.
— Il délire ou quoi ?
Elle a soutenu mon regard.
— Répondez-lui, monsieur Blake.
— Venant de lui, je peux accepter ce genre de foutaises. Mais vous ? Depuis le début, je vous croyais de mon côté.
— Les choses iraient nettement mieux, et se termineraient bien plus vite, si vous répondiez simplement aux questions.
— Non. Je n'ai pas inventé Yolanda Mills.
— Vous en êtes sûr ? a insisté Marjorie. Vous êtes sûr de ne pas l'avoir inventée, et de ne pas vous être servi de Kate Wood pour aller dans le sens de votre histoire ? De ne pas l'avoir utilisée comme témoin ?
— Mais qu'est-ce qu'elle a bien pu vous raconter, nom d'un chien ? Il y a une chose que vous devez savoir au sujet de Kate Wood. Non, deux. D'abord, elle m'en veut parce que j'ai rompu notre relation. Et deuxièmement, elle est cinglée.
— Imaginons que vous ayez attendu sa venue pour trouver ce premier mail, puis, après avoir descendu l'ordinateur portable, que vous vous soyez envoyé un message à vous-même depuis une adresse bidon au nom de Yolanda Mills, afin que Mme Wood le découvre à l'étage. Ensuite, que vous ayez passé un coup de fil, mais sans téléphoner réellement. Que vous ayez simulé toute l'affaire pour Mme Wood. C'est possible, non ?
À mon tour de sourire. Non avec amusement, mais ahurissement.

— Dire que vous trouviez mon histoire bien tordue, ai-je répliqué. Vous êtes un allumé de première.

Tandis que Jennings restait de marbre, le visage de Marjorie virait au rouge sous la pression de la colère.

— Vous ne répondez pas exactement à la question, monsieur Blake, a-t-elle fait remarquer.

— Comprenez bien quelque chose à propos de Kate Wood. Elle voit des complots partout. Elle pense que la Terre entière lui en veut, que chaque matin, tout le monde se réunit pour décider comment emmerder Kate Wood. Voilà pourquoi j'ai éprouvé le besoin de l'appeler. Parce que je sais comment son esprit fonctionne.

— C'est donc votre argument de défense, a conclu Marjorie. Elle est cinglée.

— Je dis juste que vous devez connaître sa façon de voir le monde. Est-ce réellement ce qu'elle croit, ou l'avez-vous amenée sur cette voie ? Je sais qu'il lui en faut peu. Elle pense vraiment que je l'ai manipulée ? Que j'ai monté tout ce cirque pour qu'elle corrobore une histoire à dormir debout ? Vous avez vu ma maison à mon retour de Seattle, ai-je ajouté à l'intention de Jennings. Vous avez bien vu dans quel état ils l'ont mise.

Elle a hoché la tête d'un air pensif.

— En théorie, vous auriez pu le faire vous-même avant de partir pour Seattle.

— C'est votre point de vue ? lui ai-je demandé du tac au tac.

— Admettez que c'est possible.

— Vous non plus ne répondez pas exactement à la question. C'est ce que vous croyez, oui ou non ?

Elle a grimacé, comme si elle préférait ne pas répondre. Car elle ne souhaitait pas que Marjorie sache qu'elle me pensait innocent, ou bien que moi, je sache qu'elle me lâchait ?

— Pourquoi ferais-je un truc pareil ? Organiser un faux appel avec une personne qui n'existe pas ? Vandaliser ma propre maison ? Planquer de la cocaïne pour que vous la trouviez ? Où aurais-je eu cette cocaïne ? Et si j'avais pu en dénicher, pour quelle raison aurais-je fait cela ? Qu'est-ce qui pourrait bien me pousser à ce genre de choses ?

Aucun des deux n'a moufté. Je suppose qu'ils voulaient que je comprenne tout seul.

— Monsieur Blake, a enfin repris Jennings. Ce qui a débuté comme une enquête sur la disparition de votre fille s'est ramifié dans un certain nombre de directions. Par exemple, ce dénommé Eric qui soi-disant essayait de vous tuer…

— Soi-disant ? l'ai-je interrompue en désignant mon nez. Ça ressemble à un nez soi-disant défoncé ?

Imperturbable, Jennings a continué.

— Maintenant, une deuxième fille a disparu. Amie intime de la vôtre. Vous savez ce qui constitue le dénominateur commun de tous ces événements ?

— Oui. Sydney.

— C'est une façon de l'envisager, a objecté l'inspecteur Marjorie. D'après moi, c'est surtout vous le dénominateur commun. Je pense que vous êtes un petit malin, mais pas tout à fait. Je pense même possible que des gens soient après vous. Vous avez peut-être énervé quelqu'un qui cherche à se venger. Je n'ai pas encore éclairci cette partie-là. N'empêche, vous avez très bien pu mettre en scène certains de ces éléments pour faire croire que votre fille était mêlée à quelque chose. Pour détourner l'attention de vous.

— Et pourquoi je ferais ça, bon Dieu ?

— Vous êtes au centre de tout. Vous êtes le dernier à avoir vu votre fille. Le dernier à avoir vu Patty Swain. Nous ne sommes pas idiots, monsieur Blake.

— Il faut croire que si. Je ne sais pas ce que vous avez en tête, mais c'est délirant.

— C'est pour ça que vous vous êtes débarrassé de Patty ? Parce qu'elle a compris que vous aviez tué votre propre fille ?

Je n'ai même pas réfléchi. Mais l'aurais-je fait, rien ne dit que ma réaction eût été différente.

Une chose est sûre, ça relevait de l'instinct. Si quelqu'un insinue que vous avez tué votre enfant, que vous avez supprimé la vie de l'être le plus cher au monde à vos yeux, comment agir autrement qu'en cherchant à l'étrangler de vos mains ?

J'ai sauté de ma chaise comme d'un siège éjectable pour me ruer droit sur Marjorie, les bras tendus. Je voulais le tuer. Et pas seulement à cause de ce qu'il sous-entendait de moi. Mais pour Sydney. Bien que censés m'aider à la retrouver, ces gens-là n'arrivaient à rien parce que – peut-être pas Jennings, même si je n'étais plus sûr d'elle – ils gaspillaient leurs efforts en cherchant un moyen de me rendre responsable.

— Espèce de salaud ! ai-je rugi.

Mais je n'ai pas réussi à refermer mes mains. On n'est pas flic depuis aussi longtemps que Marjorie sans apprendre une ou deux bricoles sur la manière de se défendre. Il a agrippé un de mes bras et, se servant de mon élan pour retourner ma propre force contre moi, m'a projeté sur le mur derrière lui.

Puis il a pivoté, attrapé mes cheveux avec ses doigts épais et m'a écrasé le visage contre le mur. J'avais l'impression que mon cou allait craquer.

— Adam ! a crié Jennings.

— Enculé, a-t-il soufflé à mon oreille.

— Adam, lâche-le.

— Tu viens d'agresser un officier de police. Bien joué, imbécile.

— Je n'ai pas tué ma fille ! ai-je hurlé, les lèvres sur la paroi vert pâle.

— Adam, a répété Jennings, sortons discuter.

Il a attendu encore un instant pour me lâcher. Ensuite, il a quitté la pièce en compagnie de Jennings. J'ai entendu la porte claquer.

Le souffle court, je me suis appuyé contre le mur, essayant de retrouver mes esprits. Je suis resté là cinq bonnes minutes avant que la porte s'ouvre et que l'inspecteur Jennings entre, seule.

— Vous êtes libre de partir, a-t-elle déclaré en tenant la porte ouverte.

— Quoi ? C'est tout ?

— Vous êtes libre.

— Je ne vous crois pas, vous autres.

— Monsieur Blake…

— Laissez-moi deviner. Votre copain veut m'arrêter, m'inculper, mais il n'existe aucune preuve contre moi. Juste ses théories de taré.

— Franchement, monsieur Blake, vous devriez y aller.

— Il aimerait m'inculper pour agression, mais il pense que si vous me laissez partir, je pourrais commettre une erreur quelconque, un truc qui me coincerait.

Elle a gardé le silence.

— Je vais vous dire quelle erreur j'ai commise : je vous ai fait confiance. Je sais que les parents sont souvent les premiers suspects quand il arrive quelque chose à leurs mômes, pourtant jamais l'idée ne m'est venue que je l'étais à vos yeux, du moins jusqu'à maintenant. Mais à présent, si vous pensez comme lui, alors j'imagine que je ne peux plus compter sur vous. Et que je vais devoir chercher ma fille tout seul.

Jennings tenait toujours la porte ouverte.

— Merci, ai-je fait en la franchissant.

31

J'étais en nage en quittant le poste de police. Et ce n'était pas seulement à cause de la colère. Il faisait chaud. Dans la voiture, j'ai mis la clim et orienté les sorties d'aération vers moi, mais même après deux minutes, elle ne soufflait que de l'air brûlant.

J'ai lâché entre mes dents une bordée de jurons à l'encontre de Bob.

Arrivé à Riverside Honda, j'ai fait le tour du parking jusqu'à une Civic hybride bleue en démo, celle dont Andy Hertz se servait ces temps-ci, et me suis garé à côté. Puis je suis entré dans le hall d'exposition, me dirigeant droit vers le bureau d'Andy, mais comme je passais devant celui de Laura Cantrell, elle m'a interpellé :

— Tim !

J'ai fait volte-face.

— Vous ramenez le CR-V ?

— Réclamez-le aux flics.

Andy était penché en avant, au téléphone. Par-dessus son épaule, j'ai atteint le récepteur et coupé sa communication.

Son regard a remonté mon bras jusqu'à ce qu'il découvre qui l'avait interrompu.

— Tim, t'es cinglé ou quoi ? Qu'est-ce qui te prend ?

— On va avoir une petite discussion, tous les deux.

— J'étais sur une piste solide, là. Le gars veut offrir un Pilot à sa femme pour son anniversaire et…

Je l'ai saisi par le coude et extirpé de son siège.

— Allons-y.

— Où ça ? Où est-ce qu'on va ?

— Tim ! Qu'est-ce que vous faites ?

C'était Laura, les poings sur les hanches, prétendant faire celle qui dirigeait la boîte.

Je l'ai ignorée et j'ai poussé Andy vers la porte. Une fois dehors, je l'ai conduit à l'arrière du bâtiment, à l'endroit où je l'avais enguirlandé pour m'avoir piqué une commission. Il regimbait.

— Qu'est-ce que tu as ? Je ne t'ai chipé aucun autre client.

— Souviens-toi, ai-je lancé, le visage tout contre le sien. Il y a un an. Tu as mis Jeff Bluestein en relation avec quelqu'un, pour un job.

— Hein ?

— Jeff. Tu te rappelles, Sydney et lui sont sortis ensemble quelque temps ?

— Ouais, je sais qui c'est, a-t-il rétorqué, sur la défensive.

— J'imagine que tu connais tous les copains de Syd. D'après Jeff, tu traînais souvent avec eux.

— Bof, a-t-il protesté, quelques verres, c'est tout.

— C'est en effet le second point qu'il a évoqué. Que tu leur achetais de l'alcool, vu qu'ils n'en ont pas le droit.

— Merde, Tim. Tu as été jeune toi aussi, non ? Personne n'achetait de bière à ta place quand tu avais seize ans ?

— Un autre jour, je t'aurais passé un nouveau savon pour avoir fourni de l'alcool à ma fille, mais dans l'immédiat, j'ai des soucis plus graves. Je veux savoir qui est ce type avec qui tu as branché Jeff.

— Un mec, c'est tout.

Je l'ai poussé contre une fourgonnette.

— Je veux un nom, Andy.

— Je ne connais que son prénom. Gary. Juste Gary. C'est tout ce que je sais.

— Comment l'as-tu connu ?

— Je le voyais souvent dans un bar que je fréquente. Un jour, je l'ai vu prendre un milk-shake avec Patty.

— Quoi ?

— Patty m'a fait signe et je me suis approché, je l'ai salué.

— Patty ? ai-je répété. Patty Swain ?

— Ouais.

— Tu l'as interrogée pour savoir qui il était ?

Andy a secoué la tête.

— Pas vraiment. J'ai pensé qu'ils se connaissaient. De toute façon, pas longtemps après, je suis tombé sur lui dans un autre bar.

— Qu'est-ce qu'il faisait, ce type ?

— C'était une sorte d'homme d'affaires, tu vois ? Il s'occupait d'un tas de trucs. Il m'a demandé si je voulais me faire un peu de rab d'argent, mais c'était à l'époque où je commençais ici et que ça marchait plutôt bien. Alors j'ai dit que si je connaissais quelqu'un qui cherchait du travail, je le lui enverrais.

— Donc le type t'a laissé un numéro de téléphone ?

— Il m'a donné une carte, mais pas la sienne. Une autre, qu'il avait par hasard sur lui, et il a inscrit le numéro derrière.

— Tu l'as toujours, cette carte ?

— Oui, sans doute à la maison. J'ai un bocal où je balance les cartes de visite.

— Tu te souviens de l'origine de celle-ci ?

— Non. Comme je te l'ai dit, ce n'était pas la sienne. Peut-être un atelier de carrosserie, un hôtel, n'importe quoi, un avocat. Je ne me rappelle pas. Ça fait quand même un an, merde !

Comme je lui maintenais toujours la tête contre la fourgonnette, son cou faisait un angle bizarre. J'ai reculé d'un pas pour le soulager.

— Bon, parle-moi de Gary.

— Patty lui avait dit que je travaillais dans les voitures. Et il voulait savoir ce que ça impliquait exactement. Est-ce que je les réparais ? Est-ce que je tenais une station-service Mobil ? Je lui ai expliqué que je vendais des voitures, alors il a dit que je n'étais pas le genre de gars qu'il recherchait. Il voulait des gens dans la restauration, les pompes à essence, les supérettes, ce type de commerce, un endroit où ont lieu beaucoup de transactions.

— Tu ne t'es pas demandé pourquoi ?

— Sans plus, a admis Andy. Je ne l'intéressais pas, donc ce qu'il cherchait ne m'intéressait pas non plus.

— Continue.

— Un soir, je traînais après le travail avec Sydney, Jeff et Patty, et Jeff raconte qu'il aimerait s'offrir un ordinateur portable vraiment chouette, un des nouveaux Mac superfins, alors je lui ai donné le numéro du mec – je devais encore avoir la carte, à l'époque – en disant qu'il risquait d'avoir quelque chose pour lui. Voilà.

— Tu as donné ce numéro à quelqu'un d'autre ?

— Comment ça ?

J'ai répété ma question en me rapprochant de lui.

— J'en sais rien. Peut-être. Qui, par exemple ?

— As-tu donné ce numéro à Sydney, par hasard ?

Andy s'est léché les lèvres, comme s'il avait la bouche sèche.

— Écoute, Tim, je refile un tas de numéros à un tas de gens. Comment veux-tu que je me souvienne d'une chose pareille ?

— Andy, je te jure que je…

— O.K., O.K., euh, laisse-moi réfléchir. Honnêtement, je ne crois pas. Mais un jour, Patty a dit que Syd envisageait de changer de job, et je me suis rappelé que j'avais toujours le numéro du gars. Je lui ai donné la carte mais Patty m'a dit qu'elle avait déjà son numéro. Donc je suppose que si elle le connaissait, elle a pu le donner à Sydney.

C'était tout à fait possible.

— Bon, mais quelle importance, de toute façon ? J'ai filé ce numéro à Jeff, et je l'ai proposé à Patty, qui l'a peut-être passé à Sydney ? Et alors ? S'ils ont obtenu un job grâce à ça, pourquoi tu me casses les pieds ?

— As-tu la moindre idée de ce que ce type attendait de Jeff ?

— Non. Je n'en ai plus jamais entendu parler. Ça n'a pas marché ?

— Il voulait que Jeff pirate des numéros de cartes bancaires.

— Ah merde, a fait Andy. Ça, c'est illégal.

Une autre fois, j'aurais sans doute éclaté de rire. Au lieu de quoi, j'ai enchaîné :

— Tu as remarqué ce type avec qui je suis parti faire un essai de véhicule, il y a deux jours ? Il prétendait s'appeler Eric, mais c'était un faux nom. Il aurait pu s'agir de Gary.

Andy a secoué la tête.

— Je ne l'ai pas vu, en fait.

— À ton avis, Sydney pourrait avoir été en contact avec lui ?

Il a affiché une moue indécise.

— Il y a quelques semaines, avant le début de l'été, elle est passée te voir, et s'est arrêtée à mon bureau. Je lui ai demandé si elle allait retravailler pour Riverside Honda pendant les vacances. Elle a dit que non, qu'elle avait besoin de prendre un peu de distance avec toi, que Patty l'avait mise sur un autre coup, peut-être grâce à ce fameux numéro, avec l'avantage d'être payée en liquide, ce qui évitait impôts et autres trucs gênants.

— Et il ne t'est jamais venu à l'esprit de me parler de ça ? Ou à la police ?

— Je ne savais pas que c'était important, Tim.

Épuisé, je me suis écarté de lui.

— As-tu croisé Patty récemment ?

Andy a semblé rougir.

— Non.

— C'était quand, la dernière fois ?

— Je n'en sais rien. Probablement le jour où elle est passée te voir.

— Probablement ?

Il donnait l'impression d'esquiver mes questions.

— Non, sûrement. Je la voyais de temps en temps, mais là, ça fait un moment. Pourquoi ?

— Personne ne l'a vue depuis deux jours.

Un éclair d'inquiétude a traversé son visage.

— Merde. Elle a disparu, elle aussi ?

— Oui. Tu la connais bien ?

— Ben, pas tant que ça, a-t-il répondu.

— Qu'est-ce que tu me caches, Andy ?

Mal à l'aise, il a haussé les épaules.

— On a couché ensemble une fois ou deux, a-t-il avoué. Rien de sérieux.

— Quoi ? Tu as couché avec elle ?

— Écoute, Tim, Patty n'est pas mère Teresa non plus, tu sais ? Je veux dire, elle est sortie avec plus de mecs que moi avec des nanas, et elle doit avoir cinq ans de moins…

Il s'est interrompu de lui-même.

— Ouais, cinq ans de moins que toi, ai-je complété. C'est quoi ton problème, Andy ? Tu ne peux pas sortir avec des filles de ton âge ?

— Je n'ai aucun problème.

Bien que ce fût à contrecœur, je sentais que je devais le demander :

— Et avec Sydney ?

D'un air catégorique, il a fait signe que non.

— Pas question, mon vieux. Je ne l'ai jamais touchée. Attends, avec ton bureau juste à côté du mien ? Je préférais ne pas coucher avec elle, au cas où tu le découvrirais et, euh, que tu veuilles me casser la figure, au minimum.

Andy était suffisamment crétin pour me piquer mes clients, mais pas au point de faire un coup aussi tordu.

— Tu vas me rendre un service, ai-je annoncé.

— O.K.

— Tu vas me trouver ce Gary.

— Comment je suis censé m'y prendre ?

— Quel est ce bar où tu le voyais tout le temps ?

— Le JD.

Je l'avais remarqué sur Naugatuck Avenue, même si je n'y étais jamais entré. Il y avait belle lurette que je ne traînais plus dans les bars.

— Je pourrais y aller après le boulot, a continué Andy. Pour voir s'il est là, me renseigner.

— Bonne idée. Et si tu le vois, ou si tu as une piste, tu me préviens illico. Compris ?

— Bien sûr. Et après ? Tu appelleras les flics ?

— On verra. Eux et moi ne sommes pas franchement en très bons termes, en ce moment.

32

Andy ne terminait qu'à six heures. Il a promis de passer au JD ensuite, mais estimait peu probable que Gary, si tant est qu'il se montre, fasse son apparition avant huit heures. Néanmoins, s'il croisait d'autres clients qu'il se rappelait avoir vus précédemment en compagnie de Gary, il leur demanderait où il pourrait le trouver.

En attendant, il restait des gens à qui je voulais parler. La mère de Patty Swain, par exemple. Il semblait largement temps de lui rendre une petite visite.

J'ai regagné le showroom, et, après avoir zigzagué entre les voitures étincelantes exposées en rangs serrés, je me suis laissé tomber sur le siège derrière mon bureau. Apparemment, Laura n'avait trouvé personne pour l'occuper temporairement, et j'en ai profité pour rechercher quelques numéros de téléphone.

En fait, depuis que les deux filles étaient amies, je n'étais jamais allé chez Patty, n'ayant jamais eu à y déposer ou à y prendre Syd. J'ai trouvé un Swain à Milford et recopié l'adresse.

Au moment de me lever, j'ai découvert Laura Cantrell plantée sur mon passage.

— Vous avez une minute ? m'a-t-elle demandé.

Je l'ai suivie dans son bureau, puis refermé la porte derrière moi comme elle m'en priait.

— Qu'est-ce qui se passe avec Andy ? a-t-elle attaqué.

— C'est perso.

— Où est ma voiture ?

Elle entendait par là, celle que je n'avais pas rendue.

— La police la détient. On a tiré dessus.

— Tiré ? Vous voulez dire, avec des balles ?

— Ouais.

— Tim, j'ai fait preuve de patience pour votre situation, réellement. Et je comprends que vous vouliez un congé. Alors si vous y tenez, prenez-le. Mais maintenant j'apprends qu'à cause de vous, des véhicules de fonction sont endommagés, et vous continuez à passer ici régler vos problèmes. Ça devient perturbateur.

— Mes problèmes ?

— J'ai des voitures à écouler. Je ne peux pas le faire si vous embêtez continuellement mes vendeurs. Promettez-moi de ne plus ramener vos problèmes ici.

— Merci, Laura, ai-je rétorqué. Au final, vous aurez toujours été là pour moi.

Je suivais la nationale 1, prêt à bifurquer vers le Just Inn Time pour voir si quelqu'un avait retrouvé Milt dans la chambre où j'avais logé quelques nuits plus tôt, quand mon portable a sonné.

— Vous faites quoi, tout de suite ?

C'était Arnie Chilton.

— Pourquoi ?

— Il y a des trucs que vous devriez entendre.

— Lesquels ?

— Je suis au resto de mon frère Roy. Vous savez, le Dalrymple.

— Oui.

— Vous voyez où c'est ?

— Oui. Vous pouvez me dire de quoi il s'agit, Arnie, parce que je suis un peu débordé, en ce moment.

— À mon avis, Roy a quelque chose qui risque de vous intéresser.

J'ai quitté la route avant l'hôtel et pris la direction du Dalrymple.

Mon téléphone a de nouveau sonné à peine trois minutes plus tard. Pensant que c'était Arnie qui rappelait, je n'ai pas regardé l'écran.

— Salut.

Kate Wood.

— Salut, Kate, ai-je répliqué d'un ton neutre.

— Écoute, je crois avoir fait quelque chose que je n'aurais pas dû.

— Et ce serait quoi, Kate ?

— Bon, tu vas être furieux, mais il vaut mieux que je te prévienne.

— Ah oui ?

— En fait, j'ai parlé à la police, et maintenant je commence à penser que j'ai pu leur donner de fausses idées.

— À quel propos, Kate ?

— Tu sais comme je réagis de manière parfois excessive ? Comme, de temps en temps, je m'emballe un peu ?

— Je vois ce que tu veux dire, oui.

— Eh bien, pendant cette discussion, les policiers ont pu avoir l'impression que le coup de fil avec la femme de Seattle n'a jamais existé. Que tu avais peut-être tout inventé.

— Fichtre.

— Je crois que... bon, il se peut qu'en te voyant aider cette fille à entrer chez toi l'autre soir, ça m'ait rendue folle de rage, et poussée à penser toutes sortes de bêtises. Alors je t'appelle pour te prévenir que tu risques d'avoir des nouvelles de la police à ce sujet. Je suis vraiment désolée si cela te cause des ennuis.

Je n'ai pas pipé.

— Bref, a continué Kate, je me disais qu'il y avait peut-être moyen de me faire pardonner ? Pour te prouver que je suis désolée ? Je sais que l'autre soir, quand j'ai apporté les plats chinois, les choses ont plutôt tourné au vinaigre, mais je pensais qu'on pourrait refaire une tentative, que je pourrais venir avec…

J'ai refermé le téléphone et l'ai remis dans ma poche.

À l'intérieur du Dalrymple, en fait un simple routier avec des poutres usées et des filets de pêche sur la devanture, des peintures de bateaux voguant sur une mer houleuse, des bouées de sauvetage et autres bricoles marines étaient accrochées aux murs. L'endroit était animé, et les serveurs affairés se croisaient entre les tables, occupées pour la plupart.

Arnie devait me guetter, car il a surgi de nulle part, tout sourire.

— Super, merci d'être venu, a-t-il dit en me serrant la main, Roy est dans son bureau.

Il m'a guidé le long d'un couloir, et, après avoir passé celles des toilettes, il a ouvert une troisième porte marquée BUREAU.

Assis derrière une table se tenait un homme bâti comme un taureau, glabre à part une épaisse moustache.

— Voilà le gars dont je t'ai parlé, Roy.

— Ferme la porte, a ordonné Roy Chilton.

Arnie a obéi, et le vacarme du restaurant a aussitôt diminué.

— Vous êtes Tim Blake ?

— Oui.

Le décor de la salle se prolongeait dans le bureau. D'autres marines au mur, ainsi que des maquettes de voiliers de diverses tailles sur les étagères. L'une d'elles, particulièrement spectaculaire, habillée de grandes voiles magnifiques, se dressait sur la table de travail de Roy.

— La *Bluenose,* a-t-il indiqué en se levant pour venir me serrer la main. Une goélette de Nouvelle-Écosse. Un navire de pêche autant qu'un vaisseau de course.

Puis il a fait rouler sa langue au creux de sa joue avant de lancer :

— Alors comme ça, mon frère m'apprend que votre fille a disparu.

— Oui. Elle a de gros ennuis, et je dois la retrouver au plus vite.

— D'après Arnie, je pourrais avoir quelque chose d'important à vous communiquer, mais je ne suis pas sûr que ça ait le moindre rapport avec votre fille.

— Dis toujours, a fait Arnie.

— Arnie vous a déjà parlé de ce Bluestein, de ce que je l'ai surpris à faire ici.

— Exact.

— Je vous serais reconnaissant de ne pas l'ébruiter. J'ai passé une sorte d'accord avec le père de ce petit merdeux, et accepté d'étouffer l'affaire.

— Bien sûr.

— Ce gosse m'a causé un tas de tracas. Les sociétés de cartes de crédit fouinent toujours dans mon dos. Elles nous ont mis sur la liste noire.

— Il s'agit de Jeff ou quoi ? ai-je demandé.

Roy Chilton a secoué la tête avant de s'éclaircir la gorge.

— Non, pas tout à fait. Vous savez, le personnel tourne beaucoup dans ce métier. Les gens vont et viennent. Le pire, c'est quand un chef vous lâche. Ceux-là, vous pouvez généralement les retenir un moment, voire des années, si vous avez de la chance. Mais le personnel de service, de la plonge, du ménage, ça défile. Et vous devez faire attention à qui vous embauchez. Les clandestins, ce genre de plan. Certains gérants s'en tapent complètement. Quelqu'un n'a pas de papiers ni de numéro de sécu, et alors ? Vous les payez une bouchée de pain sous la table, rien à cirer. Pour dire la vérité, j'ai fonctionné comme ça, mais plus maintenant.

— Vous avez eu des problèmes ?

— J'ai vu des choses, a-t-il répliqué.

— Quelles choses ?

— Pendant un moment, je me procurais des employés par un gars. Il était passé ici, avait fait tout un baratin comme quoi il pouvait me trouver du personnel moins cher que ce que je payais d'habitude, et j'avais pensé : génial. Alors il a amené ces personnes, qui venaient d'où, j'en sais foutre rien. D'Inde pour l'une, je pense, de Thaïlande ou de Chine pour quelques autres. Laissez-moi vous dire un truc : ces gens-là trimaient comme des ânes. Faisaient n'importe quel boulot que vous leur demandiez. Mais vous croyez qu'ils vous auraient adressé la parole ? Eu la moindre conversation avec vous ? Bon, O.K., l'anglais n'était pas exactement leur langue maternelle, mais ils ne vous regardaient même pas dans les yeux. Ils ne pouvaient pas servir à table. Leur anglais n'était pas assez bon. Je les collais à la cuisine, et au ménage. Vous savez ce qu'ils avaient de spécial?

— Non. Quoi?

— Ils avaient toujours peur.

— Parce qu'ils se trouvaient ici illégalement.

— Ouais, mais c'était pire que ça, a insisté Roy en retournant derrière son bureau, sans s'asseoir pour autant. Ce type qui me les fournissait, il les déposait au début de leur service et revenait les prendre à la fin. J'avais établi un planning, pour qu'ils sachent quels étaient leurs jours de congé, et le type m'a balancé: « Oh, laissez tomber. Vous pouvez les faire bosser sept jours par semaine si vous voulez. » Et il a ajouté: « Vous embêtez pas avec les horaires. Vous voulez qu'ils travaillent douze, quinze heures? Pas de problème non plus. » Je lui ai fait remarquer que c'était contraire à la loi, et il m'a dit de pas m'en faire pour ça. Que ses employés n'étaient pas concernés par ces lois-là.

— Qui est-ce que vous payiez? Lui, ou les employés?

Roy a baissé un instant les yeux, comme s'il avait honte.

— Lui. Parce que c'était son agence. Alors je le réglais – en liquide – et je supposais qu'ensuite il payait les employés.

— Vous pensez qu'ils touchaient l'argent?

Il a haussé les épaules en signe d'incertitude, et repris:

— Il les amenait au début du service et revenait les chercher à la fin. Tout ce que ces gens voyaient, c'était l'intérieur de son van et l'intérieur de mon restaurant. Ils avaient l'air morts, je vous jure. Leurs yeux étaient morts. Comme s'ils avaient abandonné. Comme s'ils avaient perdu tout espoir.

Avant de poursuivre, il a dégluti, baissé le regard de nouveau, inspiré un grand coup, à croire qu'il rassemblait ses forces.

— Une fois, il y a eu une fille. Chinoise, je crois. Vraiment jolie, du moins, elle l'aurait été si elle avait souri. Elle travaillait en cuisine, et j'ai envoyé quelqu'un la chercher, pour la faire venir ici. Une autre personne était en arrêt maladie, et cette fille trimait comme une damnée toute la journée, alors je voulais juste lui dire, si elle arrivait au moins à me comprendre, qu'elle faisait un superboulot et que j'appréciais sincèrement. Donc elle entre, elle ferme la porte, et je commence à lui expliquer qu'elle a bien bossé, d'accord ? Et je vois bien qu'elle pige pas un mot. Mais elle fait le tour de la table et s'avance là, elle se met à genoux, comme pour se préparer à… vous savez…

— J'ai saisi, oui.

— Je lui dis non, de se relever, que je ne veux pas. Mais pour elle, ça faisait tout simplement partie du job.

J'ai gardé le silence.

— Une nuit, a continué Roy, le type passe prendre une des filles de la cuisine, il était deux heures du matin, et la fille est totalement épuisée, lessivée. Elle sort, et je me rends compte qu'elle a oublié sa veste. Alors je cours vers le van, et je vois le mec qui lui tient la tête entre ses genoux,

O.K. ? Elle devait faire tout ce qu'il demandait, a-t-il ajouté en soupirant. Elle devait subir cette saloperie. Et vous savez pourquoi ? Parce qu'elle lui *appartenait*. Tous ces gens lui appartenaient. Ils étaient ses putains d'esclaves. Il les louait comme il aurait loué des bateaux de pêche.

— « Trafic humain », ai-je pensé à voix haute.

— Hein ?

— C'est du trafic d'êtres humains. Vous attirez des gens dans le pays, leur extorquez des milliers de dollars contre la promesse de leur ouvrir les portes du rêve américain, et ils se retrouvent à votre merci.

— Je ne voulais surtout pas m'en mêler. Le lendemain, j'ai dit au type : « Non merci. Je trouverai du monde ailleurs. »

— Il les aura tout bonnement placés dans un autre restaurant, ai-je avancé. Ou fait travailler à plein-temps dans le commerce du sexe.

Après avoir marqué une pause, j'ai demandé :

— Mais pourquoi me raconter cette histoire ? Arnie, pourquoi vouliez-vous que je l'entende ?

— Quand je suis venu chez vous, a répondu Arnie, vous avez cité un nom. Un nom bizarre, c'est pour ça que je m'en souviens.

Ça ne m'est pas revenu à l'esprit sur-le-champ.

— Tripe. Randall Tripe. Mais vous n'avez rien dit d'autre sur lui.

J'ai regardé Roy. Il hochait la tête en souriant.

— C'est ce mec-là. J'étais en train de raconter tout ça à mon frère, et par hasard, j'ai mentionné ce nom… J'ai eu des nouvelles de lui depuis. Par le journal, il y a quelques semaines. Il a été tué par balle et laissé dans une benne à ordures. À côté d'un fumier pareil, les autres détritus devaient paraître bien propres.

33

En m'éloignant du Dalrymple, j'avais le sentiment de piétiner. Je savais que Randall Tripe était impliqué d'une façon quelconque. La présence de son sang sur la voiture de ma fille le reliait *concrètement* à tout ça.

Sydney s'était-elle trouvée d'une manière ou d'une autre mêlée à sa petite affaire d'esclavage ? Avait-elle découvert son rôle dans le trafic d'êtres humains ? Et si oui, comment ? Quels cercles avait-elle côtoyés pour tomber sur un enfoiré comme Tripe ?

Était-il possible qu'il ait tenté d'enrôler ma fille ? Je me souvenais d'un documentaire sur le trafic humain à la télé, les victimes n'étaient pas seulement des immigrés clandestins : les criminels s'en prenaient souvent à des personnes – surtout des jeunes – nées ici même, aux États-Unis. Tant qu'ils pouvaient exercer leur autorité, ils se fichaient de l'endroit d'où vous veniez.

Je ne savais pas quoi faire de l'information fournie par Roy Chilton. Bien que tenté de la transmettre à Kip Jennings, je me sentais trop trahi par elle pour espérer son aide.

De retour à Milford, j'ai décidé de continuer ce que je m'apprêtais à faire lors du coup de fil d'Arnie Chilton. Je me suis garé devant le Just Inn Time et suis entré dans le hall.

Ce jour-là, Veronica Harp se trouvait à la réception avec Owen. Elle a souri d'un air méfiant en me voyant. Notre dernière rencontre, durant laquelle elle m'avait offert d'oublier mes soucis – du moins momentanément – en se glissant dans mon lit, rendait la situation un tantinet délicate.

La présence d'Owen, qui bidouillait sur le fax à quelques pas, l'obligeait à une attitude professionnelle.

— Monsieur Blake, que puis-je pour vous aujourd'hui ?

J'ai expliqué que le soir où j'avais loué ma chambre, l'orignal en peluche de Syd était dans mon sac, mais que je ne remettais plus la main dessus.

— Quand elle rentrera, je veux que Milt soit là pour l'accueillir, ai-je ajouté.

Veronica a fait signe qu'elle comprenait.

— Je vais vérifier si on l'a raporté, a-t-elle dit avant de disparaître dans un bureau adjacent.

En attendant, j'ai fait les cent pas dans le hall, le temps que Veronica revienne, les mains vides.

— Rien hélas, a-t-elle annoncé.

— Est-ce que la chambre est occupée ? Je pourrais y jeter un œil ?

Elle a consulté l'écran de l'ordinateur.

— On va regarder ça... la chambre est libre en ce moment, mais notre système de renouvellement des cartes d'accès ne fonctionne pas pour l'instant. Je vais monter vous ouvrir avec mon passe.

— D'accord. Merci.

Veronica a quitté le comptoir, son téléphone portable dans une main, comme si elle attendait un appel, sa carte-passe dans l'autre.

Nous avons pris l'ascenseur ensemble.

— Il se peut que l'une des femmes de chambre l'ait trouvé, et ne l'ait pas rendu, a-t-elle indiqué, précisant avec un sourire triste : Ça arrive.

— Bien sûr.

— Vous pourriez l'avoir perdu ailleurs ?

— Possible. Mais je crois que c'est ici.

Les portes de l'ascenseur se sont ouvertes. Alors que nous empruntions le couloir, le téléphone de Veronica a sonné.

— Une seconde, a-t-elle réclamé, avant de me tendre le passe en disant : ça ne vous ennuie pas ? Je dois vraiment prendre cet appel.

J'ai acquiescé et saisi la carte magnétique tandis que Veronica repartait vers l'ascenseur, portable collé à l'oreille.

Parvenu à mon ancienne chambre, j'ai inséré la carte, attendu la lumière verte, et je suis entré. J'ai fait le tour de la chambre, regardé sous les sièges, ouvert les tiroirs de la commode – tous vides.

Ensuite, je me suis mis à quatre pattes pour jeter un œil sous le lit. Manifestement, passer l'aspirateur là-dessous n'était pas une exigence quotidienne de la direction. Les moutons faisaient facilement la taille d'une balle de golf.

J'ai déniché une revue porno, un paquet de feuilles à rouler, un John Grisham en édition de poche. À l'endroit où le lit touchait le mur, on distinguait une forme sombre. Allongeant le bras, je m'en suis emparé d'une main prudente.

C'était pelucheux.

J'ai tiré l'objet à moi. C'était bien Milt. Je l'ai débarrassé des plus gros flocons de poussière, puis essayé d'ôter le reste en soufflant dessus. Enfin, fixant sa bobine à l'expression idiote, j'ai caressé le bois droit qui ne tenait que par un fil.

— Te voilà, mon vieux. Je croyais bien t'avoir perdu.

Et soudain, assis sur le sol de cette chambre d'hôtel, Milt dans les mains, l'émotion m'a submergé.

J'ai pleuré comme un bébé.

Après m'être accordé trois minutes de chagrin, je me suis relevé pour aller m'asperger le visage dans la salle de bains, m'essuyer avec une serviette propre. Puis j'ai quitté la chambre.

Milt sous le bras, je me dirigeais vers l'ascenseur quand j'ai entendu des cris étouffés en provenance d'une chambre au bout du couloir.

Des cris de femme. Brefs. Toutes les deux ou trois secondes.

Pas des cris de peur. Ni de terreur.

Des cris de douleur.

J'ai remonté le couloir, m'arrêtant devant les portes, essayant de deviner de quelle chambre ils provenaient.

— Aïe ! hurlait la femme.

Rien pendant quelques instants, puis ça reprenait :

— Aïe !

Cela m'obligeait à attendre un moment devant chaque porte.

À présent, j'entendais une autre voix, une autre femme, qui hurlait également :

— Tu rentres pas ! Toi ici pour travailler ! Tu essaies de te sauver une autre fois, ils m'obligent à faire ça encore plus fort !

J'avais trouvé la bonne porte.

Puis il y a eu un *tchack*.

Et la première femme a de nouveau hurlé.

— Aïe !

Il se passait quelque chose d'horrible là-dedans.

Fouillant ma poche, j'ai senti la carte magnétique de Veronica, qu'elle avait qualifiée de passe. Elle me permettrait d'entrer dans n'importe quelle chambre.

J'aimerais croire que j'aurais franchi cette porte pour aider toute femme en difficulté. Mais sur le moment, je le faisais parce que je pensais qu'il pouvait s'agir de Syd.

J'ai glissé la carte dans la rainure, attendu que la lumière devienne verte. Après avoir retiré la carte, j'ai poussé la poignée et me suis rué à l'intérieur.

— Qu'est-ce qui se… ?

Et je me suis arrêté net, essayant de comprendre la scène.

Devant moi se trouvait la femme que j'avais croisée dans le coin petit déjeuner de l'hôtel, Cantana. Elle portait son uniforme. De la main droite, elle tenait une fine baguette, ou une tige, chromée. En regardant de plus près, je me suis rendu compte qu'il s'agissait d'une vieille antenne de voiture.

L'autre femme était à genoux au pied du lit, pliée en deux, le haut du corps et les bras écartés sur le dessus-de-lit. Elle était vêtue comme Cantana, à la grande différence que du sang traversait son uniforme au niveau des fesses. Elle a tourné la tête vers moi. Des larmes coulaient sur ses joues. Elle était asiatique, et devait avoir vingt-cinq ans.

— Quoi vous voulez ? m'a crié Cantana. Comment vous entré ? Quoi vous faites avec ça ?

Elle désignait Milt.

Bouche bée, j'ai commencé à reculer. Cantana continuait de me hurler dessus.

— Vous faire quoi ici ? Vous voyez pas nous être en réunion ?

Une fois que j'eus atteint le couloir, elle m'a claqué la porte au nez. Frappé de stupeur, je suis resté là un instant, avant de pivoter lentement sur mes talons.

Nom d'un chien, qu'est-ce que ça veut dire ?

Mon regard s'est alors posé droit sur l'extincteur à incendie suspendu au mur opposé. L'appareil était fixé derrière une petite porte vitrée marquée EXTINCTEUR.

Le premier *T* du mot était quasi effacé.

34

La photo.

La photo qu'on m'avait envoyée par mail, pour me faire croire que ma fille avait été repérée à Seattle.

On y voyait Sydney, avec son écharpe corail, passer devant un coffre à extincteur. Le premier *T* du mot était presque effacé, exactement comme celui-ci.

J'avais beau ne pas avoir cette photo sous les yeux, j'étais certain qu'elle avait été prise ici.

Elle était venue dans cet hôtel.

Elle avait travaillé ici.

Elle avait toujours travaillé ici. Elle n'avait pas menti.

C'est tous les autres qui avaient menti. Tout le monde ici avait eu pour consigne de raconter la même histoire. De dire qu'on ne connaissait pas Sydney, qu'on ne l'avait jamais vue.

Chacun ici protégeait les arrières de tout le monde.

Mais si c'était le cas, alors je n'étais pas en sécurité. Pas si je laissais voir d'une manière quelconque que j'avais découvert la vérité. Surtout après avoir surpris Cantana en train de punir une autre employée. Quoi qu'il se fût déroulé dans cette chambre, ce n'était pas une séance de sexe un peu spéciale. La détresse de la femme penchée sur le lit était sincère. Ses cris, authentiques. Elle avait enfreint les règles et en payait les conséquences.

Il fallait absolument que je m'en aille. Une fois sorti d'ici, je pourrais appeler…

— Monsieur Blake ?

Je n'avais même pas entendu l'ascenseur s'ouvrir. Je me suis retourné pour voir Veronica Harp en sortir.

— Vous vous êtes perdu ? La chambre que vous occupiez est à l'autre bout du couloir. Mais… oh, vous l'avez trouvé ! s'est-elle exclamée en désignant Milt.

— Oui, oui, ai-je répliqué en la rejoignant.

— Qu'est-ce que vous faites ici ?

— Je… J'étais un peu distrait. Je tenais Milt et sans faire attention, j'ai dépassé l'ascenseur.

— Vous avez mon passe ?

— Le voilà. Merci.

— Je ne voudrais pas qu'il tombe dans de mauvaises mains ! a-t-elle observé sur le ton de la plaisanterie tout en le rangeant dans sa poche.

Veronica est remontée dans l'ascenseur avec moi.

— Ça va ? a-t-elle demandé. Vous avez l'air un peu… secoué.

— Tout va bien. Enfin, aussi bien que possible, compte tenu de la situation.

— Bien sûr, bien sûr. Je comprends. Écoutez, pour l'autre soir, je voudrais m'excuser.

— Non, laissez tomber.

— Si, je pense y être allée un peu fort.

— C'est bon, je vous assure.

Nous avions atteint le rez-de-chaussée.

— À bientôt, ai-je lancé, avant de quitter l'ascenseur le premier pour gagner la sortie à toute allure.

— Euh, oui, à bientôt, a répondu Veronica.

J'ai repris la Beetle et me suis éloigné du parking du Just Inn Time aussi vite que j'ai pu, Milt posé sur le siège passager. Il me fallait mettre de la distance entre cet hôtel et moi. Et réfléchir à tout ce que cela signifiait.

Si, plus tôt, j'avais eu le sentiment de piétiner, il me semblait maintenant avancer à grands pas.

Et être proche de trouver des réponses, ou même Syd ?

Ou les deux ?

De ça, j'étais moins sûr.

Il se passait quelque chose dans cet hôtel, et je supposais que Sydney l'avait surpris par hasard. De plus, vu qu'Eric – ou Gary, peu importe son nom – la recherchait, il y avait à mon avis de fortes chances qu'elle soit toujours là, quelque part.

Pour l'amour du ciel, Syd, appelle-nous !

Cette fois, j'avais besoin d'aide. Je ne pouvais pas tout faire seul.

J'allais devoir contacter Kip Jennings.

Si l'inspecteur Marjorie avait une dent contre moi, peut-être, peut-être seulement, qu'une partie de Kip Jennings croyait encore en mon innocence, croyait encore ma fille vivante, et réellement en danger.

Trop tendu pour conduire et téléphoner en même temps, j'ai quitté la route pour m'arrêter sur le parking d'un centre commercial et composer le numéro de Jennings.

Je suis tombé sur sa messagerie.

« Inspecteur Jennings, ici Tim Blake. Il y a du nouveau, et je pense savoir ce qui se passe. J'ai besoin de discuter avec vous, mais pas avec cet enfoiré de Marjorie. Je ne suis pas persuadé que vous me croyez coupable de ce dont il me soupçonne. C'est à vous que je veux parler, car je pense que vous me croirez, et que vous ferez quelque chose. Je suis à deux doigts de trouver Syd. J'en suis convaincu. Rappelez-moi sans faute dès que vous aurez ce message. S'il vous plaît. »

Ensuite, j'ai agrippé le haut du volant et posé la tête sur mes mains.

Je tenais toujours à m'entretenir avec Carol Swain de sa fille. Facile d'oublier, avec tous ces événements, que Patty avait disparu, elle aussi. Je ne pouvais m'empêcher de croire sa disparition liée à celle de Sydney, et j'espérais que parler à sa mère me fournirait un nouvel indice sur ce qui avait pu leur arriver à toutes les deux.

Mais d'abord, j'allais passer chez moi, chercher dans mes mails la photo de Syd devant cet extincteur, l'imprimer et emmener Jennings au Just Inn Time pour lui montrer le *T* effacé sur la porte vitrée. Cela la ferait changer d'avis.

— Oh, non, ai-je gémi après avoir tourné dans Hill Street.

Un peu plus loin, la Focus gris métallisé de Kate Wood stationnait devant ma maison.

— Parfait, ai-je marmonné.

En me garant, j'ai remarqué que la voiture de Kate était vide. Je ne lui avais pas donné la clé de chez moi. Peut-être attendait-elle mon retour dans une chaise longue, derrière la maison.

Au lieu d'entrer par la porte principale, j'ai fait le tour pour atteindre le jardin.

J'ai aperçu le sac brun de plats chinois en premier. Il gisait sur la pelouse, l'ouverture déchirée. Comme si on y avait pris deux ou trois trucs et laissé le reste.

La porte vitrée coulissante du séjour qui donnait sur la terrasse avait été brisée pour y passer la main et la déverrouiller. Il y avait du verre sur la moquette.

J'ai poussé la porte et je suis entré.

— Kate ?

Pas de réponse.

Des éclats de verre crissaient sous mes semelles. J'ai traversé le salon, gagné la cuisine.

Elle était étendue par terre, sur le dos, les bras allongés au-dessus de la tête, les jambes bizarrement tordues. Du sang s'étalait autour d'elle, faisait comme une flaque.

Il avait sans doute coulé du trou qu'elle avait au milieu du front.

35

C'en était trop. J'ai bondi dehors par la porte de derrière et, appuyé au mur, j'ai vomi tout ce que je pouvais. Voir Kate ainsi n'avait pas seulement provoqué la pagaille dans mon cerveau, mon estomac faisait des cabrioles. Une fois certain d'avoir terminé, je me suis éloigné de la maison. Mais, saisi de vertiges, j'ai dû me plier en avant, mains sur les genoux, et garder la tête penchée pendant trente bonnes secondes.

Ce n'est pas vrai.

Sauf que ça l'était, bien sûr. Il y avait bien une femme morte dans ma cuisine. Une femme qui, au moins à un moment donné, avait compté pour moi. Avec qui j'avais eu des rapports intimes, partagé une petite tranche de vie.

Et on lui avait tiré une balle dans la tête.

J'étais assommé, horrifié, presque grelottant, les mains tremblantes. Si secoué qu'il m'a fallu plusieurs minutes avant d'être capable de chercher à comprendre ce qui s'était passé. Ce qui n'était pas sorcier. Quelqu'un – plus probablement, l'homme connu sous le nom d'Eric ou de Gary – attendait mon arrivée, mais c'est Kate qui s'était manifestée à ma place.

Peut-être que, paniqué par le bruit du coup de feu, et craignant que la police ne rapplique, il avait décampé, et décidé de refaire une tentative plus tard.

Je suis resté planté là un bon moment, ne sachant pas quoi faire. Impossible de retourner à l'intérieur. J'avais – inutile de ne pas me l'avouer – sacrément trop la trouille pour entrer chez moi. Je ne pouvais plus regarder Kate Wood, la revoir dans cet état.

Lorsque mon portable a sonné, mon cœur a tellement sursauté qu'on l'aurait cru directement branché dessus.

Ma main tremblait si fort que le téléphone a atterri dans l'herbe. Je l'ai ramassé et plaqué contre mon oreille sans regarder qui m'appelait.

— Oui, ai-je articulé d'une voix si basse que je m'entendais à peine.

— Monsieur Blake ?

Kip Jennings.

— Vous vouliez me communiquer une nouvelle info ?

— Oui.

— Je vous écoute.

Si, quelques instants plus tôt, j'étais encore sous le choc, à présent mon esprit fonctionnait à pleins tubes.

Réfléchis bien.

Plusieurs rebondissements avaient eu lieu au cours des dernières heures.

Sydney était allée à cet hôtel, et il semblait fort probable que tous ceux qui y travaillaient m'avaient menti. Ainsi qu'à la police. Veronica Harp et tous les autres avaient dissimulé la vérité depuis le début.

Randall Tripe trempait dans une combine de trafic humain, et la présence de son sang – dont celui de Syd – sur la voiture de ma fille les reliait tous deux.

Andy Hertz se démenait pour retrouver la piste du pseudo-Gary, qui non seulement avait tenté de me tuer, mais pourrait bien avoir fourni à Syd le contact pour le job à l'hôtel.

Au moment de découvrir Kate, j'avais eu le sentiment de me rapprocher, d'arriver quelque part. Raison pour laquelle discuter enfin en tête à tête avec Carol Swain, la mère de Patty, me paraissait si urgent. Elle connaissait peut-être un petit détail à propos de sa fille, ou de la mienne, qui finirait par faire basculer les choses en ma faveur.

Perdre du temps à répondre aux questions de la police sur la manière dont Kate Wood avait échoué dans ma cuisine, morte, était un luxe que je ne pouvais me permettre.

— Monsicur Blake ? Vous êtes là ?

J'imaginais sans peine le scénario qu'établiraient Jennings et Marjorie.

Kate Wood est retrouvée assassinée dans *ma* maison très peu de temps après avoir appris qu'elle a aiguillé la police sur ce qu'elle estime avoir été un comportement louche de ma part. De mon côté, j'ai affirmé qu'elle était cinglée. Je suis furieux, sidéré qu'elle ait dirigé l'attention des flics sur moi. Kate passe à la maison pour essayer de nous réconcilier. Ses excuses ne m'intéressent pas et je deviens fou. Après tout, il suffit de voir ma réaction lorsque l'inspecteur Marjorie a suggéré que j'avais tué ma propre fille. La police ne procédera pas à un interrogatoire de témoin mais à mon inculpation. Et personne ne cherchera plus Sydney. Ils seront ravis de conclure que je l'ai tuée, elle aussi.

— Monsieur Blake ? a répété Jennings.

— Je vais devoir vous rappeler, ai-je dit avant de refermer mon téléphone.

Quand il s'est à nouveau déclenché quelques minutes plus tard, alors que je m'éloignais aussi vite que le permettait la Beetle pourrie, cette fois j'ai vérifié l'identité du correspondant.

— Salut, Tim. C'est Andy.

— Ouais.

— Ça va ? Tu as l'air bizarre.

— Qu'est-ce qu'il y a, Andy ?

— Bon, je suis dans ce bar, et pas de Gary. J'ai demandé à des gens qui le connaissaient, mais personne ne l'a vu dernièrement.

— Ils savent où le trouver ?

— Non. Mais du coup, j'ai pensé traîner un peu ici, le temps de boire quelques bières et de grignoter des ailes de poulet. Ma question, c'est : est-ce que tu me les rembourseras ?

Payer l'addition d'Andy était bien le cadet de mes soucis.

— Oui, comme tu voudras.

— Super, merci. Je te recontacte plus tard.

J'ai raccroché. Et là, j'ai craqué.

Mes yeux débordaient de larmes, au point que je ne voyais plus la route. J'ai réussi à arrêter la voiture sur le bas-côté. Puis j'ai serré le volant à deux mains, le plus fort possible, raidissant les bras comme pour faire passer toute la tension de mon corps au véhicule. Ma respiration, courte et superficielle, paraissait s'accélérer, s'accorder au rythme de mon cœur.

— Oh, mon Dieu, ai-je murmuré. Oh, mon Dieu, mon Dieu, mon Dieu.

Ça tournait au mantra.

Étaient-ce les symptômes d'une crise cardiaque ? Ou étais-je précisément en train d'en faire une ?

Toute la pression des dernières semaines éclatait. Ma fille avait disparu, on avait attenté à ma vie, et maintenant, une femme gisait assassinée dans ma propre maison. Cela faisait beaucoup pour un seul homme.

Après tout, je n'étais qu'un simple vendeur de voitures ! Rien dans mon existence ne m'avait le moins du monde préparé à affronter de tels événements.

Reprends-toi.

J'ai lâché le volant, essuyé mes larmes. L'ennui, c'est qu'elles revenaient sans cesse. Si je n'y prenais pas garde, j'allais être pris de convulsions ici même, sur le bord de la route.

Pense à Syd. Tu dois te ressaisir pour Syd. Fais ta petite déprime, ensuite encaisse et bouge-toi. Parce que si tu n'essaies pas de la retrouver, qui d'autre le fera, à ton avis ?

Après avoir de nouveau séché mes yeux, je me suis concentré sur ma respiration, inspirant à fond puis expirant lentement, afin de la ralentir.

— Tu peux le faire, ai-je formulé entre mes dents. Tu vas y arriver.

Peu à peu, ma respiration s'est calmée jusqu'à devenir normale, les battements de mon cœur se sont apaisés.

— Syd. Syd, me suis-je répété.

Ensuite, je suis retourné sur la route.

Quelques minutes plus tard, je m'arrêtais devant la maison des Swain, située dans un des plus vieux quartiers de Milford, en retrait du port, où les habitations ont un air de villas de bord de mer même si elles ne donnent pas directement sur le détroit.

Aucune voiture dans l'allée, pas de réponse à mon coup de sonnette. J'envisageais de glisser un mot avec mon nom et mon numéro de téléphone sous la porte, quand une Ford Taurus des années quatre-vingt-dix toute rouillée s'est rangée derrière ma Beetle.

Du seuil, j'ai regardé une femme d'une quarantaine d'années en descendre. Elle a empoigné des paquets de provisions et son sac à main sur le siège passager, et m'a apostrophé, chancelante sur ses sandales à talons hauts.

— Vous désirez ?

En approchant, elle a ôté les immenses lunettes de soleil qui me cachaient ses yeux.

— Vous êtes la maman de Patty ?

— Oui, pourquoi... ?

Elle s'est interrompue au milieu de sa phrase pour m'observer avec attention. Je n'avais jamais rencontré cette femme auparavant, mais elle semblait me reconnaître. À moins qu'elle ne fût en train de fixer mon nez pansé et l'ecchymose sur ma joue.

— Je suis Tim Blake.

— Ça doit faire mal, je parie.

— Vous devriez voir l'autre gars… Non, à vrai dire, lui est en pleine forme.

Je me suis avancé, offrant de lui prendre ses paquets, ce qu'elle a accepté. Ce devait être un canon, autrefois. Elle avait encore une silhouette impressionnante, malgré ses jambes maigres à la peau flétrie par l'abus de soleil qu'exhibait son short blanc. Ses joues étaient pâles, ses cheveux filasse. On retrouvait Patty dans ses traits, les pommettes saillantes, les yeux sombres.

Dans un des sacs, j'entendais des bouteilles s'entrechoquer.

Comme elle ne posait toujours aucune question, j'ai continué.

— Patty est très amie avec ma fille Sydney. Vous avez sans doute appris sa disparition. Et maintenant, j'ai cru comprendre qu'on n'a pas vu Patty depuis au moins deux jours. Excusez-moi, je ne me souviens plus de votre prénom…

Ma voix tremblait légèrement, mais peut-être pas assez pour que cette femme s'en aperçoive.

— Carol. Hum, j'ai d'abord cru que vous étiez de la police, jusqu'à ce que je vous regarde mieux.

Cela devait signifier que, même en civil, je n'avais pas une tête de flic, pourtant, j'ai demandé :

— Nous ne nous sommes jamais rencontrés avant, n'est-ce pas ?

— Non. Écoutez, autant entrer, d'accord ?

Carol Swain a ouvert sa porte puis s'est précipitée devant moi en direction de la cuisine, ramassant au passage plusieurs bouteilles vides dans le séjour.

— Je n'ai pas eu le temps de ranger. Avec tout ce qui s'est passé ces derniers jours...

On aurait plutôt dit « ces dernières années ».

— Vous avez des nouvelles de Patty ? Elle a donné signe de vie ?

— Hein ? Non, a-t-elle répondu depuis la cuisine, où je l'entendais balancer les bouteilles dans un container à verre.

Ensuite, elle a regagné la salle de séjour, ajoutant :

— Je suppose que vous êtes au courant de tout ça ?

— Patty et Syd étant amies, oui, la police m'a averti.

— Avant que les flics me disent qu'elles étaient copines, je ne savais même pas qu'elles se connaissaient, a poursuivi Carol.

— Vous plaisantez. Ça fait un moment maintenant qu'elles le sont. Patty ne vous parlait jamais d'elle ?

— Patty ne me parle jamais de ce qu'elle fait ni de qui elle voit, et je parie qu'elle ne parle de moi à aucun de ses amis non plus. Ou alors, elle ne trouve rien de gentil à dire.

— Vous n'êtes pas très proches.

— Ça, on n'est pas vraiment les Gilmore Girls[1], s'est-elle esclaffée. Vous voulez une bière ?

— Non, merci.

J'ai failli me raviser. Peut-être qu'un verre me ferait du bien, calmerait mes nerfs. Mais je voulais garder l'esprit clair.

— Patty ne vous a pas raconté qu'une de ses amies avait disparu ? ai-je insisté.

— Si, vaguement. Mais je ne me rappelle pas qu'elle ait précisé son nom. Vous ne me prendrez pas pour une hôtesse indigne si je me sers quelque chose, j'espère ?

— Allez-y.

J'avais le sentiment que, quoi que Patty ait pu dire à sa mère, celle-ci ne l'avait pas forcément enregistré.

Carol Swain est retournée dans la cuisine, en est revenue avec une Sam Adams. Des gouttes de condensation se sont rapidement formées sur la bouteille de bière.

— Et depuis combien de temps Patty traînait avec votre fille ?

— Plus d'un an, ai-je répondu après un instant de réflexion.

— Ça alors, merde, j'en reviens pas…

Elle secouait la tête d'un air perplexe.

— En quoi est-ce surprenant ?

— Mmm ? Comme ça. Ma gamine… c'est un drôle de numéro, non ?

1. Série télévisée racontant la relation fusionnelle entre une mère célibataire et sa fille.

— Oui. Imprévisible. Un esprit plutôt indépendant.

— Elle tient ça de son père.

— J'en conclus qu'il n'est pas dans les parages.

— Il fait un saut de temps à autre, mais pas assez pour laisser une impression durable, Dieu merci. Il est parti quand Patty était toute petite. C'est assez incroyable qu'elle se soit liée d'amitié avec votre fille. Un an, vous dites ?

— Oui.

Le mot avait claqué, trop bref.

— Hé, ça va ? m'a demandé Carol.

— La journée a été… Oui, ça va bien.

Elle m'a fixé d'un œil sceptique, puis a repris le fil de la conversation, les sourcils froncés, comme si elle comptait les mois, entourait mentalement des dates sur un calendrier.

— Comment elles se sont rencontrées, en fait ?

— À l'université d'été. En cours de maths.

— À l'université d'été ? En maths ?

J'ai acquiescé.

— Mais Patty a toujours été plutôt bonne en maths, a objecté Carol.

— Syd n'est pas mauvaise non plus, mais si elles ne font pas leurs devoirs, elles n'obtiennent pas de notes.

— Ah, je ne vous le fais pas dire. Alors comme ça, elles s'entendaient bien ?

— Oui.

Elle a médité là-dessus avant de lâcher :

— C'est assez logique, je suppose…

Je ne voyais pas du tout ce qu'elle entendait par là.

— ... cette gamine, je vous jure !

— J'aime bien Patty. C'est une brave gosse.

— Manifestement, il faut plus d'un an pour arriver à la connaître ! Le temps et l'énergie que j'ai consacrés à cette enfant, et comment elle me récompense ? En ne me causant que des embêtements. Les flics sont venus me voir aujourd'hui. Vous êtes le dernier à avoir vu Patty, d'après eux.

— Il semblerait, en effet.

— Elle vous a dit où elle s'est barrée ? a poursuivi Carol tout en sifflant sa bière.

— Non. Si je le savais, j'en aurais informé la police. Et je vous le dirais.

— Bon, ce n'est pas non plus la première fois qu'elle fiche le camp. Un jour par-ci par-là, parfois deux. Mais qu'elle n'aille pas travailler, ça, c'est bizarre. Patty n'en a rien à cirer d'un tas de choses, mais elle se pointe toujours à son travail, même si elle n'arrive pas à l'heure, même si elle a pris une cuite la veille.

— Et Patty ne vous a pas du tout appelée.

— Ben non.

— Vous êtes inquiète ?

— Pas vous ? Pour votre fille ?

— Si. Terriblement.

— Et voilà. On n'a pas l'air d'avoir grand-chose en commun, vous et moi, mais là, si.

Elle a bu une nouvelle gorgée avant d'ajouter :

— On a peut-être même plus en commun que vous ne pensez.

— Peut-être, ai-je répliqué distraitement. Je voulais vous parler parce que je me disais que vous auriez peut-être une idée de ce qui a pu arriver à Patty, que ça m'aiderait à retrouver Sydney.

Carol s'est affalée dans le canapé.

— Un sale truc, je parie. Ça, je peux vous l'assurer.

Après avoir débarrassé un siège de vieux journaux, je me suis installé en face d'elle.

— Que voulez-vous dire ?

— Ma fille ne fait pas toujours les choses les plus intelligentes.

— Comment ça ?

— Pour toutes les bêtises qui branchent les gosses, Patty a toujours un an d'avance. Moi, je n'ai jamais voulu que le meilleur pour elle. Je l'ai désirée si fort, pour commencer. Elle était un cadeau du ciel, vous savez ? Je pensais ne jamais avoir de bébé, mais quand mes prières ont enfin été exaucées, j'ai tout fichu en l'air.

— Fichu en l'air comment ?

— Peut-être que si Ronald s'était accroché...

— Ronald ?

— Mon mari. S'il s'était accroché, s'il avait été un père pour elle, les choses auraient peut-être été différentes. Vous savez à quel point c'est dur d'élever un enfant toute seule ?

Depuis cinq ans, Susanne et moi fonctionnions séparément, mais nous pouvions toujours compter l'un sur l'autre dès qu'il s'agissait de notre fille.

— C'est déjà dur à deux, ai-je assuré. Alors pour une seule personne...

— Il faut aussi gagner sa vie, faire tourner la maison.

Elle a englobé les lieux d'un grand geste, comme si entretenir cet endroit avec efficacité était comparable à diriger un Hilton. Puis elle a posé sa bière sur la table basse, mais la bouteille a heurté le bord et est tombée par terre. Aussi vive que l'éclair, Carol l'a redressée avant d'en perdre trop de contenu.

— Merde, a-t-elle grogné.

Je l'ai observée sans un mot. Elle a surpris mon regard, et l'a mal interprété.

— Je ne suis plus grand-chose maintenant, mais j'ai eu mon heure de gloire, a-t-elle plaidé.

— Excusez-moi. Je trouvais juste que vous ressembliez beaucoup à Patty.

— Ouais. Même si elle semble tenir pas mal de son père aussi, je dois dire.

— Est-ce que vous avez la moindre idée d'où les filles pourraient être ?

Carol a secoué la tête.

— J'ai dit tout ce que je savais à la police. J'espère qu'elle a juste rencontré un gars, qu'elle est partie avec lui pour une semaine, par exemple, et qu'elle reviendra. En cloque, probablement, mais au moins elle sera de retour.

— Vous croyez que c'est ce qui s'est passé ?

Reposant sa bière, elle m'a dévisagé.

— Je ne sais pas.

Comme elle continuait de me fixer, étudiant mes traits, j'ai demandé :

— Qu'est-ce qu'il y a ?

— Vous êtes bel homme. Même avec le nez cassé.

Ne trouvant rien à répondre, j'ai gardé le silence.

— Eh bien, ne me remerciez pas, surtout.

— C'est juste que ça fait bizarre de s'entendre dire ça.

— Vous devez penser que je vous drague ?

— Je ne sais pas quoi penser.

Je me sentais plutôt stupide, en fait.

— C'est un peu fort de café ! Croyez-moi, je ne vous drague pas. Je m'apercevais d'un truc, voilà tout. C'est la première fois que je vous regarde de vraiment près.

— Pardon ?

— Je suis venue vous voir au travail, un jour. Ça doit faire une bonne dizaine d'années. Vous étiez un des meilleurs vendeurs, pas vrai ?

À l'époque, je travaillais dans une concession Toyota. Mais je ne voyais pas du tout où cette discussion nous menait.

— Nous nous sommes donc déjà rencontrés ? Vous avez affirmé le contraire tout à l'heure. À moins que… je vous aie vendu une voiture, alors ? En général je retiens bien les visages. Désolé, je ne me souviens pas de vous.

— Non, non. Vous ne m'avez pas vendu de voiture. Je suis entrée dans le showroom, vous étiez à votre bureau, je vous ai juste jeté un coup d'œil, et décidé de m'en aller avant de changer d'avis et de vous parler. J'imagine que je me suis dégonflée.

— Madame Swain, j'ai peur de ne pas comprendre.

— Le contraire m'aurait étonnée. Je ne voulais pas vous attirer d'ennuis à ce moment-là. Mais juste passer dire bonjour, rien d'autre. Juste vous remercier.

— Me remercier de quoi ?

— D'être le père de Patty, a-t-elle répondu.

36

Sydney, quatre ans.

Je suis en train de la mettre au lit. D'habitude, elle réclame une histoire, mais pour une raison quelconque, pas ce soir. J'ai eu une longue journée, et me dis que j'ai de la chance parce qu'une histoire ne suffit généralement pas. Si vous en choisissez une trop courte, Syd en exige une seconde. Si vous en prenez une trop longue, aucune chance qu'elle pique du nez avant la fin. La bonne combine est de trouver un livre qui colle pile. Un livre qui plairait à Boucle d'or.

Mais tout compte fait, je n'ai pas de chance. Quelque chose turlupine Sydney.

— Pourquoi il y a que moi ? demande-t-elle tandis que je remonte les couvertures sous son cou.

— Comment ça, il n'y a que toi ? Tu ne me vois pas, là ? Ta maman vient dans une minute. Il y a aussi tes amies et…

— Je veux dire, dans notre famille. Pourquoi il y a que moi ? Pourquoi il y a personne d'autre ?

— Des frères et sœurs, par exemple ?

Elle acquiesce.

— Je ne sais pas. Peut-être qu'un jour tu auras un frère ou une sœur.

Mais je n'en suis pas très sûr. Entre Susanne et moi, ça ne marche plus comme avant. Beaucoup de discussions sur l'argent, l'avenir, si oui ou non je vais viser l'échelon supérieur ou me contenter de rester là où je suis pour le moment.

— Toutes mes copines ont des frères et sœurs, plaide Syd.

— Et ça leur plaît ?

Elle réfléchit à la question avant de répondre :

— Anita déteste son frère. Il est plus grand et il arrive derrière elle sans faire de bruit pour lui mettre de la terre dans la culotte.

— Ce n'est pas très gentil.

— Et Trisha dit que sa maman ne s'occupe que de sa petite sœur et elle espère qu'elle va déménager.

— À mon avis, c'est peu probable.

Je tends à Syd son orignal en peluche. Milt. Elle l'entoure de ses bras et l'attire tout contre elle.

— Si j'avais une sœur, je ne la détesterais pas.

— Bien sûr que non.

— Mais je crois que j'en veux pas, ajoute-t-elle, changeant aussitôt d'avis.

— Pourquoi ?

— Parce que maman et toi n'aurez plus assez d'amour. Il en manquera.

Je me penche pour l'embrasser sur le front.

— Ça ne serait pas un problème. On en fabriquera.

Elle hoche la tête. Je pense qu'elle imagine la cuisine, que l'amour se fabrique comme des brownies. On en fait une fournée dès qu'on veut.

— Bon, alors d'accord, déclare-t-elle.

Cela lui convient.

Dans le séjour de Carol Swain, je suis resté un moment souffle coupé, avant de lâcher :

— Excusez-moi, vous dites ?

— Vous êtes le père de Patty, a-t-elle répété. Vous devriez voir votre tête, là, a-t-elle ajouté en riant. Enfin, la partie qui n'était pas déjà rouge.

— Madame Swain, nous ne nous sommes jamais rencontrés.

— Eh bien, vous saviez forcément dès le départ que ça n'était pas nécessaire, hein ? a-t-elle rétorqué avec un sourire narquois.

J'ai secoué la tête et me suis levé. Le vertige ressenti après la découverte de Kate revenait. Un peu titubant, j'ai posé la main sur le mur pour garder l'équilibre.

— Hé, a fait Carol. Restez avec nous, mon vieux.

— Je crois que je ferais mieux d'y aller. Cette discussion n'a aucun sens.

Puis je me suis écarté du mur, tout en espérant que la pièce allait cesser de tournoyer.

— Vous prétendez ne pas savoir de quoi je parle, mais je sais que si.

— Non, c'est impossible, ai-je objecté, tandis que mon pouls s'emballait de nouveau.

Ah oui ? Honnêtement, c'est ce que tu crois ?

— Qu'est-ce qui est impossible ? Que vous soyez le père de ma fille, ou que j'aie découvert que c'était vous ?

Malgré mon envie de partir, mes pieds semblaient vissés au sol.

— Le formulaire était bourré d'informations, a poursuivi Carol. Pas votre nom, bien entendu. Mais tout le reste. Qu'est-ce que vous voulez que je vous raconte à votre sujet ?

— Vous ne...

— Votre père est mort à soixante-sept ans – quand vous n'en aviez que dix-neuf, ç'a dû être dur – d'un cancer des poumons, mais attribué au fait qu'il était gros fumeur, ce qui vous épargnait *a priori* une disposition génétique. Votre mère avait à cette époque soixante-quatre ans, une assez bonne santé pour son âge, sans signe d'insuffisance cardiaque malgré un antécédent familial. Comment je me débrouille, jusqu'ici ?

— Plutôt bien, ai-je admis.

— Vous-même étiez en pleine forme, encore qu'à vingt ans, quel passé médical peut-on avoir ? C'est bien l'âge que vous aviez, pas vrai ?

— Oui.

— Vous aviez eu la varicelle, la rougeole, toutes ces maladies infantiles, et l'ablation des amygdales à six ans. Ça ne se fait plus beaucoup, si ? Je ne me rappelle pas la dernière fois qu'on a retiré les amygdales d'un gamin.

Elle avait raison sur tous les points.

— Vous alliez à l'école de commerce de Bridgeport, même si ça ne figurait pas sur le formulaire. Mais c'était facile à établir, vu que c'était la plus proche de la clinique, juste au bout de la rue. Un tas de leurs donneurs venaient de là. Parfois on se demande s'ils le font pas exprès, de s'installer près d'une fac où ils savent que les étudiants sont fauchés. Bref, on a commencé la recherche là-bas, et ça a marché.

J'ai inspiré et expiré lentement, cinq ou six fois, avant de me rasseoir. Carol Swain a attendu d'être certaine que je n'allais pas tomber dans les pommes.

— Tout ça est absolument passionnant, a-t-elle observé, puis son sourire s'est effacé. Du moins ça le serait, dans d'autres circonstances. Je parie que vous prendriez bien ce verre, maintenant, hein ?

— Non, ça va. Pourtant, c'était censé rester tout à fait confidentiel.

— Ça l'était. Personne à la clinique ne m'a jamais dit que vous étiez le donneur. Mais pour que je décide quel sperme choisir, ils m'ont fourni les formulaires que vous remplissez quand vous faites, euh, un dépôt. Avec l'historique familial, l'âge, le profil scolaire, la race. Vous aviez inscrit que vous étiez excellent en maths au lycée et à la fac, ce qui a été une raison supplémentaire de nous orienter vers l'école de commerce.

— Nous ?

— Moi, et le détective que j'avais engagé.

— Laissez-moi deviner. Ça remonte à dix, douze ans ?

— Exact. Comment vous le savez ?

— J'avais cru comprendre que quelqu'un s'était renseigné sur moi, et je m'étais demandé s'il s'agissait d'une sorte d'enquête de solvabilité. Ensuite, comme ça s'est arrêté, je n'y ai plus pensé. Jusqu'à ces dernières semaines où ma femme m'y a refait penser. Mais cela ne semble pas avoir de rapport avec ce qui se passe.

— Il n'y en a pas réellement.

— Pourquoi aviez-vous engagé un détective ?

— Je voulais savoir qui était le vrai père de Patty. Quelques années après notre mariage, Ronald et moi avons décidé d'avoir un enfant. Ses petits poissons se sont révélés incapables de faire le boulot. Au début, on a pensé que ça venait de moi. Pour Ronald, a précisé Carol après un petit rire, tout ce qui ne tournait pas rond était toujours ma faute, ne pas réussir à tomber enceinte s'ajoutait à la liste. Je suis allée chez le médecin, et il s'est trouvé que tout allait bien, alors Ronald a finalement accepté d'y aller aussi, et on a découvert à qui attribuer la faute, tout compte fait.

— Continuez.

— Pour finir, je me suis rendue à la clinique Mansfield. Ils m'ont proposé une insémination artificielle, et j'ai trouvé que c'était une bonne idée, mais Ronald a mis du temps à s'y faire.

— Ne pas être le vrai père avait du mal à passer.

Carol a opiné pensivement.

— Il n'était pas sûr d'arriver à aimer un gosse qui ne soit pas de lui. Même si c'était à moitié le mien. Mais on en a discuté, alors il a fini par dire O.K., que même si, techniquement parlant, il n'était pas le père, il en serait un pour notre enfant. Donc je me suis lancée, je vous ai choisi parmi les échantillons congelés, et devinez la suite ?

— Il ne l'a jamais vraiment considérée comme sa fille.

— Voilà. On a eu ce magnifique bébé nommé Patricia, et il a bien essayé, mais il n'en était pas capable, point barre. Vous savez qu'il a failli la tuer ?

— Il l'a laissée enfermée dans une voiture en plein cagnard.

— Patty vous l'a raconté ?

— Oui.

— Eh bien, c'est vrai. Le fumier. Il soutenait qu'il l'avait juste oubliée, et je dois lui accorder le bénéfice du doute, j'imagine. À ce moment-là notre mariage battait déjà de l'aile, du coup, pour moi, c'était fini. Je voulais qu'il parte, et il l'a fait de bonne grâce.

— Je suis navré pour vous.

— Oh, ne le soyez pas. Je m'en sortais mieux sans lui. On gagnait tous les deux plutôt bien notre vie en ce temps-là. Il travaillait chez Sikorsky, j'étais directrice adjointe dans une boîte qui fabriquait des moules en plastique. Même après notre séparation, je réussissais à subvenir à nos besoins, à Patty et à moi. Ronald envoyait aussi un chèque de temps en temps, mais entretenir une gosse avec laquelle il n'avait pas de lien réel… le cœur n'y était pas. Je continuais à rêver de rencontrer un homme correct, capable d'être un vrai père pour Patty, parce que je crois du fond du cœur qu'un enfant s'élève à deux, mais il faut que le père comme la mère se sentent concernés, vous comprenez ce que je veux dire ?

— Oui, très bien.

— Alors j'ai commencé à me demander qui était le *vrai* père de Patty. Quel genre d'homme c'était. Un homme bien ? Est-ce qu'il ferait un bon père pour elle ? Est-ce qu'il n'aurait pas envie de voir sa fille, et quand il l'aurait vue, est-ce qu'il n'en tomberait pas amoureux, puis voudrait ensuite s'en occuper ?

Carol s'est interrompue pour tendre sa main vers la mienne.

— Vous ne vous êtes jamais demandé, au supermarché, en voyant un gamin remplir les rayons : « Et si c'était mon fils ? Et si celui qui prend ma commande au Burger King portait mon ADN ? » Ça ne vous est jamais arrivé ?

Il m'a fallu un moment pour retrouver ma voix.

— Si. De temps en temps.

— Vous ne vouliez pas savoir ?

— Parfois, oui, ai-je avoué. Mais apprendre ce genre de choses… comment dire… s'accompagnerait d'obligations. Une fois qu'on sait, on doit se sentir le devoir de faire un geste, quelque chose.

— Exactement, a approuvé Carol en retirant sa main.

— Et c'était il y a si longtemps. Je n'ai jamais vraiment réfléchi à tout ça, du moins à l'époque. Sur le moment, cela semblait insignifiant. Une manière de gagner un peu d'argent. De quoi me payer des bières le week-end. Ce n'est que plus tard dans la vie, qu'on pense aux implications.

— Vous l'avez dit à votre femme ? Que vous pouviez être le père d'autres enfants ?

— Non. Jamais.

Carol Swain a repris son récit.

— Donc, père absent, et moi obnubilée par l'idée de découvrir le père biologique de Patty. J'avais ce fantasme : si je vous trouvais, vous craqueriez pour nous. Vous tomberiez amoureux de Patty et de moi, vous entreriez dans notre vie et tout finirait comme dans les films. Une de mes amies connaissait un détective privé, un dénommé Denton Abagnall. J'ai mis deux mois à trouver le courage de l'appeler. Je lui ai demandé si la chose était au moins faisable, car la clinique était très stricte sur la confidentialité, mais quand je lui ai montré le formulaire que vous aviez rempli, avec les renseignements sur votre profil, il a assuré pouvoir vous trouver en procédant par élimination. Il a commencé par obtenir à l'école la liste de tous les étudiants mâles sur une période de trois ans, comparé leurs noms avec le registre des décès, vérifié si l'un d'eux avait perdu un père de soixante-sept ans à l'âge de dix-neuf ans, ensuite il a regroupé les infos. Une fois sûr d'avoir dégoté le bon étudiant, M. Abagnall a retrouvé la trace d'un homme portant votre nom travaillant dans une concession Toyota. Il y est allé, a pris une de vos cartes de visite avec votre photo dessus, et dès que je vous ai vu, j'ai su.

Il ne m'était jamais venu à l'esprit que Patty et moi nous ressemblions. Mais j'étais quasi certain qu'il m'était arrivé de relever, de manière presque inconsciente, certaines caractéristiques communes entre Syd et elle. Leur façon d'arquer les sourcils, de froncer le nez.

— M. Abagnall m'a remis un rapport complet, a poursuivi Carol, j'ai appris que vous étiez marié, que vous aviez vous-même une fille. Ç'a été la mort de mon fantasme. Je ne pouvais pas chambouler votre vie. Pas question de voler le papa d'une autre petite fille pour en donner un à la mienne.

— Mais vous êtes quand même venue à la concession.

— Il fallait que je vous voie. En personne. Juste une fois. Ensuite, j'ai tourné la page.

Je me suis calé dans mon siège, essayant de digérer tout ça.

Et d'un coup, la réalité m'a frappé. Je n'avais pas une fille disparue et en danger, mais deux.

37

— Vous avez sûrement raconté tout ça à Patty, ai-je avancé.

— Non, jamais, a assuré Carol Swain. Je ne voulais pas qu'elle le sache.

— Mais elle a dû le découvrir. Comment se serait-elle rapprochée de Sydney, sinon ?

— J'y ai pensé depuis l'instant où vous êtes apparu dans mon allée. Vous savez, ces histoires qu'on lit parfois dans les journaux, un couple qui tombe amoureux et apprend ensuite qu'ils sont frère et sœur ? On se demande quelles sont les chances que ça arrive, et pourtant, c'est le cas. Au moins, pour nous, il ne s'agit pas de ça, Dieu merci.

Même si je savais que cela existait, je ne croyais guère aux coïncidences.

— Lors de son rapport, le détective a dû indiquer les noms de ma femme et de ma fille.

— Oui.

— Et quand Patty a parlé d'une amie nommée Sydney, ça n'a déclenché aucune sonnette dans votre tête ?

— Sur le compte rendu, votre fille s'appelle Francine, a expliqué Carol.

Francine était le premier prénom de Sydney, celui qui figurait sur son certificat de baptême. Mais lorsqu'elle était toute petite, son second prénom, Sydney – et pour finir, Syd – semblait mieux lui aller, aussi avions-nous complètement cessé de l'appeler Francine. J'ai raconté cela à la mère de Patty.

— Donc je n'ai jamais rien soupçonné, a-t-elle plaidé. Peut-être que si Patty avait emmené votre fille ici, j'aurais remarqué une ressemblance.

— Ce rapport du détective, vous l'avez toujours ?

— Je l'ai caché.

— Où ?

Elle a reposé sa bière pour monter à l'étage, puis est redescendue en tenant une épaisse enveloppe kraft.

— Voilà. Tout ce qu'on souhaiterait savoir sur Timothy Justin Blake. C'est planqué dans le compartiment secret d'un sac de voyage que je range sous mon lit.

L'enveloppe contenait un assez grand nombre de documents. Photocopies de certificats de naissance, du certificat de décès de mon père, une photo de moi à la remise de diplômes de l'école de commerce de Bridgeport, une autre de la maison dans laquelle j'avais grandi, ainsi que de celle où je vivais alors. Plus une facture des honoraires de Denton Abagnall.

— Avez-vous parlé à Abagnall récemment ? ai-je demandé.

— Non. Il est mort il y a deux ans.

— Donc vous n'avez jamais montré ça à votre fille ?

— Puisque je vous dis que non.

— Qui d'autre pourrait être au courant de cette enquête ?

— Personne, a répondu Carol. À moins qu'Abagnall en ait parlé à quelqu'un. Mais je ne pense pas. Il avait l'air d'un vrai pro, vous voyez ?

— Et votre mari, Ronald ?

— Je vois pas comment..., a-t-elle commencé, puis sa voix a faibli. Non, je ne crois pas.

— Vous êtes toujours en contact ?
— Oui. Par moments.
Une sorte d'éclat a brillé dans ses yeux.
— Comment ça, par moments ? ai-je insisté.
Elle a détourné le regard, bu un peu de bière.
— Juste que… c'est un connard fini, d'accord ? Je le sais. Mais des fois, on couche ensemble. Juste pour le plaisir, au nom du bon vieux temps. C'est pas comme si je risquais de tomber enceinte non plus, vu que le mec tire à blanc, a-t-elle ajouté avec une grimace.
— Vous le voyez souvent ?
— Bof, une fois tous les trois ou quatre mois. Parfois, si ça fait longtemps, si l'un ou l'autre a une petite envie qui le démange, on s'envoie un mail ?
— Quand était-ce, la dernière fois ?
— Il y a huit, dix mois. Ça fait un bout de temps. Et la fois d'avant, bien plus d'un an, pendant quelques jours.
— Il est venu ici ?
— Sa femme ne serait pas franchement folle de bonheur si je m'installais chez eux.
— Donc Ronald est resté ici un moment ? Il y a plus d'un an ?
— Il s'était frité avec sa nana, et avait besoin d'un endroit où camper. Alors j'ai expédié Patty chez ma sœur à Hartford afin d'avoir un peu de tranquillité. L'occasion paraissait bonne pour des retrouvailles avec Ronald.
— Il a dormi dans votre chambre ?
— Pfff, a-t-elle fait en me fixant d'un air ironique.

— Je pose la question parce qu'il se serait trouvé dans la même pièce que ce dossier.

— Non. Vous vous trompez.

— Je ne l'accuse de rien. Je dis juste qu'il aurait pu fouiller dans vos affaires, chercher autre chose...

— Quoi ? Une de mes petites culottes, pour l'essayer ?

— Je pensais plutôt à de l'argent. Au lieu de quoi, il tombe sur cette enveloppe. Il a peut-être cru qu'elle renfermait de l'argent, et trouvé le rapport.

— De toute façon, a-t-elle rétorqué, même s'il l'avait fait, ça n'aurait pas été un grand scoop. Il savait déjà qu'il n'était pas le père de Patty.

— Mais il n'a jamais su l'identité de son père biologique. Ni que j'avais moi-même une fille du même âge.

Je réfléchissais à toute vitesse, essayant de voir si les pièces s'assemblaient.

— À votre avis, ai-je poursuivi, s'il a effectivement vu le dossier, il en aurait parlé à Patty ?

Cette fois, Carol a été plus catégorique :

— Sûrement pas. Il avait beau être un père nul, il se sentait quand même plus son père que n'importe qui d'autre. Il n'aurait pas admis votre existence.

Cela me paraissait logique.

— Soit, mais en admettant qu'il l'ait lu, est-ce qu'il aurait pu prendre des mesures après avoir découvert ce dossier ?

— Comme quoi, par exemple ?

— Je ne sais pas. Je ne fais que penser tout haut. Vous croyez qu'il aurait pu s'arranger pour que les filles se rencontrent ?

— Dans quel but ?

— Je vous le répète : je n'en sais rien. Pour semer la zizanie ? Parce qu'il aimait l'idée de savoir qu'elles étaient demi-sœurs alors qu'elles l'ignoraient ?

Et dans ce cas, y avait-il le moindre rapport avec le fait qu'elles aient toutes les deux disparu ? Je n'ai pas formulé la question de vive voix. J'avais l'impression de m'être déjà aventuré trop loin.

— Ça me paraîtrait dingue, a constaté Carol.

— Avez-vous parlé à Ronald depuis la disparition de Patty ?

— Ouais, le premier jour, avant d'appeler les flics. Je me sentais idiote, sachant que c'était peu probable. Je lui ai quand même téléphoné au travail pour lui demander si Patty était chez lui, par exemple, et il a fait : « Tu rigoles. Ce serait bien la première fois. »

— Donc elle n'entretient aucun contact avec lui.

— Non. Et rien ne pourrait le rendre plus heureux. Il est pas mauvais au lit, mais comme papa, il ne vaut pas un clou.

Reposant le rapport sur la table, je me suis levé pour faire quelques pas.

— Il faut aller lui parler, ai-je annoncé.

— Hein ?

— Nous devons aller discuter avec Ronald.

— Quel intérêt ?

— Je veux que vous me présentiez. Dites-lui juste la vérité. Que je suis Tim Blake, que ma fille Sydney est une amie de Patty, que toutes deux ont disparu. Je veux voir son visage quand vous lui direz qui je suis.

— Vous croyez que ça prouvera quelque chose.

— Ça le pourrait. Il travaille toujours chez Sikorsky ?

— Dans ses rêves ! Non, aux dernières nouvelles, dans un magasin de spiritueux.

Exact. Je le savais déjà, en fait.

— J'y ferais bien mes achats, a ajouté Carol. Mais l'enfoiré ne m'accorde pas de ristourne. Alors je vais ailleurs.

Mon portable a sonné.

— Allô ?

— Vous aviez promis de me rappeler.

C'était l'inspecteur Jennings. Entendre sa voix m'a donné l'impression qu'une trappe s'ouvrait sous mes pieds.

— J'ai été assez débordé. Dès que j'ai une minute, je le fais.

— Où êtes-vous, monsieur Blake ?

— Un peu par monts et par vaux.

Carol Swain me regardait avec curiosité.

— Je veux vous parler immédiatement, a décrété Jennings. En personne.

— Pourquoi est-ce si important ?

— Je suis passée à votre domicile.

— Je ne suis pas chez moi, je recherche Syd.

— Je ne vous demande pas de venir, a rétorqué Jennings d'un ton ferme. Je vous l'ordonne. Soit vous venez tout de suite, soit on vous trouve et on vous ramène ici.

J'ai décidé de jouer les imbéciles.

— Je ne comprends pas pourquoi.

— Monsieur Blake, un de vos voisins vous a vu rentrer il y a moins d'une heure, et repartir à toute allure. Je sais que vous étiez là.

— Il faut vraiment que j'y aille.

— Monsieur Blake, laissez-moi vous exposer la situation. Kate Wood est morte. Vous m'entendez ?

— Oui.

— À moins que vous puissiez me persuader du contraire, vous êtes le suspect principal d'un homicide.

— Je n'ai rien fait.

Carol ne me quittait pas des yeux.

— Ce n'est pas ce que j'appelle un argument convaincant. Prévenez votre avocat, Edwin Chatsworth. Qu'il organise une reddition pour éviter que…

J'ai coupé, refermé le téléphone, et lancé à Carol :

— Allons voir votre ex.

En montant dans la Beetle, j'ai posé Milt sur la banquette arrière pour qu'il cède la place à Carol. Elle m'a indiqué le chemin d'un magasin sur Devon, non loin de la concession, coincé entre une agence de coursiers et un magasin d'électroménager.

À une intersection, nous avons laissé passer une voiture de police. J'ai agrippé le volant un peu plus fort et retenu mon souffle, souhaitant me rendre invisible tandis que le véhicule traversait le carrefour devant nous.

Mon anxiété n'a pas échappé à Carol.

— On vous recherche ?

— Non, tout va bien.

Jennings avait sans doute besoin de quelques minutes de plus pour lancer toutes les patrouilles de Milford à mes trousses. Il lui faudrait peu de temps – un coup de fil à Susanne ou à Bob suffirait – pour apprendre dans quoi je roulais, maintenant que le CR-V avait été embarqué pour investigation médico-légale.

Le soir tombait lorsque je me suis garé devant le magasin de spiritueux. Carol Swain est descendue de la Beetle avant même que je coupe le moteur. Comme elle fonçait droit sur la porte, je l'ai priée de m'attendre.

Un vieux bonhomme mal rasé cramponnant une bouteille dans un sac brun quittait la boutique d'un pas traînant au moment où nous sommes entrés. Visiblement le seul client. Il ne restait que l'homme derrière le comptoir.

Le type qui satisfaisait les envies de la mère de Patty tous les huit ou dix mois avait pu être séduisant autrefois. La cinquantaine, mâchoire carrée, yeux bleus. Mais il était maigre, presque émacié, plutôt dégarni, et se passait de rasoir depuis un jour ou deux.

Il a d'abord remarqué son ex-femme, puis moi, et enfin mon nez. Sans sembler pour autant perplexe, étonné, contrarié, intimidé, ni quoi que ce soit. Rien. Il m'a observé à travers des lunettes de lecture bon marché.

— Salut, Ron, a dit Carol.

— Salut.

Je pensais qu'il lui demanderait si elle avait des nouvelles de Patty, mais il ne l'a pas fait.

— Ron, voici Tim Blake.

Il n'a pas réagi.

— Il essaie de retrouver sa fille, Francine, a poursuivi Carol.

C'était mon idée, de désigner Sydney par son premier prénom, celui inscrit sur le rapport du détective.

Le visage de Ronald est resté dépourvu de toute expression.

— C'est une amie de Patty, a-t-elle complété. Maintenant, les deux ont disparu.

— Les gosses, a-t-il commenté en secouant la tête d'un air indifférent, avant de me demander : Elles sont parties ensemble ?

Sa question paraissait sincère.

— On l'ignore. Je suis passé discuter avec Carol, voir si elle avait une idée de l'endroit où l'une ou l'autre pourrait être.

— Je sais pas quel est le genre de votre fille, mais Patty est probablement juste partie se défouler, faire la java quelques jours. Je suis certain qu'elle va réapparaître. Et si votre Francine est avec elle, elles vont sûrement revenir ensemble.

Puis il s'est tourné vers son ex-femme.

— Joyce vient me chercher à la fermeture. Donc, vaudrait mieux que tu traînes pas dans le coin quand...

— O.K., a répliqué Carol. On faisait juste un saut, au cas où tu aurais des nouvelles de Patty, tu comprends ?

— Oui, bon, eh bien non, a-t-il assuré en nous regardant tour à tour.

— Monsieur Swain, savez-vous qui je suis ? ai-je insisté.

— Comment ça ?

— Vous reconnaissez mon nom ?

Il m'a dévisagé un instant.

— Ouaip.

— Mais encore ?

— C'est vous qui avez fourni de quoi fabriquer Patty, a-t-il répondu après un coup d'œil à Carol, qui a émis un petit hoquet.

— Comment le savez-vous ?

Ronald Swain a vaguement haussé les épaules.

— C'était marqué dans le rapport. Celui du détective. Il était caché dans une valise sous le lit de Carol.

— Espèce de salaud, a grondé celle-ci.

Si l'insulte l'a blessé, il n'en a rien montré.

— Quand avez-vous lu ce dossier ?

Nouveau haussement d'épaules.

— Il y a un an… Quelque chose comme ça.

J'ai tenté de le sonder un peu :

— Quelle impression cela vous a-t-il fait ? Vous étiez en colère ?

— Pas vraiment. De toute manière, je savais que j'étais pas le père de Patty. Fallait bien que quelqu'un le soit.

— Vous n'avez jamais été plus curieux que ça ?

Il a secoué la tête.

— Non. Je veux dire, juste assez curieux pour lire le rapport après l'avoir trouvé, mais c'est tout.

— Et ma fille ? Elle vous intéressait ? Vous étiez curieux de connaître la demi-sœur de Patty ? Vous avez imaginé essayer de les réunir ?

— Pourquoi je ferais ça ?

Ses yeux ternes étaient presque vides.

— Est-ce que tu as montré ce dossier à Patty, a demandé Carol. Est-ce que tu lui en as parlé ?

Ronald Swain a soupiré avec lassitude.

— Visiblement, vous croyez tous les deux que j'en ai quelque chose à cirer. Ben non. Pourquoi j'en parlerais à Patty ? La seule chose que j'aurais pu faire, a-t-il ajouté en se tournant vers moi, si ça s'était passé dix ans plus tôt, ç'aurait été sonner à votre porte avec Patty en laisse, pour voir si vous vouliez bien nous en débarrasser. Ça nous aurait peut-être permis de rester ensemble, sa mère et moi. Mais maintenant qu'elle a grandi, quel intérêt ?

Carol Swain m'a adressé une mimique, comme pour dire « Et voilà… »

— Tu devrais me passer un coup de fil, a repris Ronald à son intention. Mais ici, pas à la maison.

— Quand toute cette histoire sera réglée, a-t-elle promis avec un clin d'œil, avant de tourner les talons.

Bien que je n'eûs pas l'impression d'être resté si longtemps dans la boutique, il faisait nettement plus sombre lorsque nous avons regagné la voiture.

— Ben merde alors, a lâché Carol en secouant la tête.

— Pardon ?

— Il a lu le dossier. Lui qui lisait jamais rien.

38

Quand nous avons tourné à l'angle de sa rue, une voiture de police attendait dans l'allée de Carol Swain. J'ai écrasé les freins.

— Qu'est-ce qu'ils font là, à votre avis ? a-t-elle demandé. Ils ramènent peut-être Patty.

La main sur la poignée, elle s'apprêtait à bondir hors de la Beetle. Je l'ai retenue par le bras.

— C'est sans doute moi qu'ils cherchent. Ils vérifient tous les endroits où je risque de passer.

— Qu'est-ce qu'ils vous veulent ?

— C'est une longue histoire.

— Je peux faire le reste du trajet à pied, si vous préférez.

— Merci, ça m'arrangerait. Et s'ils veulent savoir si vous m'avez vu…

— Vu qui ? Je ne vais pas leur livrer le véritable père de ma fille, a-t-elle ajouté en souriant. Quelle mère je serais pour faire ça ?

— Si la police met la main sur moi maintenant, ils vont me ralentir dans ma recherche de Sydney. Et de Patty.

— Vous croyez Patty mêlée à ce qui est arrivé à votre fille ?

Je ne voulais pas avouer à Carol que j'avais une mauvaise impression concernant Patty.

— Je ne sais pas. J'espère que non. Merci de votre aide.

— De rien, a-t-elle répliqué, de nouveau prête à ouvrir la portière. C'était bon de vous rencontrer enfin. Je sais que les circonstances sont plutôt nulles, mais je suis contente d'avoir pu vous parler, vous apprendre ce que vous avez fait pour moi, après tout ce temps.

J'ai souri avec embarras.

— Je ne vous reproche pas de vous taire, a-t-elle poursuivi. Moi non plus je ne saurais pas quoi dire.

— Je savais que je risquais d'être le père biologique d'au moins un enfant. Cette partie-là n'est donc pas une surprise. Sauf que jamais je n'aurais pensé connaître l'identité de l'un d'eux.

À son tour de sourire.

— Il y en a peut-être d'autres. Des centaines qui vadrouillent partout. Des Tim et des Timette miniatures dans tout le sud du Connecticut.

— Ça m'étonnerait. Je ne crois pas qu'ils les sèment à tous vents. Oups, voilà qui était maladroit.

— Y a pas de mal, a assuré Carol. N'empêche, je me demande… si vous aviez été un père de tous les jours, pas juste son père biologique, est-ce que Patty n'aurait pas été différente, en fin de compte ? Au lieu d'être un tel fiasco ? L'ingratitude personnifiée, toujours à se fourrer dans le pétrin.

Posant les mains sur le volant, j'ai observé la maison des Swain enveloppée d'obscurité, le véhicule de police stationné devant.

— Un jour, on prend des décisions qu'on croit sans importance, et des années plus tard…

— C'est la galère, pas vrai ? a complété Carol.

Puis, dans un mouvement impulsif, elle s'est penchée pour m'embrasser sur la joue. Avec délicatesse, comme pour éviter toute pression sur mon ecchymose.

— Si vous retrouvez ma fille, dites-lui d'appeler sa fichue mère, vous voulez bien ?

— D'accord.

Alors qu'elle quittait la voiture, mon portable a encore sonné. J'ai vérifié qui appelait, n'ayant aucune envie de reparler à Jennings.

— Tim ? C'est Andy.

J'avais presque oublié qu'il essayait de débusquer le mystérieux Gary.

— Oui, Andy.

— Bon, j'ai fini par quitter ce bar. Selon un type, Gary ne le fréquente plus, il va surtout au Nasty. Tu connais ?

— Vaguement.

— J'y suis allé, j'ai traîné un moment, bu quelques bières de plus, demandé si on l'avait vu, et j'ai un plan pour savoir où le trouver.

— Raconte.
— C'est, hum, un peu compliqué, mais je retourne à la concession vérifier un truc.
— À la concession ?
— Ouais, je crois qu'en fait, il a peut-être essayé une voiture l'été dernier avec Alan, tu sais ?

Un autre de nos vendeurs.

— ... et que la carte de Gary, avec les coordonnées de son travail, pourrait être dans le Rolodex d'Alan, sur son bureau.

Je n'étais pas certain de vouloir me montrer à la concession. La police risquait de m'y attendre.

— Qu'est-ce que tu as découvert sur lui, Andy ? Son nom de famille ?
— Pas grand-chose, et je ne peux pas vraiment te parler, là. Mais tu peux me retrouver au showroom ? Le temps que tu arrives, j'aurais probablement l'info.
— Le showroom sera fermé.
— J'ai une clé. Toque fort à la porte de service, je te ferai entrer.

L'idée ne m'emballait pas. L'espace d'un instant, je me suis demandé si Andy pouvait me tendre un piège. Si Jennings n'était pas derrière cet appel. Mais j'avais un besoin si désespéré de pistes que j'ai décidé de tenter le coup.

— O.K. Dans vingt minutes ?
— Ça marche, a répondu Andy avant de couper.

Le moteur a démarré dans un bruit de ferraille, puis j'ai reculé jusqu'au coin de la rue, afin de ne pas avoir à passer devant la maison de Carol et le véhicule de police posté dans son allée.

Quoi qu'Andy ait appris à propos de Gary – un nom de famille, voire une adresse – cela pourrait faire basculer les choses en ma faveur. Même si ça ne me menait pas directement à Sydney, ce serait peut-être un élément qui pèserait de mon côté. Néanmoins, je devais éviter la police. Mettre la main sur moi les intéressait davantage que retrouver Syd. Le seul qui semblait avoir encore l'espoir de la retrouver, c'était moi.

Je suis passé une première fois devant la concession, guettant la présence de véhicules de police, banalisés ou non. À l'extrémité du parking d'exposition, les voitures d'occasion brillaient autant que les modèles neufs sous les lampadaires. « Ne jamais acheter une voiture d'occasion le soir, disait toujours mon père ; toutes les voitures ont bonne mine à la lueur des lampadaires. » À l'intérieur du bâtiment, en revanche, les lumières étaient baissées. Le soir, on diminuait l'éclairage pour économiser l'électricité, mais pas au point de ne pouvoir voir ni les voitures ni des personnes se déplacer dans le showroom. Par conséquent, je distinguais Andy assis à son bureau près de la vitre.

J'ai fait demi-tour un pâté de maisons plus loin. Les phares de la Beetle ont attiré l'attention d'Andy. Je suis allé me garer à l'arrière, et il a ouvert la porte de service avant même que je frappe. Une fois entré, j'ai soigneusement refermé derrière nous.

— Hé, a-t-il fait. Pile à l'heure. Où étais-tu passé ?

— Par-ci, par-là. Tu as trouvé cette carte de visite dans le Rolodex d'Alan ? ai-je enchaîné tandis que nous longions l'atelier en direction du hall.

— Ouais. Je l'ai.

— Formidable.

Sans doute aurais-je dû éprouver de l'excitation, mais la mort de Kate Wood, ainsi que la crainte constante de la police, avaient accru mon angoisse.

Nous étions à présent dans le showroom faiblement éclairé. Andy s'est approché de son bureau. Il paraissait distrait, et répondait à chacune de mes questions en gardant le dos tourné.

— Quel est son nom de famille, alors ?

— La carte doit être par là, a-t-il répondu en farfouillant parmi des papiers. Je viens juste de mettre la main dessus.

J'ai sursauté en entendant le son familier de portières qui s'ouvraient. Non pas dehors, sur le parking, mais ici même, dans le hall. Un bruit qu'on ne s'attend pas à entendre lorsqu'il n'y a ni clients ni autres vendeurs dans le bâtiment.

Les portières d'un van Odyssey, d'un Pilot et d'une Accord se sont toutes ouvertes en même temps. Un homme est sorti de chaque véhicule. Deux d'entre eux portaient des armes. L'un était Carter, le réceptionniste du Just Inn Time. Le deuxième, Owen, le jeune homme au visage couvert d'acné qui se trouvait avec lui le premier soir où j'étais venu, en quête de Syd. Et le troisième était l'homme qui m'avait emmené essayer la Civic.

— Vous me cherchez, paraît-il, a-t-il lancé.

— Voilà donc le fameux Gary, ai-je répliqué, avant de m'adresser à Carter, près du van : Salut.

Mais Carter a gardé le silence. Ainsi qu'Owen, à côté du Pilot.

J'ai fixé Andy, qui avait fini par se retourner, mais fuyait mon regard. Il m'avait bien tendu un piège, en fin de compte. Ç'aurait été moins grave si ç'avait été avec les flics, ai-je pensé rétrospectivement.

— Désolé, mon vieux, a-t-il articulé.

39

— C'était quoi, le deal, Andy ? Ils t'ont promis d'acheter une voiture si tu me piégeais ?

Il a semblé peiné.

— Ils menaçaient de me casser la gueule. Au second bar, j'ai interrogé deux ou trois types sur Gary, et quelqu'un l'a prévenu. Du coup, il s'est amené avec ceux-là. Écoute, ils veulent juste te parler, pas vrai, les gars ?

Gary, une cigarette allumée entre les lèvres, a fait un pas en avant, le revolver toujours pointé sur moi. Il a regardé mon nez abîmé par ses soins, et souri.

— Je peux vous demander quelque chose ?

— Bien sûr, ai-je répondu.

— Votre petite amie, où est-ce qu'elle prend ses plats chinois ? Leurs pâtés impériaux sont super bons.

— C'est vous qui êtes tombé sur elle, ou le contraire ?

— Je vous attendais, et elle est arrivée avec la bouffe. En me trouvant dans la maison, elle est devenue un peu hystérique.

— Vous n'étiez pas obligé de la tuer.

— Hé, une seconde, a paniqué Andy. On avait un accord. Vous avez dit que vous vouliez juste lui parler.

— La ferme, Andy, a ordonné Gary en braquant brièvement son arme dans sa direction.

Andy s'est tu.

Par hasard, j'ai jeté un coup d'œil aux caméras de surveillance. Gary a surpris mon regard.

— Votre copain les a débranchées pour nous, a-t-il indiqué. Il s'est montré extrêmement serviable.

— Qu'est-ce que vous voulez ?

— Que vous arrêtiez de fourrer votre nez autour de l'hôtel. Définitivement. On n'a pas besoin qu'un type comme vous attire l'attention sur ce qu'on fait, et fiche tout en l'air avec les flics ou les services d'immigration, ou n'importe qui d'autre.

— Je ne vous ai jamais vu là-bas, ai-je constaté, avant de me tourner vers Owen et Carter. Vous deux, oui, en revanche.

— Je travaille hors site. Je me charge comme qui dirait de rassembler des subventions pour l'hôtel.

— Des subventions destinées à quoi ?

Il a haussé les épaules.

— L'hôtel fait venir les travailleurs...

— Illégaux, l'ai-je coupé.

— ... et avant de leur trouver du travail, il faut leur fournir vêtements, nourriture et tout le bataclan, ce que j'aide à financer.

— En demandant à des gosses d'escroquer des cartes de crédit.

Gary m'a soufflé la fumée de sa cigarette au visage.

— Ma fille travaillait à l'hôtel, ai-je poursuivi. Et tout le monde là-bas l'a dissimulé.

— Le fait est que votre fille devrait nous être reconnaissante d'avoir dissimulé la vérité.

J'ai attendu qu'il s'explique.

— Soyons clairs, si vous aviez tué quelqu'un, vous auriez envie que les flics l'apprennent ?

Les choses ont lentement commencé à prendre forme.

— Randall Tripe, ai-je lâché.

Gary a acquiescé.

— Quoi que ma fille ait fait, elle avait sûrement une très bonne raison, ai-je argué.

— Je vais vous dire ce qu'elle a fait. Elle a flingué ce mec. Mais mal visé. Un peu plus près du cœur, et il aurait claqué plus vite.

— Que faisait-il ? Pourquoi a-t-elle dû tirer sur lui ?

Il a médité un instant là-dessus.

— En tout cas, il est mort. Si elle s'était occupée de ses oignons et contentée de faire son boulot, rien de tout cela ne serait jamais arrivé.

— Justement, en quoi consistait son travail ?

— La réception, comme ces deux clowns.

C'était bien ce qu'avait toujours affirmé Syd.

— L'hôtel est bourré de Pakis, de Chinetoques ou d'autres bridés chargés des basses besognes et employés ailleurs, a continué Gary, mais à la réception, il faut des gens qui parlent anglais. Quand on nous a recommandé Sydney, elle nous a fait excellente impression. Elle n'aurait pas dû se mêler du reste de notre business.

— Qu'est-ce qui s'est passé avec Tripe ?

Gary a grimacé, comme s'il n'avait pas envie d'en parler.

— Randy était parfois assez porté sur la chose. Mais le gars avait une théorie. Il pensait : « Après tout, on offre le rêve américain à ces gens, ils devraient nous être reconnaissants. » Et il aimait qu'ils le lui manifestent d'une certaine façon – les dames en particulier. Votre petite fille a voulu l'en empêcher.

— Qu'êtes-vous en train de dire ? Que Sydney a tiré sur cet homme pendant qu'il violait quelqu'un ?

Mais Gary ne voulait plus poursuivre sur le sujet. Désignant Andy de son arme, il m'a demandé :

— Comment vous est venue l'idée d'envoyer ce connard à ma recherche ? Comment avez-vous fait le lien ?

Je n'ai rien répondu.

— Laissez-moi deviner. Vous avez discuté avec ce gosse. Celui qui a planté ma combine au Dalrymple. C'est ça ?

Je ne voulais pas attirer davantage d'ennuis à Jeff. Gary a pris mon silence pour une approbation.

— Quel minable ! Je pensais qu'on n'aurait pas à s'en inquiéter.

Une autre question me taraudait.

— Et Patty ?

— Mmm ?

— Patty Swain. Qu'est-ce qui lui est arrivé ? Où est-elle ?

— Vous n'avez plus de souci à vous faire pour elle, a-t-il répliqué en souriant.

Une part de moi est morte à ce moment-là.

— Quant à votre fille, a-t-il ajouté, régler ce problème n'est plus qu'une question de temps, maintenant. Ils sont peut-être même déjà arrivés, a-t-il précisé après avoir consulté sa montre.

— Vous savez où est Sydney ? Où est-elle ?

Gary a claqué les doigts à l'intention d'Owen, qui s'est approché. Il tenait un rouleau de ruban adhésif.

— Tendez les mains, m'a-t-il ordonné.

Avec l'arme de Gary braquée sur moi, je n'avais guère d'autre choix qu'obéir. Owen a enroulé cinq ou six fois l'adhésif autour de mes poignets.

— Allez, les gars, a protesté Andy. Qu'est-ce qui vous prend, là ?

— La ferme, lui a de nouveau jeté Gary.

— Putain, vous n'allez pas le tuer ? C'est dingue ! Vous n'allez quand même pas le tuer !

— Ah non ? a fait Gary, qui a levé son arme vers le front d'Andy et pressé la gâchette.

Le coup ne l'a pas tellement projeté en arrière. Sa tête a reculé, mais la balle l'a traversée si rapidement que c'est à peine si le reste de son corps a eu le temps de réagir. Son visage n'a pas eu le temps d'exprimer la surprise, et il s'est effondré sur le sol, sa tête heurtant le carrelage, tandis qu'une flaque de sang sombre commençait à se former presque aussitôt.

— Merde, a observé Gary en soufflant de nouveau la fumée de sa cigarette. Je remets ça. Voilà qui ne va pas arranger mes affaires. C'est tout moi.

Quelques gouttes de sang, chaudes et humides, m'avaient éclaboussé la joue.

Je n'étais pas le seul à être frappé de stupeur. Carter et Owen avaient bondi en arrière lorsque Gary avait tiré.

— Nom de Dieu, s'est exclamé Carter.

Owen écarquillait les yeux. Le coup de feu résonnait encore dans mes oreilles, et ça devait également être le cas pour eux.

— Bon, et maintenant ? a repris Carter.

— Comment ça, et maintenant ? a aboyé Gary.

— Ne me dis pas qu'on va devoir le traîner aussi dans une benne à Bridgeport. Si les flics nous arrêtent en chemin, on est cuits.

Gary s'énervait. Jusque-là, il était resté plutôt calme, mais perdre son sang-froid avec Andy semblait l'avoir déstabilisé.

— Laisse-moi réfléchir. Laisse-moi réfléchir, a-t-il grogné.

— Je ne dirais rien, lui ai-je assuré. Laissez juste Sydney tranquille. Laissez-la rentrer à la maison vivante. Elle ne racontera jamais à personne ce qui se passait à l'hôtel. Vous avez raison. Elle a commis un meurtre, et ne voudra pas aller parler à la police.

—Oh, pitié, a-t-il répliqué, avant de pointer son revolver sur le corps d'Andy. Vous savez, c'est votre faute. Si vous ne l'aviez pas envoyé à mes trousses, il n'aurait pas fini comme ça.

Il n'avait pas tout à fait tort.

—Fiche-moi ce connard quelque part pendant que je réfléchis, a-t-il crié à Owen.

Celui-ci m'a balancé dans le minivan puis a claqué si précipitamment la portière que j'ai à peine eu le temps de rentrer ma jambe à l'intérieur.

Carter est intervenu.

—Si c'est vraiment ce que tu veux, on peut emmener les deux et les larguer dans les ordures.

Des cendres sont tombées de la cigarette de Gary alors qu'il secouait la tête.

—Non, attends une seconde. On va pas s'emmerder, on va les laisser ici tous les deux. Inutile de les larguer quelque part. Les flics penseront ce qu'ils voudront. Les caméras de surveillance sont éteintes.

J'avais été jeté dans le van avec une telle violence que j'avais échoué par-dessus l'espace entre les deux sièges avant. Lentement, maladroitement à cause de mes poignets liés, je me suis redressé derrière le volant. Une fois assis, j'ai regardé à travers le pare-brise. D'autres véhicules entouraient le van : un Pilot juste devant, une Civic à l'arrière, une Accord à droite, une Element à gauche. Gary, Carter et Owen se trouvaient en face du van, près de l'aile droite, discutant de la manière de régler cette situation épineuse.

Le corps d'Andy gisait juste devant l'Element.

Il était encore si jeune…

Sous le volant, j'ai commencé à tordre les bras, essayant de desserrer les liens entre mes deux poignets. J'aurais bien tenté d'entamer l'adhésif avec mes dents, mais l'un des zigotos risquait de me remarquer.

Je ne savais pas vraiment ce que j'espérais faire, si tant est que je parvienne à libérer mes mains. Deux de ces types étaient armés. Je pouvais essayer de m'enfuir, mais avec quelles chances de réussite ? Les portes du showroom donnant sur l'extérieur ne s'ouvraient pas sans clé. Il me faudrait garder mon avance sur eux à travers tout le service entretien pour atteindre une porte que je puisse pousser.

— On devrait partir d'ici, a suggéré Carter. Tuer Blake et se casser.

— Ouais, a renchéri Owen. J'ai pas envie de traîner dans le coin.

Gary hochait la tête en faisant : « O.K., O.K. »

Je continuais de tortiller l'adhésif. Même les poignets liés, si l'un d'eux s'approchait de la portière, je pourrais peut-être l'ouvrir d'un coup de pied, faire reculer le gars d'un autre, bondir hors du van et courir comme un dératé.

Non, je n'avais aucune chance.

Ou alors, presser le klaxon. Mais avec quelle probabilité d'attirer l'attention, franchement ? Et combien de temps serais-je capable d'appuyer dessus avant que les trois autres s'occupent de mon cas ? Une bonne balle à travers le pare-brise le réglerait rapidement.

Klaxon mis à part, combien de temps me restait-il, de toute manière ?

En attendant, je progressais. Encore une minute, et je viendrais à bout de l'adhésif. Cela m'arrachait les poils des bras, mais la douleur ne pesait pas lourd dans le contexte global.

Quelque chose sur le tableau de bord du van a accroché mon regard.

La boîte à gants était entrouverte. Juste assez pour laisser voir un objet brillant à l'intérieur.

Mon cœur s'est emballé. En balançant mes deux bras sur le côté, j'ai relevé le volet du bout des doigts.

Un trousseau de clés.

Très délicatement, je les ai attrapées entre le pouce et l'index de ma main droite, et tirées du compartiment sans les faire cliqueter. Puis, tant bien que mal à cause de mes poignets entravés, j'ai glissé la clé dans le contact.

J'allais avoir besoin de mes deux mains pour réussir mon coup. Parce que, au moment où je mettrais le contact avec l'une, il me faudrait bloquer les portières et remonter les vitres avec l'autre.

J'espérais, premièrement, que Laura Cantrell aurait l'occasion de me passer un savon pour ce que j'étais sur le point de tenter, et, deuxièmement, qu'il y avait de l'essence dans ce satané van.

40

L'adhésif était à présent assez lâche pour que je puisse dégager ma main droite. Alors j'ai positionné les doigts de la main gauche sur les boutons de commande de ma portière. J'aurais pu tout de suite actionner le verrouillage – inutile de mettre le contact pour que la commande fonctionne – mais Gary et les autres auraient entendu les serrures s'enclencher et se seraient demandé ce que je manigançais. Ce qui leur donnerait une seconde d'avance, peut-être suffisante pour atteindre le van et m'agripper par l'une des deux vitres ouvertes.

Bien entendu, pas de vitre blindée. Même les vitres remontées, je ne serais guère à l'abri.

J'avais mon autre main posée sur la clé.

Les trois hommes tournicotaient devant le van, observant le corps d'Andy, puis moi. Carter et Owen regardaient Gary, et il leur a adressé un léger signe du menton.

Ils m'ont fixé à travers le pare-brise.

J'ai tourné la clé.

Le vrombissement du moteur aurait de toute façon paru bruyant à l'intérieur du showroom, où les vitres et les autres voitures renvoient le son. Mais dans ces circonstances, on aurait cru assister à l'explosion d'une bombe.

Les trois hommes ont sursauté lorsque le moteur a rugi à moins d'un mètre d'eux. Il leur a fallu une bonne fraction de seconde pour comprendre ce que j'avais fait.

À ce moment-là, les deux vitres étaient montées à mi-hauteur.

Carter a réagi le premier. Il s'est rué sur ma portière, a tenté de l'ouvrir, sans succès, tout en essayant de me frapper de l'autre main – toujours munie du revolver – par la vitre, alors presque aux trois quarts remontée.

La vitre continuait son ascension.

Owen avait couru derrière Carter, mais ne pouvait que regarder ce qui se passait. Il a claqué les deux mains sur l'aile avant, comme s'il était doté d'une force surhumaine et capable d'arrêter le van s'il se mettait à bouger.

Carter a tiré.

Le coup est parti à une dizaine de centimètres de mon oreille, produisant un bruit de canon, mais comme la vitre soulevait la main de Carter de plus en plus haut, la balle a dévié et s'est fichée dans le plafond de l'habitacle.

Gary, toujours planté devant le van, a crié :

— Bordel de merde !

La vitre est montée aussi loin que possible, coinçant le poignet de Carter, qui hurlait.

J'ai enclenché la marche arrière, écrasé l'accélérateur. En temps normal, j'aurais été enclin à faire attention à ma direction, mais alors que le van commençait à reculer, j'ai gardé les yeux sur Gary, qui avait jeté sa cigarette et s'apprêtait à tirer.

Le van a décollé dans le crissement des pneus sur le sol carrelé. À ma gauche, le visage de

Carter s'est plaqué contre la vitre tandis qu'il était entraîné. Owen a sauté en arrière.

Le trajet a été court.

Après trois mètres, le van a percuté la Civic par le côté. Le fracas a momentanément couvert les cris de Carter. Mon crâne a heurté l'appuie-tête.

Carter a tiré un nouveau coup de feu. Je ne savais pas au juste où il était, mais ne sentant aucune balle se loger dans ma cervelle, j'ai agrippé le levier pour passer en marche avant.

Mon pied enfoncé sur l'accélérateur, j'ai coupé court à la tentative de Carter, qui cherchait à briser la vitre avec son autre main pour se libérer. Sans doute y serait-il parvenu s'il avait tapé avec quelque chose de plus dur que son poing. Owen, non armé, faisait des va-et-vient désordonnés, telle la cible d'une balle aux prisonniers, trop désorienté pour savoir quoi faire.

Je me suis alors rendu compte qu'un fond sonore accompagnait la scène : une cacophonie d'alarmes automobiles s'était déclenchée.

Le van a bondi vers Gary, qui a fait feu juste avant de plonger à gauche. La balle a atteint l'angle supérieur du pare-brise, qui s'est aussitôt étoilé. Gary a glissé dans le sang qui s'était écoulé de la tête d'Andy, et s'est étalé par terre, hors de la trajectoire du van.

Remorquant toujours un Carter hurlant, j'ai embouti le Pilot latéralement. L'arrière a dû s'enfoncer d'un bon demi-mètre. À ce stade, je savais que l'airbag de mon volant ne manquerait pas de se gonfler, mais c'était un peu comme quand on sait que le flash va se déclencher au moment où l'on vous prend en photo. On pense pouvoir s'empêcher de cligner des yeux, mais on n'y arrive pas.

Cela a donc quand même été un choc lorsque le coussin blanc a explosé, un nuage me fonçant dessus à toute allure avant d'envelopper mon visage. Aveuglé durant les quelques secondes que le sac a mis à se dégonfler, j'ai passé la marche arrière à tâtons, tourné le volant légèrement à droite, et de nouveau écrasé le champignon.

Mon crâne a heurté l'appuie-tête une seconde fois. J'avais encore percuté la Civic, plus à l'avant ce coup-ci. Le revolver de Carter lui a échappé, a rebondi sur mon épaule pour tomber entre le siège et la portière.

Ce n'était pas vraiment le moment de le ramasser.

J'ai tapoté l'airbag afin de voir ce qui se passait. Carter ne m'inquiétait pas, surtout depuis qu'il avait perdu son arme. Il se contenterait de m'escorter, où que je décide d'aller, du moins jusqu'à ce que son poignet lâche.

Owen avait couru dans le coin opposé du showroom. Gary, toujours sur le sol près du corps d'Andy, les vêtements maculés de sang, a tiré un autre coup de feu. La balle s'est perdue quelque part dans la carrosserie.

J'ai entendu une sorte de cri primal, quasi animal. Il m'a fallu un instant pour comprendre qu'il venait de moi.

Gary s'est relevé en patinant dans le sang, prêt à tirer encore. J'ai remis la voiture en marche avant, redressé le volant, accéléré et foncé droit sur lui.

Il a fait feu, cette fois en visant mieux, touchant le pare-brise à une trentaine de centimètres du centre. Le verre a éclaté en un million de minuscules morceaux, mais au moins ma vue était-elle à présent complètement dégagée. Gary a plongé sur ma droite, en direction d'une rangée de bureaux, dont celui de Laura, et le van a défoncé l'arrière de l'Element, à gauche du Pilot que j'avais déjà pas mal amoché. Outre de nouveaux bris de verre, le capot du van s'est replié vers le haut au point de m'obstruer presque la vue.

Le poignet de Carter s'est mis à saigner. Il continuait de cogner sur la vitre, hurlant à pleins poumons.

Je devais sortir de là.

J'ai freiné, passé la marche arrière, pris une nanoseconde pour échafauder un moyen de me frayer un passage vers l'extérieur. Il me fallait une vaste étendue de verre, non cloisonnée. J'estimais presque mieux de la traverser à reculons, sinon, par l'avant, les fragments de verre risquaient de me décapiter.

Avec suffisamment de vitesse, je serais peut-être capable de forcer une brèche entre la Civic et l'Accord bleue qui avaient, jusqu'ici, échappé au carnage.

— Pitié ! hurlait Carter. Baissez la vitre !

Je lui ai jeté un coup d'œil, le temps de répliquer :

— Va te faire foutre.

Puis j'ai accéléré. Carter, anticipant la manœuvre, a essayé de suivre en courant, mais j'avais modifié ma trajectoire d'un chouia en direction de l'Accord pour réussir à me glisser entre son pare-chocs arrière et l'avant de la Civic.

Le pare-chocs de la Civic a fauché les jambes de Carter. Alors que je dépassais la voiture à toute allure, Carter, accroché par son poignet, a été embarqué par-dessus.

L'Accord a bougé d'un petit mètre, insuffisant pour me dégager la voie.

Il m'a semblé détecter une odeur d'essence.

En regardant devant moi, j'ai vu Gary qui se rapprochait sur ma droite. J'ai rebasculé le levier en marche avant, braqué le volant et me suis lancé sur lui. Il a fait un écart, mais j'ai continué, fracassant la porte et la fenêtre en verre dépoli du bureau de Laura. Des éclats ont volé par-dessus le capot défoncé et recouvert le tableau de bord.

Carter, désormais silencieux, pendait de ma portière comme une poupée de chiffon.

Soudain, la vitre arrière côté passager a explosé. Pulvérisée par un coup de feu. Je n'avais pas le temps de repérer où se trouvait Gary. J'ai reculé en trombe pour m'extraire du bureau de Laura jusqu'au milieu du showroom, embouti l'autre pare-chocs de l'Element et suis reparti en avant à toute allure, démolissant cette fois le bureau voisin de celui de Laura. Celui du responsable du crédit-bail. Il n'allait pas être content.

De nouveaux coups de feu ont retenti. Gary courait autour du hall, s'abritant derrière les voitures. Pour ma part, je me courbais autant que je le pouvais tout en conduisant, me servant du tableau de bord et des portières du van comme couverture.

Les alarmes des véhicules hurlaient sans répit.

J'ai remis la marche arrière et le pied au plancher. La seule chose que je ne voulais pas percuter était le corps d'Andy, et je craignais que le van ne prenne cette direction. Aussi ai-je tiré le volant à gauche, jeté un bref regard en arrière, cogné une fois de plus l'Element, puis repassé en marche avant et foncé pleins gaz.

Et là, j'ai vu Gary entre le van et l'Accord. Il pointait le revolver à deux mains sur moi.

Il s'est légèrement déplacé vers la gauche. J'ai tourné le volant de son côté tout en continuant d'avancer.

Le coup est parti à l'instant précis où le van atteignait Gary, déviant la balle vers le plafond. Pendant un centième de seconde peut-être, Gary n'a senti que l'avant du van lui rentrer à toute pompe dans le thorax. Puis il a senti l'Accord dans son dos.

S'il a émis un son en mourant écrasé, le déchirement et le froissement de la tôle l'ont rendu inaudible. Au moment de l'impact, le revolver s'est échappé de sa main et envolé par-dessus le van, avant d'atterrir quelque part sur le sol.

Un rictus grotesque lui tordait la bouche, du sang barbouillait son visage.

Je suis resté ainsi quelques instants, laissant le moteur tourner au ralenti. Carter semblait aussi mort que Gary. Sans doute lorsque la partie inférieure de son corps avait heurté la Civic. Le choc avait dû lui rompre la colonne vertébrale. J'ai baissé ma vitre d'un cran pour libérer son poignet et permettre à son corps de glisser par terre.

Le moteur tournait toujours, les alarmes hululaient sans arrêt, mais j'ai ressenti un grand calme le temps d'un instant.

— Pas un geste, enfoiré !

J'ai levé les yeux sur le rétro. C'était Owen, brandissant le revolver qui avait volé des mains de Gary.

Je ne sais comment l'expliquer : durant tout ce qui avait précédé, j'avais été terrifié, mais là... là, j'étais juste contrarié.

Après avoir mis la marche arrière, j'ai écrasé l'accélérateur de tout mon poids.

Les pneus ont encore crissé, et le van s'est forcé un passage, écartant le Pilot, poursuivant jusqu'à mon bureau qu'il a réduit en miettes, puis il y a eu un immense fracas lorsque l'extrémité du véhicule a traversé le verre épais de la vaste baie vitrée.

Le van s'est retrouvé dehors, cinquante centimètres plus bas, et le nez en l'air. Les roues avant tournaient à toute vitesse dans le vide.

J'ai scruté l'interstice entre la portière et le siège, sachant que le revolver de Carter s'y trouvait.

Un nouveau son s'ajoutait à présent au vacarme ambiant : briser la vitre avait déclenché l'alarme du bâtiment.

La position totalement décalée du van m'empêchait de regarder à l'intérieur du showroom, et de repérer Owen. Je me suis tordu sur le siège pour plonger le bras dans l'étroit espace où devait se nicher le revolver.

Bingo. Mes doigts ont rencontré quelque chose de froid et métallique, sans doute le canon. Je l'ai extirpé, cru que je l'avais, mais il m'a glissé de la main et est retombé, hors d'atteinte.

Derrière le mugissement des alarmes, il m'a semblé entendre marcher sur du verre cassé. Owen s'approchait du van.

— Tu n'iras pas plus loin ! a-t-il crié.

De la lumière vacillait à travers le pare-brise. J'ai mis un instant à comprendre qu'elle provenait de flammes.

J'ai de nouveau fourré la main dans l'interstice, fouillé à la recherche du revolver. Il était coincé sous un coin du tapis de sol. Cette fois, j'ai réussi à le remonter, avant de le prendre bien en main, le doigt sur la détente.

Soudain, ma portière s'est ouverte d'un coup sec. Le choc avait dû la déverrouiller, d'une façon ou d'une autre.

— Hé, enfoiré, a lancé Owen. Je vais te…

J'ai tiré.

— Merde ! a-t-il hurlé, tombant à la renverse sur le bitume, au pied de la baie vitrée.

La force de gravité a repoussé la portière, que j'ai rouverte d'un coup de pied pour dégringoler du van, sans prendre la peine de couper le moteur.

Le feu se répandait dans le showroom.

Owen gisait sur le dos. Une tache rouge s'épanouissait sur son épaule gauche. Mon coup de feu n'avait donc pas été fatal. Sa main droite tenait toujours l'arme, mais avant qu'il puisse la braquer vers moi, je me suis positionné au-dessus de lui et j'ai pointé le revolver de Carter sur sa tête.

— Jette cette arme, ai-je ordonné.

— Quoi ?

Les alarmes faisaient un tel raffut qu'il ne distinguait pas mes paroles.

— Jette-la !

Il a balancé le revolver à quelques pas.

— Où est ma fille ? ai-je crié.

— Je ne sais pas !

J'ai tiré dans le sol, entre ses jambes.

— Putain ! a-t-il de nouveau hurlé.

— D'après Gary, vous étiez en route pour la chercher. Où est-elle ?

— Je peux pas vous le dire. Je ne peux pas !

— Je te tire une balle dans le genou si tu refuses.

— Écoutez, si je parle, ils vont…

J'ai visé son genou et pressé la détente. Le hurlement qui a suivi a momentanément couvert les diverses sirènes d'alarme.

— La prochaine est pour l'autre genou. Où est ma fille ?

— Oh, bon Dieu ! glapissait-il en se tortillant de douleur.

— Où est ma fille ? ai-je répété.

Il pleurnichait à présent.

— Vermont !

— Où ça dans le Vermont ?

— Stowe ! Quelque part à Stowe !

— Où à Stowe ? ai-je insisté.

— Quelque part à Stowe, c'est tout ce que je sais !

— Qui est parti la chercher ?

Avant de pouvoir répondre, il s'est évanoui. Ou alors il venait de mourir.

Je suis allé ramasser le revolver de Gary. Je risquais d'avoir besoin des deux. Alors que je me dirigeais vers la Beetle, tout le showroom s'est embrasé dans mon dos. Le réservoir d'une voiture a explosé, puis une boule de feu a fait éclater un nouveau pan de baie vitrée.

Dans la voiture, j'ai composé un numéro familier sur mon portable. Au loin, j'entendais des sirènes.

— Allô ?

— Salut, Susanne. Tu peux me passer Bob ?

— Oh, Tim, mon Dieu ! La police est venue et…

— Passe-moi Bob, s'il te plaît.

Dix secondes plus tard, Bob commençait d'un ton contrarié :

— Bon sang, Tim, tu as la police à tes trousses. Qu'est-ce que tu as bien pu… ?

— Tu fais quoi, là, tout de suite ? J'ai besoin d'une autre voiture. Une sur laquelle je puisse compter, rapide, de préférence.

41

Je suivais la nationale 1 lorsque, dans mon rétroviseur, j'ai vu s'allumer les feux stop d'un véhicule de patrouille qui roulait dans l'autre sens.

— Ne fais pas demi-tour, ai-je marmonné entre mes dents.

Il a fait demi-tour.

Comme il se trouvait assez loin derrière, j'ai accéléré progressivement, essayant de le distancer sans paraître détaler à toute vitesse. Non que la Beetle en soit précisément capable.

Les gyrophares se sont mis en route.

J'ai brutalement bifurqué à droite, dans une rue résidentielle, puis coupé mes phares afin d'éviter les deux sphères rouges brillantes à l'arrière de la voiture. Les lampadaires éclairaient assez pour me permettre de me diriger. Dans le rétro, j'ai vu le véhicule de police emprunter la même rue.

J'ai décidé d'utiliser un itinéraire aléatoire. À droite, encore à droite, à gauche. Je guettais sans cesse dans le rétro, non seulement le véhicule, mais le flash intermittent sur son toit.

Son conducteur devait probablement réclamer du renfort par radio.

Je n'étais pas en sécurité dans la Beetle, et il y avait gros à parier que je ne parviendrais pas chez Bob sans me faire repérer.

Après avoir de nouveau tourné à gauche, puis à droite, je me suis retrouvé près du port, pas très loin de la maison de Carol Swain. Impossible d'y retourner.

J'arrivais à un carrefour quand un autre véhicule de police est passé en trombe, sirène éteinte mais gyrophare allumé.

Je n'allais pas réussir à quitter ce quartier, encore moins à atteindre le domicile de Bob. J'ai engagé la Beetle dans une allée inconnue, le plus près possible de l'habitation, coupé le moteur, empoigné les deux revolvers que je venais de m'approprier, sans oublier Milt sur le siège arrière, et je suis sorti de la voiture.

Pouvais-je sans risque appeler Bob et lui demander de venir me chercher ? Le ferait-il, au moins ? Manifestement, la police – voire Jennings elle-même – était passée chez eux. Susanne et Bob avaient beau ne pas savoir pour quelle raison exacte on me recherchait, ils n'ignoraient sûrement pas que c'était sérieux.

J'ai couru vers le port. La maison de Bob ne se trouvait pas très loin du détroit. Je pouvais peut-être voler un petit bateau, accoster sur une plage de Stratford proche de l'endroit où il vivait, faire le reste du chemin à pied. Ensuite, avec un peu de chance, le convaincre de me donner une autre voiture pour me rendre à Stowe.

La soirée était chaude, et au port, beaucoup de gens étaient installés sur leurs bateaux, en train de prendre un verre, de bavarder avec des amis. Leurs voix produisaient un doux bruit de fond à travers la nuit.

Voler un bateau risquait de ne pas être si simple que ça.

À pas furtifs, j'ai parcouru un parking qui s'avançait petit à petit à couvert des arbres. Je gagnais l'autre côté, me demandant s'il existait la moindre chance que quelqu'un ait laissé ses clés sur sa voiture – qui faisait encore ça de nos jours ? – lorsqu'une fourgonnette a attiré mon attention.

Sur les vitres arrière : SHAW FLEURS.

En m'approchant du côté conducteur, j'ai distingué ce qui semblait deux personnes à l'avant, appuyées l'une contre l'autre.

J'ai tapé à la vitre avec le canon d'une de mes armes. Le conducteur a sursauté, et alors qu'il se retournait, sa blonde compagne s'est écroulée, inerte, sur le tableau de bord.

— Salut, Ian, ai-je lancé à travers la vitre.

Il l'a baissée.

— Oh, mon Dieu, c'est vous.

— Du calme. Je vois bien que ce n'est pas ma fille qui est à côté de toi.

— Ma tante m'a obligée à le dire, a-t-il répliqué très vite, sur la défensive. Elle m'a obligé à dire qui m'avait frappé. Mais à la police, j'ai expliqué que c'était un malentendu.

— Je sais. Et je t'en suis reconnaissant. Moi, je n'ai jamais parlé à personne de ton amie.

— Merci, a-t-il murmuré. Qu'est-ce que vous voulez ? Qu'est-ce que vous faites là ?

— Ouvre. J'ai besoin de Mildred et de toi pour une livraison.

À l'arrière de la fourgonnette, j'ai posé les revolvers par terre, et Milt sur la banquette. Étonnamment, c'est la peluche qui a frappé Ian.

— Dire que vous me trouvez bizarre, a-t-il commenté.

Nous avons croisé trois véhicules de police patrouillant dans les parages avant de revenir sur la nationale 1.

— Ils sont tous à votre recherche ? a demandé Ian.

— Moins tu en sauras, mieux ce sera, ai-je rétorqué en m'efforçant de rester hors de vue. Tu as un bouquet, là-derrière.

— Ouais. Ça fait deux jours que j'essaie de le livrer. Les gens sont absents.

Je lui ai indiqué comment se rendre chez Bob.

— Remonte la rue d'abord, pour vérifier si la maison est surveillée. Voitures de flics, banalisées ou non. Fais ça une ou deux fois, et si tout paraît dégagé, arrête-toi dans l'allée.

— D'accord. Vous savez, en général je ne livre pas de fleurs aussi tard. Ça ne paraîtra pas louche ?

— Espérons que non.

Il ne nous a pas fallu longtemps pour atteindre le quartier de Bob.

— Les maisons sont vraiment chouettes par ici, a constaté Ian. J'ai déjà fait des livraisons dans le coin. Bon, tout a l'air normal.

— Allons-y. Je veux que Mildred et toi patientez un moment.

— Elle s'appelle Juanita.

Il s'est garé dans la très large allée de Bob, juste à côté du Hummer. Le bouquet à la main, je me suis dirigé vers la porte d'entrée.

Susanne a fait une drôle de tête en ouvrant. Au début, j'ai cru que c'était à cause de la livraison tardive de fleurs, mais en fait, elle fixait mon visage.

— Mon Dieu, Tim, qu'est-ce qui t'est arrivé ?

Bob se tenait à quelques pas derrière elle. Elle m'a pris le bouquet des mains et l'a posé sur une table voisine.

D'abord, j'ai songé qu'elle avait déjà vu mon nez. Il ne m'était pas venu à l'esprit que j'avais subi d'autres blessures. Puis j'ai jeté un coup d'œil dans le miroir de l'entrée. De nombreuses petites coupures lacéraient mes joues. Mon front s'ornait d'ecchymoses. Recevoir des fragments de verre brisé et se cogner la tête sur un volant vous valaient ce genre de décoration.

Sans compter l'adhésif qui pendait toujours à l'un de mes poignets.

— Pas le temps d'expliquer. Bob, qu'est-ce que tu as à me proposer ?

— Où est la Beetle ? a-t-il demandé en coulant un regard dans l'allée, et n'y voyant que la fourgonnette.

À l'intention de Susanne, j'ai débité en rafale :

— Je sais où est Syd. À Stowe, dans le Vermont. Il y a des gens en route pour la chercher. Ils sont même peut-être déjà arrivés. Je dois faire vite.

Je m'attendais à ce qu'elle me crible de questions, mais elle a immédiatement compris que cela ne ferait que me retarder, ce qui n'était pas dans l'intérêt de Syd.

— Prends la voiture de Bob. File. Tout de suite, a-t-elle ordonné.

Elle parlait du Hummer, l'énorme 4 × 4 de Bob. L'idée de me rendre à Stowe dans ce monstre ne m'emballait pas. C'était un véhicule archi voyant, lourdingue et peu réactif. Je perdrais en outre trop de temps en m'arrêtant pour refaire le plein tous les cent kilomètres. De plus, en constatant sa disparition, la police risquait de se mettre sous peu à sa recherche.

— Non, une autre, Suze, ai-je objecté.

Elle a hoché la tête, saisissant aussitôt mon raisonnement.

— On vient d'entrer une Mustang au garage. Elle a un V8 sous le capot.

— Tu plaisantes, non ? a protesté Bob avant de se tourner vers moi. Tu sais que la police est venue deux fois pour toi ce soir ? Bon Dieu, qu'est-ce qui se passe, Tim ?

— Une tonne de choses. Mais à ce stade, la seule qui compte est que je prenne la route pour Stowe.

Susanne a pris appui sur la poignée de la porte.

— La Mustang est en bon état mécanique, m'a-t-elle indiqué. Ses pneus sont bons aussi.

— Elle est rapide ?

— En ligne droite, oui. Elle assure moins dans les virages, mais c'est de l'autoroute tout du long pour le Vermont.

— Allons la chercher.

— Ça ne me plaît pas, a pesté Bob. Si la police est à ses trousses, ça équivaut à aider un fugitif.

Susanne l'a regardé droit dans les yeux.

— On le fait tous les deux ou je le fais toute seule.

Evan est descendu par l'escalier.

— Qu'est-ce qui se passe ? a-t-il demandé à son tour.

— On revient dans un moment, a répondu Bob, à contrecœur. Si le téléphone sonne, réponds.

— Non, ne réponds pas, a riposté Susanne. Et si la police frappe à la porte, tu n'as pas vu Tim, et tu ne sais pas du tout où on est.

— Donc vous voulez que je mente aux flics, a observé Evan, à moitié pour lui-même. Cool.

Alors que nous nous dirigions tous les trois vers le Hummer, Bob a lancé :

— Franchement, Tim, tu nous dois un minimum d'explications, quand même. Tu appelles tard le soir pour réclamer une voiture, en racontant que Sydney est je ne sais où dans le Vermont. Tu ne peux pas...

— Deux secondes, l'ai-je interrompu, changeant de direction pour gagner la fourgonnette. Je dois récupérer mes flingues.

Voilà qui lui a cloué de bec, du moins pour quelque temps.

J'ai remercié Ian et l'ai laissé partir. En plus des armes, j'ai repris Milt, que j'ai confié à Susanne. Sur le trajet vers Bob Motors, j'ai résumé les derniers événements. Bob a laissé entendre que le plus sage serait de prévenir la police, celle d'ici comme celle du Vermont. Depuis le siège arrière, j'ai rétorqué qu'en raison de l'attention qu'ils me portaient en ce moment, nous perdrions un temps précieux à convaincre les policiers de se déplacer à Stowe.

— Pour l'instant, je mise sur Tim, si ça ne t'ennuie pas, a renchéri Susanne, avant de revenir à moi : Cet homme à qui tu as tiré dans le genou, il est mort ?

— Owen ? Je ne crois pas. Si une ambulance l'embarque rapidement, il vivra. Mais ses deux acolytes, Gary et Carter, eux sont foutus.

— Et Andy ?

— Lui aussi. Mais il y a pire encore.

— Quoi ?

— Patty. Je ne sais pas de quelle manière elle était impliquée là-dedans, mais il lui est arrivé quelque chose. Personne ne l'a vue depuis quarante-huit heures. Et l'un des trois types qui ont essayé de me tuer a assuré que je n'avais plus de souci à me faire pour elle.

— Oh mon Dieu ! a soufflé Susanne.

— Ouais.

J'éprouvais pour le sort de Patty un chagrin que je ne pouvais me résoudre à expliquer à mon ex-femme. Du moins, pas tout de suite.

— Ce n'est pas possible, a-t-elle soupiré. Je n'arrive pas à y croire.

Nous avons roulé un moment en silence. Puis Susanne a remarqué :

— Donc, quelqu'un surveillait réellement la maison.

— En effet.

Au volant, Bob faisait la tête.

— Ils espéraient que Syd tenterait de rentrer à la maison ou chez vous, ai-je poursuivi.

— Mais pourquoi n'a-t-elle pas tout simplement appelé ? a repris Susanne. Ou trouvé un moyen de nous contacter ?

Conscient qu'il n'existait aucune manière de préparer Suze à cette nouvelle, j'ai formulé ma réponse d'une voix lente.

— Une des raisons, c'est qu'elle a peut-être commis un meurtre.

Susanne a tenté d'articuler des mots, mais rien n'est sorti.

— À mon avis, il s'agissait probablement de légitime défense, ai-je ajouté. Ou bien elle essayait d'aider une autre personne qui se faisait agresser.

— Mais… a bredouillé Susanne, même si… même si c'est vrai, je n'arrive pas à croire qu'elle ne nous ait pas appelés à l'aide.

— Je ne sais pas, Suze. Je ne sais pas.

Je me demandais si nous pensions tous les deux qu'il était arrivé quelque chose à Sydney, quelque chose que les malfaiteurs eux-mêmes ignoraient, et qui l'avait empêchée de dire à ses parents où elle se trouvait.

Nous étions arrivés à la concession de véhicules d'occasion de Bob. Il s'est garé à côté d'une Mustang bleu foncé, modèle fin des années quatre-vingt-dix, ai-je supposé.

— Je vais aller chercher la clé, a annoncé Susanne en quittant le Hummer.

— Tu n'as même pas payé la Beetle, si ? m'a demandé Bob.

— C'est ta principale préoccupation du moment, Bob ?

Ma tête reposait contre le dossier du siège. D'un coup, je me sentais complètement épuisé. Stowe devait se trouver à quatre bonnes heures de route. J'avais besoin de dormir un peu, mais je n'en avais pas le temps.

Une fois sur place, je ne savais pas non plus où commencer à chercher Syd.

— Écoute, a repris Bob. Fais ce que tu as à fairc. Mais n'entraîne pas Suze là-dedans. Ce n'est pas juste. Pas si tu es recherché par la police. T'es quand même un sacré cas, tu sais ?

— Les flics t'ont expliqué ce qu'ils me voulaient ?

— T'interroger. C'est tout ce qu'ils ont dit. C'était l'inspecteur Jennings et l'autre grand type avec un nom de fille. De quoi ils te soupçonnent ?

— Ils ont toute une liste. Mais l'homme qui a essayé de me tuer ce soir a assassiné plus tôt dans la journée une fille nommée Kate Wood, et pour l'instant, la police me suspecte de ce meurtre.

— Nom de Dieu, a lâché Bob.

J'ai fermé les yeux, jusqu'à ce qu'on frappe à ma vitre. Susanne balançait un trousseau de clés entre ses doigts.

Je suis descendu du Hummer et j'ai pris les clés.

— Il y a de l'essence dedans ?

— Ça m'étonnerait, a-t-elle répondu. Bob offre rarement un plein d'essence à chaque achat.

Après avoir déverrouillé la Mustang, je me suis installé derrière le volant en laissant la portière ouverte, et j'ai mis le contact. Le moteur a rugi.

La jauge indiquait qu'il restait un peu moins d'un demi-réservoir.

— Fais le plein maintenant, et avec du bol, tu tiendras tout le trajet sans t'arrêter, m'a conseillé Bob.

— Tu veux bien me passer les revolvers ?

Il est retourné au Hummer.

— Je viens avec toi, a déclaré Susanne.

— Ce n'est pas une bonne idée.

— Ne me dis pas ça.

— Susanne, ai-je répliqué en baissant la voix, de sorte qu'elle doive se pencher vers moi. Je vais sortir Syd de ce pétrin. Mais s'il m'arrive quelque chose entre-temps, je veux qu'elle ait quelqu'un chez qui rentrer.

— Tim, ne...

— Non, écoute-moi. Je suis sincère. Tu dois rester ici, être là pour le retour de Sydney, si elle revient par ses propres moyens. Et je risque d'avoir besoin de te contacter, que tu me trouves des renseignements. Par exemple, aussitôt rentrée, tu devras m'indiquer comment me rendre à Stowe. Je vais prendre la 95, puis la 91 direction nord, mais quelques conseils en cours de route me seront utiles.

Les yeux de Susanne brillaient.

— Je t'aime, tu sais. Je t'aimerai toute ma vie...

Elle a reniflé.

— Qu'est-ce que je fais avec la police ? a-t-elle poursuivi.

— Rien. Tu ne dis strictement rien. Si c'est Jennings... tu lui expliques ce qui s'est passé à la concession. Mais surtout pas où je suis parti. Jennings réveillerait tous les flics du Connecticut pour essayer de mettre la main sur moi. J'ignore combien de temps il me reste pour retrouver Syd, en tout cas, je n'ai pas besoin que Jennings me colle des bâtons dans les roues.

Susanne a fait signe qu'elle comprenait.

— Si le type sur lequel j'ai tiré reprend conscience, ai-je ajouté, elle saura sans doute bien assez tôt que je suis en route pour Stowe. Si elle te met la pression, dis-lui que je roule toujours en Beetle. Au moins, ils ne chercheront pas une Mustang.

Elle a hoché la tête, puis :

— Je ne te laisserai pas y aller seul.

— Suze, tu ne peux pas venir.

— Alors emmène Bob.

Bob revenait justement avec les deux revolvers. Il les tenait comme s'ils étaient en plutonium.

— Hein ? a-t-il fait.

— Tu pars avec Tim.

— Ah non. Non, non, je ne pense pas que ce soit une bonne idée.

— Pour une fois, je suis d'accord avec Bob, ai-je renchéri.

— Si tu n'y vas pas, a rétorqué Susanne en s'appuyant sur sa canne, moi, j'irai.

Il a gardé le silence un moment. Après quoi, les armes toujours à la main, il a gauchement serré Susanne dans ses bras, puis fait le tour de la Mustang pour s'installer sur le siège passager.

— Allons-y, a-t-il déclaré en posant avec précaution les revolvers sur le tapis de sol devant lui.

42

Le temps de faire le plein et de prendre la 95, il était environ dix heures et demie du soir. Une fois la Mustang sur l'autoroute, j'ai mis le pied au plancher. L'aiguille du compteur a grimpé jusqu'à cent quarante-cinq kilomètres-heure. La voiture flottait un peu, mais je pouvais tenir cette vitesse, aussi ai-je décidé de la garder dans l'immédiat.

— On ne sait même pas où on va, a remarqué Bob. Du moins, quand on sera arrivés à Stowe. J'y suis allé, il y a des années de ça, avec ma première femme, la mère d'Evan. C'est bourré d'hôtels et de résidences secondaires planqués dans la montagne.

— Je doute que Sydney soit dans une résidence secondaire.

— Elle a peut-être trouvé du boulot dans un de ces endroits. Beaucoup paieraient au noir une gosse comme Syd. Elle n'aurait pas besoin de donner son vrai nom ni rien. Il me semble qu'un copain d'Evan avait un job d'été, la-haut, pour la saison.

Tout en réfléchissant aux propos de Bob, j'essayais de me concentrer sur la route. Quand vous roulez à cent quarante à l'heure – et même un peu plus – vous avez intérêt à prêter attention à ce que vous faites. Surtout la nuit.

Comme s'il lisait dans mes pensées, Bob a lancé :

— Tu sais, si un cerf ou un daim déboule devant nous, à cette vitesse, on est cuits.

— Je préfère prendre le risque avec cette voiture qu'avec la Beetle.

— N'empêche, si on percute un cerf, le bestiau traversera le pare-brise.

Je lui ai coulé un regard en coin.

— Si tu veux, je te dépose à la prochaine station-service.

— Tout ce que je voulais dire, c'est que tu ne seras pas d'une grande aide pour Sydney si un bois de cerf te perfore le crâne.

Il s'est penché pour ramasser à tâtons l'une des armes que j'avais emportées.

— Fais attention à ces engins, Bob.

— T'inquiète, je ne suis pas idiot.

Dans l'obscurité, il observait attentivement le revolver. Le seul éclairage provenait des instruments de bord.

— Je peux allumer une minute? a-t-il demandé.

— Non.

Je ne voulais pas qu'une lumière à l'intérieur de l'habitacle perturbe ma vision nocturne.

— Tu veux mon avis ? a-t-il poursuivi. Ce revolver et l'autre, je crois que ce sont des Ruger.

— Je n'y connais rien.

— Eh bien moi si, un peu. Ils sont impressionnants. Je pense qu'ils sont équipés d'un magasin dix coups.

— Quoi ?

— Dix balles, a expliqué Bob. Le chargeur contient dix balles. Le pistolet peut même en contenir onze s'il y en a une engagée dans le canon. Semi-automatique. Calibre 22. Les mecs qui étaient à tes trousses avaient plutôt bon goût.

— Ouais.

— Tu sais s'ils sont chargés ?

— Étant donné qu'ils m'ont mitraillé avec, je dirais que non. Gary a tiré la plupart des coups de feu, donc l'arme qu'il utilisait doit être vide. L'autre est celle dont se servait Carter. Il a mis deux balles dans le plafond du van, mais je crois que c'est à peu près tout. Ensuite j'ai moi-même tiré…

Il m'a fallu réfléchir un instant.

— … trois coups avec, je pense.

— Alors ces pistolets sont sans doute vides, a conclu Bob.

— Oui, Bob. Sans doute.

Il a baissé la vitre, nous projetant brutalement au cœur d'un mini-ouragan. Empoignant un des revolvers, il a posé le bras sur la portière puis fait feu dans le noir.

— Tu es malade, putain ? ai-je hurlé. Ne fais pas ça !

Il a ramené le bras et remonté la vitre.

— Celui-là était encore chargé, a-t-il constaté.

— Apparemment, oui ! Et si c'était la dernière balle ?

— Bah, dans ce cas, ce revolver ne t'aurait pas servi à grand-chose.

J'étais prêt à sortir mon téléphone et à demander à Susanne de récupérer son bonhomme sur le bas-côté de l'autoroute à trente kilomètres au nord de New Haven. Mais je me suis retenu.

— Je devrais réussir à trouver comment enlever le magasin pour vérifier, a repris Bob.

— Nom d'un chien, Bob, je t'en supplie. Tâche de ne pas nous tuer tous les deux dans cette voiture.

— Je sais ce que je fais. Il suffit de presser ce petit bouton et ça débloque le chargeur. Là, tu vois ?

Il a exhibé le boîtier en forme de barre chocolatée.

— Il y a comme une petite fente sur le côté pour regarder combien il reste de balles. Il faudrait que tu allumes juste une seconde, d'accord ?

À contrecœur, j'ai appuyé sur le plafonnier. Si Bob devait inspecter les revolvers, autant qu'il y voie quelque chose, dans notre intérêt à tous les deux.

— Alors attends, a-t-il marmonné en examinant le premier chargeur. Il reste une balle dans celui-ci. Et voyons l'autre… eh bien, trois dans celui-ci. Nous voilà donc avec quatre balles.

— Formidable.

— Sur combien de méchants on va tomber, tu crois ?

— Aucune idée.

— Bon, s'ils sont plus de quatre, on leur demandera de s'aligner les uns derrière les autres.

Sa blague a failli m'arracher un sourire.

— Comment se fait-il que tu sois aussi décontracté ?

Il a haussé les épaules.

— Quelles sont les chances qu'on tombe réellement sur une bande de salopards allumés de la gâchette ?

Si Bob avait vécu le genre de soirée que j'avais connu, peut-être n'aurait-il pas posé la question.

Mon portable a sonné.

Tenant le volant d'une main, j'ai maladroitement coincé l'appareil à mon oreille.

— C'est moi, a annoncé Susanne. Je voulais vérifier comment ça se passait.

— Bob tire sur les arbres, mais sinon tout va bien.

— J'ai regardé sur Internet. Aller à Stowe est tout simple. Tu restes un bon moment sur la 91. Ensuite, une fois dans le Vermont, tu prends la 89 direction nord-ouest, tu la suis jusqu'à Montpelier. À la sortie de Waterbury, tu montes vers le nord, et Stowe est un peu plus loin. Tu veux que je reprenne depuis le début ?

— Non. Merci, Susanne.

— D'après l'ordinateur, il y a plus de quatre heures de route.

— Je pense qu'on peut en compter une de moins. Si on ne se fait pas arrêter par les flics.

— À ce propos, l'inspecteur Jennings a encore téléphoné.

— Ah.

— Elle avait l'air furieuse, a ajouté Susanne.

— Quel scoop.

— Elle remue tout Milford pour te trouver. À mon avis, elle ne va pas tarder à t'appeler.

— Qu'est-ce que tu lui as dit ?

— Ce qui s'est passé à la concession. Mais pas où tu te rends.

— Elle n'a pas dû apprécier.

— Non. Comme l'avait prédit Bob, elle m'a accusée de protéger un fugitif.

— Est-ce qu'elle a précisé si le gars sur lequel j'ai tiré est mort ?

— Elle n'est pas entrée dans les détails, mais a bien mentionné avoir demandé une ambulance pour quelqu'un.

Si le type était en état de parler, il risquait de révéler à Jennings que Sydney se trouvait à Stowe. Et elle enverrait ses troupes m'intercepter.

— Comment savent-ils que Syd est là-bas, selon toi ? a poursuivi Susanne.

— Je n'en ai pas la moindre idée.

Bob faisait des signes pour que je lui passe le téléphone.

— Attends, Bob veut te parler.

Il s'est emparé du portable.

— Salut. Un copain d'Evan a travaillé un été à Stowe. Interroge-le là-dessus. Demande-lui qui c'était, et où. Si Sydney en a entendu parler, elle est peut-être allée se cacher là-bas.

Puis il a continué, baissant la voix :

— C'est bon... Oui... tu sais que oui... O.K.

Il est resté encore une minute avant de me rendre l'appareil.

— Si j'ai d'autres nouvelles, je rappellerai, a promis Susanne.

— D'accord.

Après avoir raccroché, j'ai lancé à Bob d'un ton hésitant :

— Tout va bien ?

Durant quelques instants, il n'a rien dit.

— Elle... Elle me remerciait juste de ce que je faisais pour toi, a-t-il enfin répondu.

Un long silence a suivi. Il m'a regardé, le visage éclairé par la faible lueur émanant du tableau de bord, avant d'ajouter :

— Elle pense qu'elle a fait une erreur, en te quittant.

— Ça m'étonnerait.

— C'est la vérité. Et maintenant, vu tout ce qui se passe avec Evan, je ne pourrais pas lui en vouloir si elle partait pour essayer de recoller les morceaux avec toi.

J'ai observé les lignes blanches foncer en pointillé vers la Mustang avant de disparaître sur les côtés.

— Je sais que tu l'aimes, ai-je déclaré. Je l'ai bien vu le jour où elle s'est écroulée par terre.

Nous avons parcouru encore un kilomètre ou deux avant que Bob ne reprenne la parole.

— Je sais que tu imagines que je me crois meilleur que toi. Mais je dois en permanence rivaliser avec ton fantôme.

Mon téléphone s'est de nouveau manifesté.

— Monsieur Blake.

— Inspecteur Jennings.

— Devinez où je me trouve en ce moment même.

— Je dirais, soit à l'hôpital de Milford, soit à la concession.

— À la concession, a confirmé Jennings. Du moins, ce qu'il en reste. Tout a flambé. D'après votre femme, le feu une fois éteint, on trouvera trois morts à l'intérieur. On a déjà un homme à l'hôpital, dans un état critique. Avec une balle dans l'épaule et une autre dans le genou. Mais je crois comprendre que je ne vous apprends rien ?

— Susanne a dû vous expliquer que deux des hommes que vous avez retrouvés dans le bâtiment ont essayé de me tuer. Tout comme celui que vous avez découvert à l'extérieur et emmené à l'hôpital. Un dénommé Gary a abattu Andy Hertz. Il lui a tiré à bout portant en pleine tête. De la même manière qu'il a abattu Kate Wood.

— Nous devons en discuter.

— Bientôt.

— Comment sont morts les deux autres hommes, monsieur Blake ? Vous les avez tués ?

— Je vous entends très mal, inspecteur, ai-je menti.

— Où que vous soyez, faites immédiatement demi-tour.

— Impossible. Peut-être que si je n'avais pas la conviction que vous et l'inspecteur Marjorie tentez de tout me coller sur le dos, je réagirais différemment. Le fait est qu'un gigantesque trafic humain se déroule au Just Inn Time, pile sous votre nez. Pourquoi ne pas aller explorer ça, le temps que je revienne ?

— Du trafic humain ? C'est à ça que votre fille s'est retrouvée mêlée ?

— Elle travaillait là-bas depuis le début. Tout le personnel a reçu l'instruction de mentir. Et ils ont été très convaincants.

— Monsieur Blake, je vous en conjure, revenez. Nous prendrons le relais pour chercher Syd et…

— Vous devez fouiller cet hôtel, ai-je insisté, une boule dans la gorge. Chambre par chambre. Essayer de trouver une trace de Patty.

— Vous pensez qu'elle se cache là-bas ?

— Je pense… Je pense qu'elle est morte.

Jennings a attendu la suite en silence.

— Gary a laissé entendre qu'elle l'était, ai-je poursuivi.

Puis, comme elle se taisait toujours :

— Inspecteur ?

— Je suis là, monsieur Blake.

— De votre côté, vous avez du nouveau ?

Un nouveau silence s'est écoulé.

— Nous avons obtenu le relevé des communications du portable de Patty, a alors annoncé Jennings.

— J'ai tenté de la joindre dessus. Elle n'a jamais décroché.

— Au cours des dernières semaines, son portable a reçu plusieurs appels d'un numéro dans le Vermont. De Stowe, plus précisément.

Je me suis efforcé de garder une voix neutre.

— À qui est ce numéro ?

— Un téléphone public. Deux numéros différents, à vrai dire. La personne a passé ces appels au moyen de cartes prépayées.

— Et dans l'autre sens ? Y a-t-il eu des communications du portable de Patty vers Stowe ?

— Non.

— Bon, je suppose qu'il peut s'agir de n'importe qui, ai-je avancé. Un petit ami, un parent.

— Monsieur Blake, c'est là que vous vous rendez ? À Stowe ?
— Non. Je dois vous laisser maintenant, inspecteur.
Deux secondes après avoir fermé le téléphone, il recommençait à sonner. Jennings rappelait.
— Tu ne réponds pas ? a demandé Bob.
— Non.

Quelques kilomètres plus loin, Bob a hurlé :
— Tim !
— Hein ? ai-je fait.
La Mustang roulait sur le bas-côté. J'ai tiré le volant d'un coup sec, remis la voiture sur la route.
— Nom de Dieu, tu t'es endormi, a rugi Bob.
J'ai cligné furieusement des yeux, secoué la tête.
— Ça va, ça va.
— Laisse-moi conduire un moment, a-t-il objecté.
Je m'apprêtais à discuter, avant de me rendre compte que c'était le plus raisonnable. J'ai arrêté la voiture sur le bord de la route, sans couper le moteur, et Bob a pris ma place.
— Tu connais le chemin ?
Il m'a décoché un regard.
— Tu me prends pour un débile, mais je sais conduire.
— En fait, je suis complètement réveillé, maintenant.
Trente secondes plus tard, je dormais à poings fermés.

43

Aux environs de Brattleboro, Bob a décrété qu'il fallait commencer à chercher une station-service. Nous étions au cœur de la nuit, et il était clair que nous ne parviendrions pas jusqu'à Stowe sans refaire le plein. Rouler à une vitesse constante frisant les cent cinquante kilomètres-heure consommait beaucoup d'essence.

Nous avons trouvé une station ouverte, un endroit délabré plutôt pauvre en commodités, notamment concernant les toilettes. Bob a couru se soulager dans les buissons pendant que je remplissais le réservoir au distributeur en self-service. À son retour, j'en ai fait autant.

Bob, à présent assez fatigué, m'a lancé les clés. Lorsque je suis entré dans la voiture, il m'a tendu une barre de Mars, avant d'installer un café dans le porte-gobelet.

— Avec ça et ta petite sieste, tu devrais tenir le coup.

— Tu sais comment je le prends ? ai-je demandé.

— Noir. La moitié du temps, quand Susanne me prépare un café, elle me le sert comme ça, en oubliant la crème ; elle doit croire qu'elle est toujours mariée avec toi.

J'ai déchiré l'emballage du Mars et mordu dedans en fonçant sur la bretelle d'autoroute, puis mâché ma bouchée avec contentement tandis que Bob sirotait son propre café. Impossible de me souvenir quand j'avais mangé pour la dernière fois. Ensuite, posant la barre chocolatée sur mes genoux, j'ai levé avec précaution le gobelet à mes lèvres, bu une gorgée. Bob avait déjà ôté le couvercle de plastique pour me faciliter la tâche.

— Berk ! ai-je fait. Ça doit être le café le plus infect que j'aie bu de ma vie.

Il m'a fallu réprimer un haut-le-cœur en l'avalant.

— Ouais, a admis Bob avec un hochement de tête. Si celui-ci ne te garde pas éveillé, rien ne le fera.

Sans écarter le gobelet de ma bouche, j'ai brièvement détourné les yeux de la route vers lui pour lâcher :

— Merci.

Puis, un ou deux kilomètres plus loin :

— Je sais que, parfois, je me suis montré vis-à-vis de toi un peu...

— ... vache ? a complété Bob.

— J'allais dire, un peu réticent à te manifester du respect.

— Ça revient plus ou moins au même, a-t-il répliqué, se penchant en arrière pour jeter un coup d'œil dans le rétroviseur de sa portière.

— Bon, je doute que cela change beaucoup...

Bob n'a pas pu retenir un ricanement.

— ... mais je tiens à te remercier de prendre aussi bien soin de Susanne.

— Merde, a-t-il grogné.

— Non, je le pense sincèrement.

— Et moi je dis merde, tu as un flic aux fesses.

J'ai à mon tour regardé dans le rétro. Un gyrophare. Loin, peut-être à un kilomètre, mais sans aucun doute possible la lueur clignotante d'un véhicule de police. Mon cœur s'est mis à battre très fort. Après tout ce que j'avais traversé au cours de la journée, une amende pour excès de vitesse m'affolait ?

À moins que ce ne soit plus grave. Peut-être Jennings avait-elle découvert notre destination, et dans quelle voiture nous nous déplacions, puis diffusé l'information.

— Merde, ai-je pesté aussi.

À vrai dire, nous avions eu de la chance de ne pas nous être fait arrêter jusque-là.

Il n'y avait nul endroit où se cacher sur cette autoroute, ni aucune sortie imminente qui me permettrait de semer la police. J'ai levé le pied pour amener la voiture à une allure plus proche de la limite autorisée, espérant que le temps que le policier nous rattrape, il pense s'être trompé sur la vitesse à laquelle nous roulions.

Et s'il nous appréhendait effectivement pour une bricole comme un excès de vitesse – et non pour le chaos que j'avais laissé derrière moi –, eh bien je paierais l'amende, voilà tout.

— Qu'est-ce que tu fais ? a demandé Bob tandis que la Mustang ralentissait.

— Je ralentis jusqu'à la vitesse limite autorisée.

— Non, surtout pas, tu dois le semer.

— Et comment suis-je censé m'y prendre ? Dans quelle petite rue transversale veux-tu que je tourne ?

— Bon, en fait, voilà, a-t-il expliqué, mesurant ses paroles. Je ne suis pas tout à fait certain, techniquement parlant, que l'immatriculation de cette voiture tienne la route.

— Qu'est-ce que tu racontes ?

— Je dis juste qu'il vaudrait mieux qu'on ne se fasse pas arrêter.

— Bob, est-ce que cette voiture est un véhicule volé ?

— Ce n'est pas ce que je dis. Je dis simplement que l'immatriculation pourrait ne pas résister à un examen minutieux.

Je laissais la voiture ralentir encore. Le gyrophare se rapprochait.

— Putain, Bob, tu m'avais juré que ton époque « Katrina » était terminée. Que tu étais devenu réglo.

— Du calme. Si ça se trouve, elle est bonne. Va savoir.

— Cette Mustang est une voiture volée, ai-je insisté.

— À ma connaissance, rien n'indique que cette voiture a été volée.

— Tu me racontes des salades !

Mon front s'est couvert de sueur. Nous n'avions d'autre choix que nous ranger sur le bas-côté et voir comment les choses se passeraient.

On entendait la sirène à présent.

— Cette bagnole est en règle, a poursuivi Bob, mais son passé est plus nébuleux, c'est tout.

— Tu as combien de voitures comme ça dans ton parc automobile ? Tu les regroupes par catégories ? Inondées, volées, hautement inflammables ?

— Tu vois, c'est ce que je veux dire quand je dis que tu es vache, a constaté Bob.

Le véhicule de police était presque arrivé à notre hauteur, gyrophare tournoyant, sirène hurlante.

— Tu sais, a ajouté Bob, il y a aussi le problème de ces deux flingues.

— Nom de Dieu. Excès de vitesse, immatriculation louche, et possession illégale d'armes qui peuvent être imputées à de véritables meurtres, ai-je résumé.

— Bravo, bon boulot, a-t-il commenté.

Et puis un miracle a eu lieu. Le véhicule de police a déboîté sur la file de gauche et nous a dépassés en trombe.

— Ça alors ! s'est exclamé Bob.

Un kilomètre plus loin, nous sommes tombés sur un camion renversé sur le terre-plein central. Le véhicule de police était arrêté sur l'accotement, et l'agent assistait deux personnes, un peu à l'écart, qui n'avaient pas l'air grièvement blessées.

— Tu vois ? a fait Bob. Tout va bien.

Durant le reste du trajet, j'ai maintenu la Mustang juste au-dessus de la limite de vitesse. Ça paraissait plus sûr.

Ensuite, nous sommes restés silencieux un long moment. J'ai terminé mon Mars, et même bu le mauvais – et désormais froid – café que Bob avait acheté. Il n'y avait rien à faire à part fixer la route et sombrer dans une sorte de transe en regardant les pointillés blancs filer sur le côté, alors j'ai pris le temps de penser.

À la disparition de Syd. À Gary, à Carter et à Owen. À Andy Hertz.

Si Sydney restait toujours en première ligne, je ne pouvais pas non plus m'empêcher de penser à Patty, que je savais maintenant être ma fille biologique. Et moins d'une heure après avoir appris la vérité sur notre lien, on m'avait annoncé que je l'avais perdue.

Cela faisait beaucoup à encaisser.

Bob est le dernier auprès de qui j'aurais choisi de m'épancher. Mais sur le moment, il était le seul disponible.

— Que ferais-tu, ai-je demandé, si tu découvrais qu'il y avait quelque part un enfant de toi, un gosse déjà grand, dont tu avais ignoré l'existence jusque-là ?

Il m'a lancé un regard inquiet.

— Qu'est-ce que tu as entendu raconter ?

— Je ne parle pas de toi. C'est juste comme ça. Comment tu réagirais ? En apprenant l'existence de cet enfant ?

— Aucune idée. J'imagine que ça m'en boucherait un coin.

— Et ensuite, ai-je continué d'une voix lente, si, juste après, tu apprenais qu'il lui était arrivé quelque chose. Donc, quel que soit le type de relation que tu aurais souhaité établir entre vous, tu n'en aurais jamais l'occasion.

— Qu'est-ce qui lui est arrivé ? À ce soi-disant gosse imaginaire ?

— Elle est morte.

Je sentais le regard de Bob sur moi.

— De quoi on parle, là, Tim ? Il ne s'agit pas d'Evan ni de Sydney, ni de ce qui aurait pu ou pas arriver, si ?

— Non.

— Alors quoi ?

J'ai secoué la tête. Il m'a fallu cligner plusieurs fois des yeux pour que la route cesse d'être floue.

— Rien. Oublie ce que je t'ai dit.

À la sortie de Waterbury, nous nous sommes dirigés vers le nord, laissant l'usine de crèmes glacées Ben & Jerry sur notre gauche. Très peu de voitures circulaient. Il était quand même près de trois heures du matin.

La route escaladait en lacet paresseux des montagnes aux formes gracieuses, traversait des zones boisées et des clairières. À une ou deux reprises, les phares ont croisé les yeux éblouis, pointes d'épingle lumineuses, de créatures nocturnes – des ratons laveurs, très probablement – sur le bas-côté.

Une quinzaine de minutes après avoir quitté l'autoroute, nous sommes redescendus jusqu'au centre de Stowe. Maisons et magasins de style colonial s'alignaient en masse compacte de part et d'autre de la route. Nous avons atteint une intersection, avec une auberge à droite, une église et un bâtiment d'apparence administrative un peu plus loin sur la gauche. Tourner à gauche nous ferait passer sur un petit pont, flanqué d'un passage piétons couvert.

— Par où on commence, nom d'un chien ? a demandé Bob.

Un portable s'est déclenché.

— Oh, a fait Bob, avant de fouiller dans sa poche. Allô ? Ouais, on vient d'arriver, il y a quelques minutes. Oui, ça va. Même si on a failli se faire arrêter, putain. Oui. Mmh mmh. O.K. O.K. Evan t'a dit autre chose ? D'accord. Super. Oui, bien sûr qu'on fait attention. O.K. Salut.

Tandis qu'il rangeait l'appareil, j'ai remarqué une cabine téléphonique à la station-service située à l'angle. Est-ce que l'un des appels en direction du mobile de Patty avait été passé de là ?

— Alors ?

— Susanne a parlé à Evan, qui vient d'essayer de joindre ce copain, un dénommé Stewart. Il l'a réveillé en pleine nuit. Stewart dit que oui, il a travaillé ici, dans un motel ou un truc comme ça.

— Qui s'appelle ?

— L'Ombre de la montagne. Un bon job, d'après lui, parce qu'ils payaient en liquide.

L'économie souterraine sévissait partout.

— Et ce Stewart connaît Sydney ? ai-je enchaîné. Il lui est arrivé de mentionner cet endroit devant elle ?

— Oui, selon Evan, ils se sont croisés il y a quelques mois au Starbucks ou je ne sais où, et il en a parlé avec Sydney. Ça devait être avant qu'elle trouve autre chose pour l'été, j'imagine.

J'ai réfléchi un instant. Si Syd était en fuite et consciente qu'il lui faudrait subvenir à ses besoins en attendant que les choses se tassent, ce serait le boulot parfait. Un endroit où elle pourrait gagner un peu d'argent sans se faire repérer.

— Bon, il est où, ce fichu hôtel ?

On ne trouvait guère de lieux d'informations touristiques ouverts à cette heure de la nuit. La station-service était également fermée. J'ai continué sur la route, mais à peine un kilomètre plus loin, nous sortions déjà de Stowe. Aussi ai-je fait demi-tour pour revenir à l'intersection, pris à droite dans Mountain Road et franchi le pont au passage piétons couvert.

Cette route était longée d'hôtels. J'ai scruté le côté gauche tandis que Bob lisait les noms à droite.

— Partridge Inn... Village de campagne... Le Flocon de Stowe...

— Là ! me suis-je écrié. Le panneau, juste après la pizzeria !

— L'Ombre de la montagne. C'est ça !

Je me suis arrêté sur le parking, les pneus crissant sur le gravier. Alors que je m'apprêtais à ouvrir la portière, Bob a lancé :

— Hé, tu veux ça ?

Il me tendait un des Ruger.

— C'est celui avec une balle, ou trois ?

Il les a examinés à tour de rôle.

— Oh, je ne sais plus.

J'ai pris le revolver. Une fois descendu de voiture, encore a-t-il fallu trouver quoi en faire.

— Ça n'entrera pas dans ma poche, ai-je constaté.

— Essaie ça, a suggéré Bob en pivotant pour montrer comment fourrer le canon de l'arme dans la ceinture, à l'arrière de son pantalon.

— Tu vas te tirer une balle dans les fesses.

— C'est comme ça qu'on fait, a-t-il rétorqué. Ensuite tu laisses ta veste retomber par-dessus, personne ne se rend compte de rien. C'est mieux que de le mettre devant : si un coup part par erreur, tu perds bien plus gros.

Alors, d'un geste nerveux, j'ai glissé le revolver à l'arrière de mon pantalon. Le moins que l'on puisse dire, c'est que ça prenait de la place.

La nuit était si calme que le claquement de nos portières a résonné dans le silence. Une ampoule brillait au-dessus de la porte de la réception, mais aucune à l'intérieur.

— Qu'est-ce qu'on fait ? a demandé Bob.

— On va devoir réveiller des gens.

J'ai tambouriné sur la porte. En espérant que la personne qui gérait le lieu ne dormait pas trop loin du bureau, et entendrait le raffut. Dans ce genre d'endroit, il fallait se tenir prêt à tout imprévu : une canalisation éclatée, un client faisant une crise cardiaque…

Quelques secondes après une première série de coups, j'ai recommencé. Quelque part au fond d'un couloir, une lumière s'est allumée.

— Ça y est. Quelqu'un arrive.

Une silhouette sombre s'est avancée d'un pas traînant, a éclairé le bureau, puis s'est approchée de la porte. Il s'agissait d'un homme dans la soixantaine, les cheveux gris ébouriffés, qui nouait encore la ceinture de son peignoir rayé.

— On est fermés ! a-t-il crié à travers la vitre.

J'ai de nouveau tambouriné.

— Bon sang de bonsoir, a-t-il grogné.

Il a déverrouillé la porte avant de l'ouvrir d'un coup sec.

— Vous savez l'heure qu'il est ?

— Nous sommes vraiment désolés, ai-je assuré.

— Ouais, a renchéri Bob.

— Je m'appelle Tim Blake, et voici Bob Janigan. Nous sommes à la recherche de ma fille.

— Hein ?

— Ma fille. Elle travaille probablement ici, et il est très important que nous la trouvions.

— Urgence familiale, a surenchéri Bob.

Le gérant a secoué la tête, geste qui semblait autant destiné à le réveiller qu'à manifester sa contrariété.

— Quel nom ?

— Sydney Blake, ai-je répondu.

— Jamais entendu parler.

Et il a entrepris de refermer la porte.

J'ai glissé mon pied dans l'entrebâillement.

— Rien qu'une minute, s'il vous plaît. Il se peut que vous la connaissiez sous un autre nom.

— Lequel ?

— Je ne sais pas.

Dans ma poche, j'ai pris une des photos de Syd que je trimballais toujours, où que j'aille, pour la tendre au gérant.

Il l'a saisie à contrecœur, y a jeté un coup d'œil.

— Attendez, a-t-il marmonné avant de se retourner vers le bureau de la réception, sur lequel traînaient des lunettes de lecture.

Nous en avons profité pour repousser la porte et faire un pas à l'intérieur.

Les lunettes sur le nez, le gérant a étudié la photo.

— Attendez, a-t-il répété. J'ai déjà vu cette fille.

J'ai senti mon pouls s'accélérer.

— Où ça ? Quand ?

— Elle est venue ici il y a deux semaines, voire plus. Elle cherchait un travail à mi-temps. Je n'avais rien pour elle. Je lui ai dit d'essayer un autre hôtel. Un membre de l'équipe d'été venait de démissionner sans crier gare, ils cherchaient quelqu'un.

— Quel hôtel ?

— Euh, une seconde. Au bord des nuages.

— Quoi ? a fait Bob.

— C'est son nom. L'auberge Au bord des nuages. Un peu plus loin sur la route, vers Smuggler's Notch, là où elle commence à grimper.

— Vous savez si elle a obtenu un travail là-bas ?

— Aucune idée. Vous n'avez qu'à aller les réveiller, eux aussi.

Ensuite il nous a poussés dehors et éteint la lumière.

De retour dans la Mustang, les revolvers sortis de nos ceintures, nous avons continué sur Mountain Road, roulant lentement afin de ne rater aucun panneau.

— Oups, recule ! a hurlé Bob. Je crois que c'est là.

J'ai fait marche arrière sur une trentaine de mètres. Même de nuit, il était évident que l'auberge Au bord des nuages avait connu des jours meilleurs. L'imposant panneau rustique sur le devant avait besoin d'une couche de peinture, la clôture en simili-bois autour du jardin paraissait avoir servi pour tester des autos tamponneuses, et une des lampes du porche était grillée.

Après nous être garés, nous avons recommencé tout le processus, armes à la ceinture et ainsi de suite.

Dès le premier coup frappé à la porte, un petit chien s'est mis à aboyer. J'ai entendu des griffes cliqueter sur le sol, et vu l'ombre d'un animal modèle réduit s'approcher en trottinant.

Yap yap ! Yap yap yap !

Avant même que la lumière ne s'allume dans la réception, une femme a crié :

— Mitzi ! Mitzi ! Arrête ! Tais-toi !

Âgée d'une quarantaine d'années, les cheveux blonds méchés, elle était plutôt belle – pas facile de s'en sortir correctement à cette heure de la nuit en robe de chambre effilochée et sans maquillage. Et aussi très méfiante. Elle nous a observés à travers la vitre de la porte toujours close.

— Qui êtes-vous ? a-t-elle demandé.

Nous nous sommes présentés.

— Que voulez-vous ? a-t-elle poursuivi pardessus les jappements de Mitzi.

— Nous essayons de retrouver ma fille, ai-je expliqué, assez fort pour les recouvrir également.

C'est urgent. Nous pensons qu'elle travaille peut-être ici. Elle s'appelle Sydney.

— Désolée. Je n'ai personne de ce nom. Mitzi, bon sang, ferme-la !

Le chien a fermé son clapet.

J'ai plaqué la photo de Syd contre la vitre. La femme s'est penchée, l'a étudiée, puis a déclaré :

— C'est Kerry.

— Kerry ?

— Kerry Morton.

— Elle travaille ici ?

La femme a acquiescé.

— Vous êtes qui, déjà ?

— Tim Blake. Son père.

— Si vous êtes son père, comment se fait-il qu'elle ne porte pas le même nom que vous ?

— C'est une longue histoire. Écoutez, il est essentiel que je la trouve. Vous savez où elle loge ?

La femme a continué de m'observer. Peut-être cherchait-elle une ressemblance familiale sur mes traits.

— Montrez-moi une pièce d'identité. Lui aussi.

J'ai sorti mon portefeuille et posé mon permis de conduire contre la vitre. Bob en a fait autant.

Visiblement, la femme s'interrogeait sur la marche à suivre.

— Attendez un instant, a-t-elle dit.

Elle a quitté la réception, puis nous l'avons entendue parler dans une pièce voisine :

— Réveille-toi. Réveille-toi et enfile un pantalon.

Des grognements masculins ont répondu.

— Il y a deux types qui veulent que je sorte en pleine nuit. Pas question d'y aller seule.

Un moment plus tard, elle a réapparu accompagnée d'un jeune homme pieds et torse nus, tout droit sorti d'une pub Abercrombie & Fitch : tablettes de chocolat, biscoteaux ondulants, chevelure d'ébène. Le jean délavé qu'il venait de passer était zippé mais déboutonné. Bob et moi avons échangé un regard. Un giton. Mais un giton à qui il ne fallait pas la faire.

— Voici Wyatt, a-t-elle annoncé, tandis qu'il nous adressait un clignement de paupières endormi. Il vient avec nous.

— Parfait.

— Plusieurs jeunes saisonniers travaillent ici. Wyatt en fait partie. Derrière, nous avons des mini-chalets pour les loger. Kerry est dans l'un d'eux.

Wyatt jouissait manifestement d'un meilleur hébergement, du moins cette nuit.

— Ils ont des numéros ? ai-je demandé. Vous pouvez me dire…

Elle m'a interrompu.

— Du calme, d'accord ?

Puis, Wyatt et elle nous ont escortés sur le côté du bâtiment, jusqu'à une rangée de chalets faiblement éclairés par des lanternes fixées à des poteaux de bois, et adossés à une forêt. J'espérais Wyatt suffisamment mal réveillé pour ne pas remarquer les bosses à l'arrière de nos vestes. Comme il faisait sombre, je pensais le risque minime.

— C'est celui-là, a annoncé la gérante. Il vaudrait mieux que ce soit vraiment une urgence, parce qu'elle va être furieuse d'être réveillée au milieu de la nuit. Moi je le suis, en tout cas.

Je me taisais, si excité d'avoir enfin trouvé Sydney que je tremblais de tous mes membres.

Elle a frappé doucement à la porte du chalet.

— Ouh ouh, Kerry ? C'est Madeline. Kerry ?

Les fenêtres sont restées obscures. Rien n'a remué à l'intérieur. À mon tour, je me suis approché de la porte pour crier :

— Sydney ! C'est papa ! Ouvre ! Tout va bien !

Toujours rien.

Je me suis tourné vers la femme que je savais désormais se prénommer Madeline.

— Ouvrez la porte.

— Je vais devoir aller chercher la..., a-t-elle commencé.

Bob a alors balancé un coup de pied dans la porte, qui s'est ouverte à la volée.

— Hé ! s'est elle exclamée.

— Ho ! a fait Wyatt.

C'était la première fois qu'on entendait le son de sa voix. Il a attrapé Bob par le bras, mais celui-ci s'est dégagé, a glissé la main à l'intérieur et trouvé un interrupteur.

Cela faisait deux mètres par deux et demi, à tout casser. Un lit pliant, deux chaises en bois, une antique table de toilette. Pas d'eau courante, ni de salle de bains. Une sorte de cellule de prison désuète, par bien des aspects. Sur le lavabo à l'ancienne, quelques objets de toilette, une brosse à cheveux, un trousseau de clés, des lunettes de soleil. Le lit semblait intact.

— Mais où peut-elle bien être ? a lancé Madeline. Elle doit défaire des lits demain matin à la première heure.

En trois enjambées, je suis allé prendre les clés sur la table de toilette. Trois étaient des clés de maison – ce qui était logique : la mienne, celle de Susanne, et maintenant celle de Bob – plus une clé de voiture et une télécommande, toutes deux frappées du logo Honda. J'ai effleuré la brosse à cheveux, puis saisi les lunettes.

Il y avait écrit Versace sur les branches.

— Ce sont les affaires de Sydney, ai-je précisé à Bob, luttant pour empêcher ma voix de se briser.

Je me suis mis à fureter dans le chalet, en quête de n'importe quoi qui puisse m'indiquer l'endroit où elle se trouvait à présent.

— Quand l'avez-vous vue pour la dernière fois ? ai-je demandé à Madeline, blottie contre Wyatt.

— Dans la journée, a-t-elle évasivement répondu. Je ne les suis pas vraiment à la trace. Kerry travaille d'habitude le matin, et termine en milieu d'après-midi. Ensuite, elle fait ce qu'elle veut.

— Donc elle a travaillé aujourd'hui ? Vous l'avez vue ?

— Oui.

— Elle était comment ?

— Vous voulez dire aujourd'hui, ou depuis son arrivée ?

— Les deux, tout ce que vous voudrez.

— C'est sûrement la fille la plus malheureuse que j'aie jamais rencontrée. Déprimée, nerveuse, toujours à ruminer et à regarder par-dessus son épaule. Si vous arrivez derrière elle pour lui parler, elle saute au plafond. Elle pleure tout le temps. Quelque chose cloche chez cette fille, sans vouloir vous vexer.

L'intense sentiment d'espoir qui m'habitait un instant plus tôt a fait place à une terrible inquiétude. Nous avions été si proches de la trouver. Où avait-elle pu aller au beau milieu de la nuit ?

Et si quelqu'un l'avait trouvée avant nous ?

J'ai inspecté les coins du chalet, le lavabo, sous le lit. Déniché un short, des sous-vêtements, deux T-shirts. Le peu d'objets que je voyais paraissaient flambant neufs. Après tout, Syd avait quitté Milford sans bagages. Il y avait également deux ou trois cartes de téléphone dont elle avait dû se servir pour des appels longue distance, ainsi que des sorties papier de pages Internet. Certaines du site que j'avais monté pour elle. Ainsi qu'une version en ligne d'un article du *New Haven Register* sur sa disparition.

— Vous avez un ordinateur à disposition, ici ?

— Il y en a un à la réception, que je prête aux jeunes qui travaillent pour moi, a répondu Madeline. Pour envoyer des mails chez eux, ce genre de choses.

— Est-ce que Sydney - Kerry - l'a utilisé ?

— Oh oui, elle passe un moment dessus tous les jours. Et oui, a-t-elle ajouté en désignant les feuilles dans ma main, elle a imprimé des trucs, mais je ne sais pas quoi. À chaque fois, elle efface l'historique.

— Avez-vous entendu quoi que ce soit d'inhabituel ce soir ? Remarqué des gens que vous ne connaissez pas ?

— Je gère une affaire touristique, a répliqué Madeline. Je vois des gens différents tous les jours.

— Et vous ? ai-je demandé à Wyatt.

Le garçon a haussé les épaules.

— Je ne lui ai jamais adressé la parole.

— Je ne sais pas quoi faire, ai-je avoué à Bob.

Planté dans la pénombre du chalet, il a hoché la tête. Il n'avait pas l'air plus inspiré que moi.

— C'est peut-être le moment de mettre l'inspecteur Jennings au courant, a-t-il suggéré. De lui dire où on est, et voir si elle peut engager les locaux dans l'affaire.

— Les locaux ? a répété Madeline.

— Et vos autres employés ? ai-je poursuivi. Vous avez d'autres jeunes qui travaillent pour vous durant l'été ? Avec qui Syd aurait pu discuter ?

— Deux chalets plus loin, il y a une fille de Buffalo. Je les ai vues bavarder quelques fois.

— Nous devons lui parler immédiatement.

Madeline a paru prête à objecter quelque chose, mais a lâché :

— Oh, et puis après tout, hein…

Le peignoir flottant dans la légère brise nocturne, elle nous a précédés jusqu'à l'autre chalet, avant de frapper à la porte.

— Alicia ? Alicia, c'est Madeline !

Une lampe s'est allumée à l'intérieur et quelques instants plus tard, une jeune Noire de dix-neuf ou vingt ans a ouvert, les yeux ensommeillés. Elle ne portait qu'un T-shirt sur une culotte, et en voyant que trois hommes escortaient Madeline, elle a réduit l'ouverture pour ne montrer que son visage.

— Quelque chose ne va pas ? Qu'est-ce qui se passe ?

Ses yeux nous scrutaient à tour de rôle.

— Ces messieurs voudraient te parler de Kerry, a expliqué Madeline.

— Pourquoi ?

— Je suis son père. Nous devons la retrouver. C'est très important.

— Elle dort à deux chalets d'ici, a rétorqué Alicia.

— Non, a objecté Madeline. Elle n'y dort pas. Elle est partie.

Alors Alicia a lentement hoché la tête, comme si cela lui semblait logique.

— D'accord, a-t-elle prononcé à mi-voix.

— Quoi ? ai-je lancé.

— Eh bien, Kerry est déjà plutôt speed, hein ?

Elle s'est interrompue, cherchant du regard une confirmation de ce qu'elle avançait du côté de Madeline.

— Mais aujourd'hui, a-t-elle continué, elle flippait complètement. J'étais en train de lire un Stephen King juste devant, là, quand elle est arrivée en courant du bâtiment principal. On aurait dit qu'elle avait croisé un fantôme, elle avait l'air totalement paniquée. Elle a foncé dans son chalet, et je suis allée la voir. Comme elle prenait son sac à dos, je lui ai demandé où elle allait, mais elle n'a rien voulu me dire. Juste qu'elle avait un truc à faire et qu'elle devait partir sur-le-champ.

— Elle n'a pas expliqué pourquoi ? ai-je insisté. Ni ce qui l'avait paniquée à ce point ?

— Non, mais ça devait être sérieux.

— C'était quand ?

— En fin d'après-midi.

— Où est-elle allée ?

— Je ne sais pas. Elle est partie dans un sens, ensuite elle a regardé vers le parking, s'est immobilisée d'un coup, a fait demi-tour et est repartie dans l'autre sens. Et elle marchait le long des arbres au lieu de suivre le sentier. Comme si elle voulait pas qu'on la voie.

À l'intention de Madeline, elle a ajouté :

— Elle est partie ? Je vais devoir me taper tout son travail de ménage demain matin ?

— On en reparlera plus tard.

— Vous discutiez avec Syd ? ai-je repris. Je veux dire, Kerry ? Avant cet incident aujourd'hui ? Ça vous arrivait souvent ?

— Parfois, a répondu Alicia. Un peu.

— Qu'est-ce qu'elle vous a raconté d'elle ? Elle vous a dit pourquoi elle était venue ici ? Ou n'importe quoi d'autre ? Elle vous a dit pourquoi elle était si nerveuse ?

— Pas vraiment. Mais honnêtement, elle est assez bizarre. Elle refuse tout boulot qui l'oblige à entrer dans la salle à manger, ou de travailler à la réception. Elle ne veut faire que des trucs où elle ne rencontrera personne. À mon avis, elle n'aime pas les gens. C'est quand même la première personne que je rencontre qui n'a pas de téléphone portable. Elle m'a expliqué qu'elle ne s'en servait plus, que c'était dangereux. Je sais, on dit qu'une utilisation excessive du portable provoque le cancer ou autre du cerveau, mais je ne crois pas tout ce qu'on dit sur le sujet.

Je me suis tourné vers Madeline.

— Vous disposez d'un téléphone public, ici ?

— Non. Il y en a quelques-uns en ville, mais pas chez nous.

— Si vous en aviez besoin, où iriez-vous ? J'ai vu une cabine téléphonique au carrefour principal, dans le centre.

— Inutile d'aller si loin. Il y en a une à la pizzeria, juste au bout de la rue.

Je me suis adressé à la portion d'Alicia visible dans l'entrebâillement de la porte.

— Merci de votre aide. Et désolé de vous avoir dérangée.

— Vous avez bien dit Syd, il y a deux secondes ? a-t-elle demandé.

— Oui. C'est le nom de ma fille. Pas Kerry, mais Sydney.

Alicia a disparu un instant, et lorsque son visage a réapparu, elle a sorti une main, dans laquelle elle tenait un morceau de papier plié.

— Ç'a été glissé sous ma porte tout à l'heure. Quelqu'un a dû se tromper de chalet. Comme je ne connaissais personne du nom de Sydney, je ne savais pas à qui le donner.

J'ai pris le papier. Il y avait écrit :

Syd,

Je suis venue pour te ramener à la maison ! Retrouve-moi au petit pont couvert dans le centre-ville.

Bisous,

Patty.

44

— Alors ? a fait Bob. Qu'est-ce que ça raconte ?

Je lui ai tendu le mot. Un sentiment d'espoir mêlé de perplexité m'emplissait. Après l'avoir lu plusieurs fois, Bob a remarqué :

— Tu m'avais pas dit que Patty était morte ?

— Si. Mais je me trompais peut-être. J'espère me tromper. Mais ce mot pourrait aussi être une sorte de piège. Il peut très bien venir d'une autre personne, dans le but d'attirer Sydney hors de sa tanière.

À l'intention d'Alicia, j'ai poursuivi :

— Vous n'avez pas vu qui a laissé ça ? Ni personne dans les parages ? Une fille avec des mèches roses dans les cheveux ?

Alicia a fait non de la tête.

Après l'avoir de nouveau remerciée, nous sommes retournés à la réception avec Wyatt et Madeline. Je leur ai laissé mon numéro de portable, au cas où Syd referait surface, ou s'il se produisait n'importe quoi d'autre. Ensuite, Bob et moi avons regagné la Mustang. Bob a pris le volant, tandis que j'étudiais le petit mot.

— Allons jeter un coup d'œil au pont couvert, ai-je proposé.

— O.K.

Le mot était manuscrit. J'essayais de me rappeler si j'avais déjà vu l'écriture de Patty. Si l'occasion s'en était présentée, je ne m'en souvenais pas. Difficile de relever le style caractéristique d'une ado sur cette note, qui semblait avoir été rédigée à la hâte et sur une surface rugueuse, comme si le papier avait été plaqué contre le mur du chalet au moment de poser le stylo dessus.

— Si ce n'est pas Patty, ai-je observé, celui ou celle qui a écrit ça est à la recherche de Sydney, et non de nous. Et si c'est Patty, elle nous reconnaîtra forcément en nous voyant.

En mon for intérieur, je m'interrogeais : s'il s'agit réellement de Patty, à quoi joue-t-elle ? Comment savait-elle que Syd se trouvait probablement ici, et pourquoi essayait-elle de monter un sauvetage en solo ?

— Le hic, c'est que Sydney n'est peut-être plus dans le coin, a souligné Bob, interrompant le fil de mes pensées. Quelque chose lui a flanqué la frousse et l'a fait fuir.

— Peut-être. Et si elle veut éviter d'être repérée, elle ne se postera sans doute pas le pouce levé au bord de l'autoroute.

— Tu crois qu'elle a une voiture ?

Ce n'était pas impossible. Je supposais qu'elle avait abandonné la Civic, par crainte que les malfrats ne la recherchent. Avait-elle volé une autre voiture ? Était-elle venue à Stowe en stop ?

— Aucune idée. Partons du principe qu'elle est toujours là, sinon nous n'avons rien à faire ici. Et que si elle doit appeler quelqu'un, elle utilisera la cabine près de la pizzeria.

— Pourquoi pas ?

Nous avons fait demi-tour, baissé chacun notre vitre et repris Mountain Road en direction du centre-ville. Bob roulait à vitesse réduite, inspectant le bord de la route, essayant de regarder sous les porches, dans les rues transversales, levant de temps à autre un œil sur le rétroviseur au cas où un véhicule nous foncerait dessus. J'en faisais autant de mon côté.

Nous ne cherchions plus une fille à présent, mais deux.

— Sydney a pu prendre une chambre ailleurs, ai-je avancé.

— Possible.

— Jette un coup d'œil derrière, a soudain dit Bob. C'est bien une voiture qui nous suit, phares éteints ?

J'ai pivoté sur mon siège.

— Attends une seconde, qu'elle passe sous un lampadaire… Oui, tu as raison. On dirait un de ces nouveaux Dodge Charger. Ou un Magnum. Avec cette grosse grille devant, tu sais ?

— Ouais. Je pense qu'ils nous ont pistés juste après qu'on est revenus sur la route principale.

— Ils restent très en arrière, en tout cas.

— Pont couvert, droit devant, a annoncé Bob.

J'ai ramené mon regard vers l'avant. Comme tous les ponts couverts, il avait une allure bizarre. Seul le passage piétons, sur le côté gauche, était protégé par un toit. La chaussée elle-même se trouvait à l'air libre. Dans l'obscurité, impossible de dire si quelqu'un se cachait sous la partie abritée.

— Tu veux que je me range sur le bas-côté ? a demandé Bob.

— Non. Pas si cette bagnole nous suit. Passe le pont, essaie de tourner dans une rue, n'importe où. Je sauterai de la voiture et je reviendrai en courant.

— O.K. Tu connais mon numéro de portable, pour m'appeler après ?

Après l'avoir noté au dos du mot laissé à Sydney, j'ai inscrit mon propre numéro sur un coin de la feuille, que j'ai déchiré et remis à Bob.

La Mustang a franchi le pont. L'autre voiture, ombre opaque et menaçante, suivait à une centaine de mètres.

— Bon, tiens-toi prêt, a averti Bob.

Il a marqué le stop au carrefour, pris à gauche et écrasé l'accélérateur. Puis il a freiné, et je me suis préparé à bondir pour courir me cacher entre deux immeubles.

— Flingue ! a chuchoté Bob.

J'ai failli me casser la figure en ramenant le bras en arrière vers le Ruger qu'il me tendait. Sans savoir s'il s'agissait de celui garni d'une balle, ou de trois, je l'ai glissé sous ma ceinture, avant de plonger dans l'ombre tandis que la Mustang s'éloignait.

La voiture aux phares éteints a ralenti au croisement sans mettre de clignotant ni s'arrêter, et a continué derrière Bob. C'était bien un Charger, équipé de vitres teintées. Je ne voyais pas le conducteur, ni s'il était accompagné.

Quand il s'est trouvé à une distance suffisante, j'ai traversé la rue et couru vers le pont. On n'entendait rien à part le son de mes chaussures sur le bitume, et ma respiration précipitée.

J'ai atteint l'extrémité du pont, pénétré sous la portion couverte, et attendu un instant que ma vision s'accommode à la pénombre.

— Patty ? ai-je appelé, juste assez fort pour que ma voix porte.

Après deux secondes sans réponse, j'ai recommencé.

— Patty ?

— Monsieur B. ?

Il me semblait détecter un mouvement, au milieu du pont. Je me suis avancé d'un pas vif.

— Patty ! ai-je répété.

Je pensais qu'elle se mettrait à courir dans ma direction, mais en m'approchant, j'ai vu qu'elle semblait effrayée, comme si elle doutait que ce fût réellement moi. Toutefois, lorsque je suis arrivé près d'elle et que je l'ai serrée dans mes bras, elle a lancé :

— Qu'est-ce que vous foutez là ?

— Tu vas bien ! me suis-je exclamé en l'agrippant. Tu vas bien !

— Ben ouais, je vais bien. Pourquoi j'irais mal ?

Elle m'étreignait à présent elle aussi. Ses mains ont alors touché le revolver au creux de mes reins, et elle les a brutalement écartées.

Je l'ai relâchée un peu afin de pouvoir la regarder dans les yeux.

— Je te croyais morte.

— Ben, non, la preuve.

De nouveau, j'ai enlacé cette fille – cette fille que je savais être la mienne.

— C'est quoi le binz, monsieur B. ? Vous pleurez, ma parole.

J'ai essayé de rassembler mes esprits.

— Excuse-moi. Je suis juste heureux de savoir que tu es saine et sauve. Tout le monde est fou d'inquiétude à ton sujet. On a imaginé le pire.

J'ai pensé à Carol Swain, qui, à défaut d'être au trente-sixième dessous, méritait quand même de savoir que sa fille allait bien.

— Tu dois appeler ta mère, ai-je poursuivi. Tu dois la rassurer.

— Ouais, ouais, a fait Patty en levant les yeux au ciel.

— Je compte sur toi. Est-ce que tu as vu Syd ?

Elle a secoué la tête.

— Non. Mais qu'est-ce que vous faites là, vous ? Comment vous... ?

Il fallait à tout prix que je surmonte mon émotion, et que je l'interroge.

— Et toi ? Qu'est-ce que *tu* fais ici ?

Patty paraissait avoir du mal à répondre.

— Je suis venue chercher Sydney.

— Ça, je m'en doutais. Mais comment savais-tu qu'elle était ici ?

— Elle m'a téléphoné, a expliqué Patty précipitamment. Elle m'a téléphoné pour me dire où elle était.

— Quand ?

— Euh, hier.

— Elle va bien ?

— Ouais, ouais. Impec, en pleine forme.

Le soulagement a commencé à m'envahir, même s'il me restait de nombreuses questions à poser.

— Comment es-tu parvenue jusqu'ici ?

— Ben, j'ai fait du stop. Ça m'a pris un moment.

— Patty, pourquoi tu ne m'as rien dit ? Si Syd t'a dit où elle se trouvait, pourquoi ne pas m'avoir mis au courant ? J'aurais pu t'emmener.

Une moue a tordu sa bouche.

— Je... J'avais les boules contre vous. À propos de l'autre soir. Je voulais que vous soyez fier de moi. Je voulais ramener Syd moi-même, toute seule.

— Oh, Patty. C'est pour ça que tu ne répondais pas à mes appels ?

Elle a hoché la tête.

— Je voulais que ce soit moi qui vous la ramène. Mon portable est resté éteint pendant un jour ou deux. J'avais envie de parler à personne.

— Tu as laissé un mot à Syd.

— Oui, mais je suppose qu'elle l'a pas eu.

— Tu t'es trompée de chalet.

— Merde.

— Ça fait combien de temps que tu es sur ce pont ?

— Des heures. Par intermittence.

— Sydney a pris peur, lui ai-je expliqué. Elle s'est enfuie de l'auberge. Je crois qu'elle a vu un des types qui la poursuivaient.

La nouvelle a semblé paniquer Patty.

Je l'ai prise par les épaules.

— C'est quelque chose que tu ne peux pas faire seule, Patty. Ces gens-là sont très dangereux. Ce sont des tueurs, Patty. Et j'ai bien l'impression qu'ils sont justement ici. Une voiture nous suivait.

— Nous ?

— Je suis avec Bob. On s'est mis en route dès qu'on a appris que Sydney se trouvait à Stowe.

— Et vous l'avez appris comment ?

— Par l'un de ces types. Patty, j'ai tiré sur un homme ce soir. Je lui ai tiré dessus pour découvrir ce qu'il savait. Il m'a dit que Sydney était ici.

Un détail mentionné par Jennings peu après que Bob et moi avons quitté Milford m'est revenu à l'esprit.

— Patty, ce coup de téléphone de Sydney. T'informant de sa présence ici. Tu l'as reçu quand ?

— Hier, a-t-elle répondu.

— C'était le premier ?

— Hein ?

— C'était la première fois qu'elle t'appelait ?

— Évidemment.

— Parce que la police, qui te cherche depuis deux jours, a vérifié l'historique de ton portable.

— Mmmh...

— Et d'après eux, tu as reçu d'autres appels de Stowe. Bien antérieurs à celui d'hier.

— N'importe quoi. Ils doivent se tromper.

— Je ne pense pas, Patty.

— C'est débile, a-t-elle insisté.

— Est-ce que Syd t'a téléphoné plus tôt ? Est-ce qu'elle a gardé contact avec toi ? Tu ne sais que depuis hier où elle se trouvait, n'est-ce pas ?

Patty a ouvert la bouche, mais rien n'est sorti. Pas tout de suite, en tout cas.

— Quoi ? a-t-elle enfin lâché. Vous êtes cinglé ?

— J'essaie simplement de comprendre. Et je ne comprends pas pourquoi Sydney t'appellerait pour te demander de venir la chercher, plutôt que moi, ou sa mère.

— J'en sais rien, merde ! a-t-elle crié.

— Qu'est-ce qui se passe, Patty ? J'ai besoin que tu sois honnête avec moi. J'ai besoin que tu m'expliques ce qui se passe.

— Honnête ? Vous voulez que je sois honnête ? Je vous en foutrais, moi, de l'honnêteté. Toute ma vie n'est qu'une foutue blague. De la merde, voilà ce qu'elle est.

— Patty.

— Et vous savez pourquoi ? Vous savez à qui la faute ?

— Patty, ce n'est pas le moment. On doit trouver où...

— À mes connards de parents, bien sûr, mais à qui d'autre, hein ? Vous le savez ? Vous. Voilà qui. C'est vous qui avez flanqué toute ma vie en l'air. Vous.

— Patty, ai-je répété.

— Parce que c'est à cause de vous que je suis là. C'est à cause de vous que j'existe.

J'ai laissé une minute ces paroles en suspens avant de lui avouer :

— Je sais.

— Hein ?

— Je sais. J'ai rencontré ta mère. Je suis au courant, pour le dossier. Tu l'as trouvé, pas vrai ? Le rapport du détective.

Elle m'a regardé fixement, le visage de marbre.

— Ouais, je l'ai vu.

— Tu es ma fille.

— Ouais, a-t-elle encore fait. Super…

— Tu aurais pu m'en parler. Tu as dû finir par le comprendre en rencontrant Sydney, en venant chez nous.

— Je le savais avant, a-t-elle reconnu à mi-voix. C'est pour ça que j'ai cherché à la connaître, que je me suis débrouillée pour être admise à ce cours de maths. Parce que je voulais faire votre connaissance. Savoir qui était mon vrai père. Maintenant, je sais. Je l'ai découvert l'autre soir. Qui vous êtes réellement. Quand vous m'avez balancé que vous aviez une fille, et que ça vous suffisait.

— Patty, j'ignorais tout. Si j'avais su…

— Si vous aviez su, vous auriez fait quoi ? Vous auriez flippé, voilà ce que vous auriez fait. De toute manière, ne vous faites pas de bile. Parce que je n'ai pas de père du tout, O.K. ? Vous n'êtes qu'un mec qui s'est branlé dans un gobelet.

— Je suis désolé, ai-je déclaré. Quand on est jeune, on prend des décisions sans penser aux répercussions qui…

— Oh, allez vous faire voir, m'a-t-elle coupé.

Son ton avait beau être chargé de colère, je voyais, malgré le peu de lumière sous le pont, qu'elle pleurait.

— Patty, quand est-ce que Sydney t'a appelée la première fois ?

Elle fuyait mon regard.

— Depuis combien de temps sais-tu qu'elle était ici ? Qu'est-ce que tu lui as dit ? Pourquoi as-tu gardé pour toi… ?

Mon portable a sonné.

— Oui ?

— Tim ? C'est Bob. Je l'ai. J'ai Sydney.

45

J'ai entendu un bruissement dans le téléphone. Puis :

— Papa ?

— Syd ! me suis-je écrié sous le regard de Patty. Oh, mon Dieu, Syd, je n'arrive pas à y croire. Tu vas bien ?

— Oui, très bien !

— Comment est-ce que Bob t'a trouvée ?

— C'est moi qui l'ai trouvé !

— Quoi ?

— Ça fait des heures que je me cache en ville, depuis que j'ai été repérée à l'auberge. Alors j'ai vu passer cette voiture, vitre baissée, et comme j'étais sûre que c'était Bob, je l'ai appelé sur le portable !

— C'est merveilleux, ma puce ! Fantastique !

Baissant la voix d'un cran, j'ai continué :

— Ils sont toujours dans le coin. Il y a une voiture qui rôde partout, phares éteints.

— Je sais, oui. Tu as retrouvé Patty ? D'après Bob, elle m'a laissé un mot ?

— Je suis avec elle en ce moment même.

— Oh, Dieu merci, a soupiré Sydney. Et elle, ça va ?

J'ai souri à Patty, qui semblait étudier mes réactions sur ma physionomie.

— Oui, elle va bien aussi.

— Patty a été si géniale, a enchaîné Sydney. Dès le début. Bien sûr, c'était horrible de devoir me cacher comme ça, mais au moins, tu avais de mes nouvelles.

J'ai regardé Patty. Ne sachant pas si elle pouvait entendre ou non Sydney, je me suis légèrement détourné.

— Comment ça, chérie ?

— À chacun de mes coups de fil, elle me tenait au courant de tout. Comme quoi les gens de l'hôtel vous surveillaient, maman et toi, et avaient mis tous nos téléphones sur écoute. Le faux site que tu as demandé à Jeff de lancer pour leur faire croire que vous ne saviez vraiment pas où j'étais. Patty devait me prévenir aussitôt qu'il n'y aurait plus de risques. Je n'arrive pas à croire que c'est enfin terminé.

— Moi non plus, ai-je assuré, tandis que Patty essayait de se rapprocher et de distinguer ce que disait Syd. Tu étais ici durant tout ce temps ?

— À peu près. Le premier jour, après ce qui s'est passé…

Malgré ses efforts pour ne pas fondre en larmes, elle ne parvenait à empêcher sa voix de trembler.

— Mon Dieu, papa, je le jure, je n'avais pas l'intention de tuer cet homme. Je marchais dans le couloir et la fille hurlait dans la chambre. Quand je me suis servie de mon passe pour entrer, ce type était en train de faire des choses affreuses à une des Chinoises qui travaillaient là, il l'avait attachée, et...

— C'est bon, ma puce.

— Je me suis mise à crier, alors il a quitté le lit et s'est jeté sur moi. C'est à ce moment-là que j'ai vu le pistolet sur la commode, je l'ai attrapé, et...

— Chut. Tu me raconteras ça plus tard.

Elle pleurait vraiment, à présent.

— Je lui ai tiré dessus. Je ne pouvais pas croire que j'avais fait une chose pareille. Après, Carter et d'autres sont venus, et moi, je paniquais complètement, tu comprends ?

— Oui, bien sûr.

— Je leur ai dit qu'il fallait appeler la police. Je savais qu'il le fallait. Mais là, ils se sont mis à paniquer à leur tour. À dire qu'on ne pouvait pas prévenir la police, qu'il n'était pas question qu'ils apprennent ce qui se passait.

— D'accord. Et ensuite ?

— Ils m'ont pris mon portable et m'ont laissée dans la chambre avec le mort et Owen en faction devant la porte, pour que je ne me sauve pas. Ils ont aussi arraché les fils du téléphone pour que je ne puisse pas m'en servir. J'avais tellement peur, je ne savais pas quoi faire. Mais Patty devait venir me prendre après mon travail pour aller vite fait au centre commercial. Alors j'ai pensé, que peut-être le mort avait un portable sur lui, et j'ai fouillé dans sa veste... oh, papa, j'avais son sang partout sur les mains...

— Chut, ai-je doucement répété. Tout va bien, maintenant...

— J'ai appelé Patty avec son téléphone et je lui ai expliqué que j'avais des ennuis.

Patty évitait toujours mon regard.

— Donc elle a eu une idée, a poursuivi Sydney. Elle s'est faufilée dans l'hôtel, a déclenché l'alarme d'incendie, est ressortie. Là, tout le monde a dû commencer à cavaler dans tous les sens, et elle a fait le tour jusqu'à la fenêtre de la chambre où je me trouvais, au rez-de-chaussée. La fenêtre s'ouvrait sur à peine trente centimètres, avec un grillage devant. Patty l'a arraché à coups de pied, et comme je ne passais pas, elle m'a tirée par le bras, super fort, ce qui m'a fait un mal de chien, mais elle a réussi à me sortir de là.

Après avoir repris son souffle, elle a ajouté :

— Mais elle t'a déjà raconté tout ça, pas vrai ?

— Oui, oui.

— Patty restait si calme, elle voyait les choses de façon si claire. Elle m'a conseillé de partir, tout simplement, et de ne pas m'arrêter. Parce que j'avais tué un homme, quand même. Elle m'a assuré que la police ne comprendrait pas, ils ne croyaient jamais les ados. En plus, les horribles gens de l'hôtel allaient me courir après. Je ne devais pas réfléchir, juste m'enfuir, elle expliquerait, à vous et à la police, ce qui s'était passé. Alors j'ai pris la voiture et roulé, roulé, roulé.

Syd s'est interrompue le temps d'une nouvelle inspiration.

— Après, je l'ai abandonnée, vu que tout le monde allait la rechercher, et je suis allée à Stowe en stop. Je me suis souvenue de ce copain d'Evan qui avait travaillé ici, et j'ai pensé que ce serait un bon endroit pour me cacher jusqu'à ce que tu me préviennes par Patty que je pouvais rentrer à la maison en toute sécurité.

— Syd, dis à Bob que je suis sur le pont avec Patty. Qu'il passe nous prendre et qu'on va décamper d'ici. On tirera tout ça au clair en chemin.

Patty me tournait le dos. Elle composait un numéro sur son portable.

— Ne quitte pas, chérie, ai-je ajouté, avant de m'adresser à Patty : Tu appelles qui ?

— Ma mère, comme vous me l'avez dit, a-t-elle répondu d'un ton sec.

J'ai failli lui chiper son téléphone pour vérifier, mais au lieu de ça, j'ai demandé à Syd de me passer Bob.

— Ouais ?

— Quelles nouvelles de la voiture qui nous suivait ?

— J'ai pris quelques virages à fond de train et je crois l'avoir semée. Là je suis garé dans l'allée d'un hôtel, phares éteints.

— Parfait. Dès que tu sens que c'est sans danger, reviens au pont et déguerpissons en vitesse.

— Bon plan. Hé, il y a quand même une bonne nouvelle au milieu de tout ça.

— Laquelle ?

— J'ai interrogé Sydney, et Evan ne l'a pas fichue enceinte.

— Bob ! a protesté Syd avant de lui reprendre l'appareil. Qu'est-ce qui va pas chez lui ?

— Laisse tomber. La seule chose qui compte, c'est que tu sois saine et sauve.

Patty, dans son propre téléphone, disait :

— Ouais, je suis avec M. Blake, sur le pont, Bob et Syd vont arriver d'une minute à l'autre, ensuite on est censés tous rentrer ensemble.

Bob avait repris la communication.

— Tim, tu ne trouves pas certains trucs que Sydney vient de te raconter un peu louches ? Sans vouloir t'offenser, hein ? a-t-il précisé à l'intention dc ma fille.

— Si, ai-je admis, les yeux rivés sur Patty.

Qui a ajouté :

— D'accord, à tout à l'heure.

Puis elle a raccroché.

— Dépêche-toi de rappliquer, ai-je recommandé à Bob.

— Le temps de vérifier que la voie est libre, et on arrive.

Sous le regard nerveux de Patty, j'ai rangé mon téléphone.

— Bon, c'est génial, a-t-elle déclaré avec un sourire forcé. On rentre tous à la maison.

— À quoi jouais-tu, Patty ? ai-je demandé d'un ton calme. En conseillant à Sydney de rester ici jusqu'à ce qu'il n'y ait plus de danger ? Qu'est-ce que tu avais dans ta tête ?

— Commencez pas à me crier dessus, hein.

Je l'ai saisie par les épaules.

— Je crie, là, selon toi ? Patty, pourquoi as-tu fait ça ?

Elle a essayé de se dégager, mais je ne l'ai pas lâchée.

— Je vous déteste, a-t-elle rétorqué. Je croyais pouvoir vous aimer, mais je vous déteste.

— Pourquoi as-tu fait ça ? ai-je répété.

Bien que cessant de se débattre, elle évitait toujours mon regard.

— D'abord, j'ai cru que si elle revenait, je serais dans une merde noire, a-t-elle répondu.

— Toi ? Pour quelle raison ?

— Parce que... c'est moi qui lui ai filé le plan pour travailler à l'hôtel. Je l'ai mise en relation avec quelqu'un.

Je me suis souvenu d'Andy me racontant être tombé sur Gary et Patty en train de discuter autour d'un milk-shake.

— Tu connaissais Gary. Andy vous a vus ensemble.

Cette fois, elle m'a dévisagé, l'air perplexe.

— Connaissais ?

— Gary est mort, ai-je expliqué.

— Mort ?

— Comment l'as-tu connu ?

— J'ai fait quelques bricoles pour lui.

— Comme pirater des cartes de crédit ?

— C'était pas très grave, a-t-elle riposté en détournant de nouveau les yeux. Mais je savais que si Sydney revenait et racontait tout, ça remonterait jusqu'à moi. La manière dont Syd avait décroché ce job, le fait que je connaissais Gary, que j'avais parfois piqué des numéros de cartes pour lui. Je serais dans la merde jusqu'au cou.

— Patty, Patty, Patty, ai-je murmuré, songeant à toute l'angoisse qu'elle avait occasionné, chez moi et tant d'autres, au cours des dernières semaines. Et ni Gary ni les gens de l'hôtel n'ont pensé que tu saurais où se trouvait Sydney ? Vu que vous étiez amies ?

— Ils ne savaient pas qu'on était si proches. Évidemment, ils sont venus me voir. Je n'allais pas leur dire où était Syd, mais il fallait bien que je leur donne quelque chose. Alors je leur ai conseillé de surveiller votre maison et celle de la mère de Syd. De toute façon, j'étais sûre que Sydney ne se pointerait pas, parce qu'elle m'écoutait. Elle m'appelait tous les deux ou trois jours et je lui disais de se tenir à carreau. N'empêche que, soyons honnêtes, pendant tout ce temps, elle était en sécurité, pas vrai ?

J'ai entendu une voiture s'arrêter, une portière claquer.

— Tu aurais quand même pu me tenir au courant, ai-je objecté. Cela n'avait aucun sens d'inciter Syd à rester à l'écart.

— En fait...

— Oui ?

Elle s'est mordu la lèvre inférieure, hésitant à continuer.

— En fait, j'aimais bien qu'elle soit pas là.

Un frisson m'a parcouru, qui ne devait rien à la brise nocturne. J'ai repensé à toutes les fois, depuis la disparition de Syd, où Patty était passée me voir. À la maison avec de quoi dîner. Ou à la concession.

Patty voulait prendre la place de Sydney. Si celle-ci ne revenait pas, elle pourrait devenir ma fille.

En ce cas, qu'est-ce qui l'avait décidée, pour finir, à venir chercher Sydney à Stowe ?

À moins qu'elle ne soit pas venue pour cela du tout.

C'est à ce moment-là que je me suis rendu compte d'une présence, sous le passage couvert, à quelques pas. J'étais tellement concentré sur Patty, à essayer de comprendre son comportement, que je n'avais pas remarqué que nous n'étions plus seuls.

J'ai fait volte-face.

Il y avait une femme. Elle tenait un revolver pointé sur moi.

C'était Veronica Harp.

46

— Espèce de petite garce, a lancé Veronica à Patty. Tu veux dire que tu as toujours su où elle était ? Et tu as attendu jusqu'à hier pour nous en parler ? Tu n'aurais pas pu le faire depuis le début ?

Voilà, nous y étions.

Patty avait conduit Veronica ici. Pour récupérer Sydney. J'imaginais sans peine à quel moment elle avait décidé de trahir Syd. Après que je lui ai balancé que j'avais une fille, et nul besoin d'une seconde.

— Il a un flingue, a averti Patty.

Génial.

Son arme toujours braquée sur moi, Veronica a ordonné :

— Sortez-le lentement et jetez-le par-dessus la rambarde.

J'ai passé la main dans mon dos, tiré le Ruger de ma ceinture, et fait ce qu'on me demandait. Une seconde plus tard, nous l'avons entendu tomber dans l'eau avec un plouf.

— Faites-moi la voix de Yolanda Mills, ai-je réclamé à Veronica.

Elle a réprimé un sourire.

— Cette photo envoyée par mail a vraiment été l'élément décisif, ai-je poursuivi.

— Un sacré coup de chance, a reconnu Veronica. J'essayais réellement de comprendre comment photographier avec mon portable. Je ne suis pas très douée pour ces choses techniques, vous savez, mais je veux pouvoir prendre plein de photos de mon petit-fils, et éviter de me trimballer un appareil si le téléphone peut faire l'affaire. Donc j'étais dans le couloir, en train de tripoter les touches, quand Sydney est passée.

Qui aurait pu deviner que ça se révélerait bien commode plus tard ?

Elle s'est tournée vers Patty.

— Tu m'avais dit que tu la connaissais à peine, cette Sydney. Vous étiez copines ?

« Plus que ça », ai-je précisé en mon for intérieur.

— Je ne voulais pas qu'il lui arrive quoi que ce soit, a répliqué Patty. À l'époque.

— Pff, bosser avec des gosses, je vous jure, a soupiré Veronica.

— Je ne comprends pas, ai-je déclaré.

— Qu'est-ce que vous ne comprenez pas ?

— Comment vous, une grand-mère, vous arrivez à dormir la nuit en exerçant ce genre d'activité. Introduire des gens dans le pays, les traiter comme des esclaves, les priver de tous leurs droits. En faire des prostituées ou Dieu sait quoi d'autre.

Elle est montée sur ses grands chevaux.

— Ils trouvent un tas de bons jobs dans l'hôtellerie, la restauration, le bâtiment. Laissez-moi vous dire quelque chose : ils s'en sortent bien mieux ici que dans leurs pays d'origine. Vous en voyez un seul essayer de rentrer chez lui ?

— Parce que vous les laisseriez partir ? Combien vous paient-ils pour que vous les introduisiez dans le pays ? Quelles sortes de salades leur racontez-vous pour les convaincre qu'ils auront une vie meilleure en venant ici ?

Veronica n'avait rien à ajouter. Quand il a été clair que prolonger le débat avec moi ne l'intéressait pas, je me suis adressé à Patty.

— Tu sais qu'elle va nous tuer, Sydney, moi et Bob.

Patty a gardé le silence.

— Et toi aussi, probablement, ai-je complété.

— Ne l'écoute pas, Patty, a objecté Veronica. Tu as mis le bazar, mais tu nous as aussi énormément aidés. Tu as pris la bonne décision en me révélant où trouver ta copine. Bon, où sont les autres ? a-t-elle demandé ensuite, visiblement nerveuse.

— Ils ne devraient pas tarder, a répondu Patty. Mais s'ils voient votre voiture…

— Elle est de l'autre côté de la rue, derrière une boutique de cadeaux. Retourne sur la route, fais-leur signe, dis-leur de venir sur le pont, que M. Blake s'est tordu la cheville, n'importe quoi. Tu mens très bien, n'est-ce pas, mon chou ? a-t-elle souligné avec un sourire.

Patty a fait quelques pas hésitants.

— Allez ! a aboyé Veronica.

Patty est partie en courant.

— Il y a eu du grabuge à Milford, ai-je indiqué. Vous êtes au courant ?

Elle m'a fixé sans un mot.

— Gary est mort. Carter aussi. Owen est à l'hôpital.

Il était évident que Veronica n'en savait rien. Elle tentait de masquer sa surprise.

— Toute l'affaire tourne en eau de boudin, Veronica. Il serait plus sage de nous oublier, de reprendre votre voiture et de vous en aller aussi loin que possible.

— La ferme.

— Vous ne pouvez pas rentrer. Je parie que l'hôtel grouille de policiers en ce moment même. Dès qu'Owen en sera capable, il leur racontera probablement tout, si cela lui permet de négocier un accord quelconque. Ma main au feu qu'il vous balancera en premier.

— J'ai des amis, a rétorqué Veronica.

Mais sa voix manquait de conviction.

— À Seattle, peut-être ? C'est l'un d'eux qui vous a envoyé ce téléphone portable par la poste ?

— La ferme ! je vous dis.

— Peu importe que vous ayez des amis ou pas. Je ne donne pas cher de vos chances, maintenant. Vous êtes foutue, Veronica.

Ses yeux ont brillé de colère tandis qu'elle braquait son arme sur moi.

— Je ne crois pas, non.

Nous avons entendu une voiture approcher. Puis, au loin, Patty crier :

— Par ici ! Par ici !

Si mon revolver gisait au fond de l'eau, Bob avait encore le sien. Le problème, c'est qu'il ignorait qu'il allait en avoir besoin. Comme je ne pensais pas pouvoir prendre l'avantage sur Veronica – elle se tenait prudemment à plusieurs pas de moi – je devrais attendre d'être sûr que Bob et Sydney soient sortis de la voiture pour commencer à les alerter.

J'ai perçu un claquement de portière, suivi d'exclamations féminines. Patty et Sydney s'embrassaient, Sydney sincèrement exaltée, Patty réalisant une performance digne d'un oscar.

Il fallait qu'elles se taisent, juste un instant.

À présent, elles s'avançaient vers l'extrémité du passage couvert.

— Courez ! ai-je hurlé aussi fort que j'ai pu.

— Merde ! a rugi Veronica, avant de tirer.

Je n'ai pas été assez rapide. Mon oreille gauche est soudain devenue brûlante, tandis que ma main se portait instinctivement à ma tempe. J'ai senti du sang dégouliner entre mes doigts. La balle avait entaillé le bord de l'oreille. Le choc m'a fait heurter le parapet du pont et tomber par terre.

Au lieu de mettre chacun en fuite, le coup de feu a attiré tout le monde.

Bob est arrivé en tête, glissant sa main dans le dos, ce qui m'a fait supposer qu'il avait le Ruger sur lui. Il a pu m'apercevoir plus loin sous le passage abrité, ainsi que Veronica, le revolver toujours à la main.

Il a sorti son arme, tiré au hasard, avec la même habileté dont il avait fait preuve en venant.

Veronica s'est rejetée contre le mur et a riposté, alors que Sydney et Patty, qui avaient suivi Bob sur le pont, risquaient d'être touchées.

Mais Bob s'est révélé une couverture efficace pour les deux filles.

— Oh, merde ! a-t-il crié.

Le Ruger lui a échappé de la main. De l'autre, il s'est agrippé le haut du bras droit, a trébuché.

— Putain ! J'ai pris une balle !

Sydney a hurlé.

Veronica courait maintenant le long du pont, en direction du petit groupe. Syd a fait demi-tour pour battre en retraite, mais Patty lui a bloqué le passage, le temps que Veronica la rattrape, puis, après l'avoir saisie par le bras, entreprenne de l'entraîner à nouveau vers l'endroit où je me trouvais, adossé contre le mur.

— Ramasse ce revolver ! a-t-elle ordonné à Patty.

Elle parlait de celui de Bob, qui avait glissé loin de lui. Il souffrait trop pour essayer de l'atteindre lui-même.

Patty a obéi, tenant l'arme sur le côté, à bout de bras.

Veronica s'est alors tournée vers Sydney.

— Va là-bas.

Elle a continué à la pousser sur le pont, et une fois qu'elles m'eurent rejoint, l'a propulsée à terre.

Syd a jeté ses bras autour de moi, et a aussitôt senti du sang sur ses doigts.

— Papa, ça va ? Tu es blessé ?

— C'est bon, ai-je assuré. Je vais bien.

— Pourquoi est-ce que Patty l'aide ? Qu'est-ce qui se passe ?

J'ai enlacé ma fille, l'ai serrée contre moi. Je voulais l'étreindre une dernière fois avant que Veronica ne nous descende tous.

— Ça n'a plus d'importance, ai-je répliqué. On est ensemble maintenant. Je t'aime. Je t'aime tellement.

Veronica a baissé les yeux sur Sydney.

— Nom d'un chien, quelle sale petite emmerdeuse. Tout ce qu'on cherchait, c'était une jolie frimousse à la réception, parlant anglais. Et regarde dans quel pétrin tu nous as fourrés.

— C'était un homme mauvais, a répliqué Sydney à travers ses larmes. M. Tripe était vraiment très mauvais.

— Tu crois que c'est pour le venger que je me suis lancée à tes trousses ? Je veux juste te faire taire, une bonne fois pour toutes. Tant que tu risquais de rentrer, de parler de l'hôtel à la police...

Veronica s'est interrompue, a secoué la tête, puis a hélé Patty.

— Apporte-moi l'autre revolver, tu veux, ma cocotte ?

Patty s'est avancée.

Le Ruger pendait au bout de sa main droite. Je me demandais si c'était celui qui contenait une seule balle. Auquel cas, il était à présent vide. Ce qui signifiait que Patty au moins ne constituait pas une menace.

Mais combien de balles restait-il dans l'arme de Veronica ?

Patty s'est arrêtée à quelques pas, le revolver à la main.

— Tu sais comment ça va finir, lui ai-je dit. Si jamais tu t'es imaginé que nous avions une chance de nous rapprocher, cela n'arrivera pas. Elle va me tuer. Et ta sœur également.

— Quoi ? a fait Sydney.

— Taisez-vous ! a craché Patty.

— C'est ta sœur, ai-je expliqué à Syd.

— Bouclez-la ! Bouclez-la ! a crié Patty.

— Patty... Patty est ma fille, ai-je ajouté, sans quitter Sydney des yeux.

Elle est restée muette de stupeur.

Au loin, une sirène a retenti. Des gens avaient sûrement entendu les coups de feu.

— Merde, a grondé Veronica. Il faut se barrer d'ici.

Il semblait même que plusieurs sirènes s'approchaient. Une voiture de police, peut-être aussi une ambulance.

— Je suis désolée, a murmuré Patty en nous regardant, Sydney et moi. Vraiment désolée. J'ai tout fait foirer. Ce n'est pas comme ça que je voulais que ça finisse.

Une larme solitaire a coulé le long de sa joue.

Veronica a braqué son arme sur ma tête.

— On doit filer. Bye bye.

Je me suis préparé, essayant de m'étendre sur Syd, de faire un rempart de mon corps.

Et le coup est parti. Assourdissant.

Mais la balle n'a pas été éjectée par le pistolet de Veronica.

Puis un autre coup de feu a claqué.

Tout compte fait, Bob avait pris le revolver garni de trois balles.

Le corps de Veronica a été projeté contre le parapet. D'un geste faible, elle a levé son arme et fait feu sur Patty avant de glisser le long des planches du passage couvert.

Le seul coup qu'elle a réussi à tirer a touché Patty à la poitrine, qui a lâché le Ruger et s'est écroulée contre les poutres de bois, puis s'est affaissée dans une position bizarre.

J'ai bondi sur Veronica, saisi son poignet et l'ai cogné contre la rambarde. Mais elle n'a pas lutté. Son arme est passée par-dessus bord avant de tomber dans le ruisseau. Veronica n'a plus bougé.

Sydney hurlait.

Je l'ai entourée de mes bras.

— Tout va bien. Chut. Tout va bien.

Je lui ai répété que tout allait bien, que c'était fini, que nous allions rentrer à la maison, qu'elle allait revoir sa maman, que le cauchemar était terminé.

Malgré le bruit des sirènes qui s'amplifiait de seconde en seconde, tout paraissait soudain très calme.

Je n'ai pas lâché Syd. Je voulais la tenir ainsi pour l'éternité, ne plus jamais la laisser quitter mes bras. Mais nous n'étions pas encore tout à fait au bout de nos peines. Il y avait des blessés. Patty. Et Bob. Quant à moi, même si je n'avais récolté qu'une entaille à l'oreille, je ne me sentais pas très vaillant.

Nul doute qu'une bonne part d'émotion participait à ma défaillance. Le tourbillon de hauts et de bas dans lequel nous étions embarqués depuis des semaines prenait fin. J'avais comme l'impression de m'éteindre.

— Sydney, ai-je continué d'une voix douce, m'efforçant de la calmer. C'est fini. Tu vas rentrer à la maison. Tu comprends ?

Elle a acquiescé.

— On va rentrer. On va rentrer, maintenant.

— Je sais, a-t-elle chuchoté. Je sais.

— La police et une ambulance arrivent. Ils risquent de voir Bob, mais ils ne pourront pas deviner qu'il y a du monde sous ce pont.

Nouveau hochement de tête, donnant le sentiment qu'elle parvenait à se ressaisir quelque peu.

— Je vais aller le leur dire, a-t-elle annoncé.

— Moi, je vais rester ici avec Patty. Elle est sérieusement blessée.

— Toi aussi, a rétorqué Syd en regardant le sang qui coulait de mon oreille.

— Ce n'est pas trop grave. Mais je me sens… un tantinet bizarre.

Puis nous avons contemplé Patty. Une énorme tache sombre s'élargissait rapidement sur sa poitrine.

— Papa, a repris Sydney d'une voix tremblante, incapable de détacher ses yeux du sang. Tu as dit qu'elle était ma…

— Va, ma puce. Va. Maintenant.

Elle nous a observés encore un instant tous les deux, a reniflé, et s'est mise à courir vers l'extrémité du pont.

Après avoir rampé jusqu'à elle, j'ai pris Patty dans mes bras, l'ai attirée contre moi, perçu la moiteur du sang qui imbibait ses vêtements.

Si seulement j'avais su. Si seulement j'avais su.

— Ils arrivent, lui ai-je dit. Tiens bon.

— Je suis désolée.

C'est à peine si je distinguais ses paroles. Elles sortaient entre deux gargouillements.

— Ne parle pas, Patty. Ne parle pas.

J'essayais de la réconforter, posant sur sa joue mon visage peu à peu baigné de larmes.

— Je voulais juste que vous m'aimiez, a-t-elle articulé.

— Mais je t'aime. Vraiment.

J'ai tenu et serré Patty tandis qu'elle rendait son dernier soupir et que mon autre fille faisait signe à l'ambulance et à la police.

Remerciements

Comme toujours, je voudrais remercier Helen Heller, mon formidable agent, et tout le monde chez Paul Marsh Agency. D'innombrables personnes chez Orion Grande-Bretagne, ainsi que chez Hachette en Australie et en Nouvelle-Zélande, ont soutenu ce roman et contribué au succès des précédents. La perspicacité de mon éditeur Bill Massey a considérablement aidé à faire de ce livre ce qu'il est.

Mes amis Carl Brouwer et Mike Onishi, vendeurs de voitures à la retraite qui m'ont tous deux persuadé au fil des ans que je faisais une sacrée bonne affaire, se sont montrés généreux de leur temps pour m'expliquer les ficelles de leur métier. Dale Hopkings m'a renseigné sur les fraudes de cartes fiscales et m'a raconté un paquet d'histoires de détectives privés dont j'espère me servir un jour.

Enfin, rien de tout cela n'aurait de sens sans Neetha, Spencer et Paige, laquelle mérite un merci spécial. En mangeant les œufs que je lui avais préparés un matin, elle m'a dit : « Imagine que tu viennes me chercher à mon travail et que tu découvres que je n'y ai jamais mis les pieds ? »

Achevé d'imprimer per GGP Media GmbH, Pößneck en mai 2011
pour le compte de France Loisirs, Paris
No d'editeur : 64 1100 – Dépôt legal : février 2011 – Imprimé en Allemagne

Composition : Soft Office (38320)